Sidney Sheldon

NADA ES ETERNO

Traducción de Elizabeth Casals

DEL MISMO AUTOR
por nuestro sello editorial

■

CARA DESCUBIERTA
MÁS ALLÁ DE LA MEDIANOCHE
UN EXTRAÑO EN EL ESPEJO
LAZOS DE SANGRE
EL PRECIO DE LA INTRIGA
EL CAPRICHO DE LOS DIOSES
VENGANZA DE ÁNGELES
SI HUBIERA UN MAÑANA
LAS ARENAS DEL TIEMPO
RECUERDOS DE LA MEDIANOCHE
LA CONSPIRACIÓN DEL JUICIO FINAL
ESCRITO EN LAS ESTRELLAS
PERSECUCIÓN
EL ESTRANGULADOR

Sidney Sheldon

Nada es Eterno

EMECÉ EDITORES

Diseño de tapa: *Eduardo Ruiz*
Título original: *Nathing Lasts Forever*

Alsina 2062 - Buenos Aires, Argentina
7ª impresión
Impreso en Compañía Impresora Argentina S.A.,
Alsina 2041/49, Buenos Aires, febrero de 1995

IMPRESO EN LA ARGENTINA / PRINTED IN ARGENTINA
Queda hecho el depósito que previene la ley 11.723.
I.S.B.N.: 950-04-1427-9
8.900

Deseo expresar mi profundo agradecimiento
a los numerosos médicos, enfermeras y paramédicos,
quienes generosamente compartieron
sus conocimientos con el autor.

"Todo aquello que los medicamentos no curan se cura con el cuchillo; lo que el cuchillo no puede curar se cura con el hierro candente, y lo que esto no pueda curar debe considerarse incurable."

HIPÓCRATES, Circa 480 A.C.

"Existen tres clases de seres humanos: los hombres, las mujeres y las mujeres que ejercen la medicina."

SIR WILLIAM OSLER

Prólogo

San Francisco
Abril de 1995

El fiscal de distrito Carl Andrews estaba furioso.

—¿Qué diablos pasa aquí? —quiso saber—. Tenemos tres médicas que viven juntas y trabajan en el mismo hospital. Una de ellas estuvo a punto de hacerlo clausurar, la segunda mata a su paciente por un millón de dólares y la tercera es asesinada.

Andrews dejó de hablar para respirar profundo.

—¡Y son todas mujeres! Los medios las tratan como si fueran celebridades. ¡Están por todas partes! *60 minutos* les dedicó un bloque. No puedo tomar un periódico ni una revista sin ver sus fotografías o leer sobre ellas. Apostaría a que Hollywood quiere hacer una película sobre ellas, ¡y las muy perras se convertirán en heroínas! No me sorprendería que el gobierno imprimiera su imagen en las estampillas, como hicieron con Presley. ¡Pero por Dios, no voy a soportarlo! —Golpeó el puño contra la fotografía de una mujer en la tapa de *Newsweek*. El título decía: *Doctora Paige Taylor: ¿ángel piadoso o discípula de Satanás?*

—Doctora Paige Taylor. —La voz del fiscal de distrito sonó llena de disgusto. Se volvió a Gus Venable, su fiscal principal. —Te daré este juicio, Gus. Quiero una condena. Asesinato en primer grado. La cámara de gas.

—No te preocupes —respondió Gus Venable con tranquilidad—. Me encargaré de ello.

Sentado en la sala del tribunal, Gus Venable observó a Paige Taylor y pensó: *"Es a prueba de jurados"*. Se sonrió. *"Nadie es a prueba de jurados."* Paige Taylor era alta y esbelta, con ojos de un brillante marrón oscuro sobre un rostro pálido. Un observador desinteresado la habría catalogado sólo como una mujer atractiva. Sin embargo, alguien más observador habría advertido algo más: que todas las diferentes etapas de su vida se reflejaban en su rostro. Se advertía la feliz alegría de la niña, superpuesta sobre la tímida inseguridad de la adolescente y la sabiduría y el dolor de la mujer. Tenía un aire de inocencia. *"Es el tipo de muchacha"*, pensó Gus Venable con cinismo, *"que cualquier hombre estaría orgulloso de presentarle a su madre. Si a ésta le gustaran las asesinas a sangre fría."*

Sus ojos expresaban una remota vaguedad casi pavorosa, una mirada que decía que la doctora Paige Taylor se había replegado hasta lo más profundo de su ser, a un sitio diferente, a un tiempo diferente, lejos de la sala fría y estéril donde estaba atrapada.

Transcurría la segunda semana del juicio en el venerable y antiguo Palacio de Justicia de San Francisco de la calle Bryant. El edificio que alojaba la Corte Suprema y la Prisión del Condado era ominoso: tenía siete plantas de alto y estaba construido con piedra gris y cuadrada. Todo visitante que ingresaba en los tribunales era sometido a estrictos controles de seguridad electrónicos. En el interior del edificio había ocho salas de tribunal y arriba, en el tercer piso, la Corte Suprema. En la sala 121, donde se entablaban juicios por asesinato, el estrado del juez estaba apoyado contra la pared trasera, con una bandera norteamericana detrás. A su izquierda se encontraba el estrado del jurado, y en el centro había dos escritorios separados por un pasillo: uno para el fiscal y el otro para el abogado defensor.

La sala estaba repleta de periodistas y del tipo de espectadores fanáticos de los accidentes fatales y de los juicios por asesinato. En cuanto a juicios por asesinato, éste prometía ser espectacular. Gus Venable, el fiscal, era un espectáculo en sí mismo. Era un hombre corpulento, enorme, con una mata de pelo gris, perilla y el modo agradable típico de un sureño propietario de plantaciones. Sin embargo, Gus Venable nunca había estado en el Sur. Tenía un aire vago de estupefacción y un cerebro de computadora. Era típico verlo, fuera invierno o verano, vestido con un traje blanco y una anticuada camisa de cuello rígido.

El abogado de Paige Taylor, Alan Penn, era todo lo contrario: un tiburón compacto y enérgico, que se había hecho famoso por conseguir absoluciones para sus clientes.

Los dos hombres ya habían estado frente a frente; su relación era de reticente respeto y total desconfianza. Ante la sorpresa de Venable, Alan Penn había ido a visitarlo una semana antes del comienzo del juicio.

—Vine para hacerte un favor, Gus.

"Cuídate de los abogados defensores que quieran hacerte favores."

—¿Qué tenías pensado, Alan?

—Espero que comprendas... todavía no lo discutí con mi cliente, pero suponte... sólo suponte... que pudiera persuadirla de que se declare culpable con una condena mínima y le ahorrara al Estado el costo de un juicio.

—¿Me estás pidiendo que llegue a un acuerdo de reducción de pena?

—Sí.

Gus Venable se inclinó hacia su escritorio para buscar algo.

—No puedo encontrar el maldito calendario. ¿Sabes qué fecha es hoy?

—Primero de junio. ¿Por qué?

—Por un momento pensé que era Navidad, porque de lo contrario no me estarías pidiendo un regalo semejante.

—Gus...

Venable se inclinó en su silla.

—¿Sabes, Alan? En otra ocasión me inclinaría por complacerte. A decir verdad, en este momento me gustaría estar en Alaska pescando. Pero la respuesta es: "no". Estás defendiendo a una asesina a sangre fría que mató a un paciente indefenso por su dinero. Voy a pedir la pena de muerte.

—Yo creo que es inocente, y...

Venable largó una carcajada breve y explosiva.

—No, no lo crees. Y tampoco lo cree nadie. Es un caso abierto y cerrado. Tu cliente es tan culpable como Caín.

—No hasta que el jurado lo decida, Gus.

—Lo harán. —Hizo una pausa. —Lo harán.

Después de que Alan Penn partiera, Gus Venable permaneció sentado, pensando en la conversación. El hecho de que Penn hubiera venido a verlo era una señal de debilidad. Penn sabía que no existía ninguna posibilidad de ganar el juicio. Gus Venable pensó en la evidencia irrefutable que tenía y en los testigos que iba a citar, y quedó satisfecho.

No cabía duda: la doctora Paige Taylor iría directo a la cámara de gas.

No había resultado fácil elegir un jurado. El caso había ocupado los titulares durante meses. El carácter insensible del asesinato había producido una ola cada vez mayor de ira.

La jueza a cargo era Vanessa Young, una brillante y enérgica jurista negra de quien se comentaba que sería la próxima candidata para la Suprema Corte de los Estados Unidos. Era típica su impaciencia con los abogados y su temperamento explosivo. Entre los abogados de San Francisco había un adagio que decía: *"Si tu cliente es culpable y buscas justicia, aléjate del juzgado de la Jueza Young"*.

El día anterior al del comienzo del juicio la jueza Young había convocado a los dos abogados a su despacho.

—Vamos a establecer algunas reglas básicas, caballeros. Debido a la seriedad de este juicio, estoy dispuesta a hacer ciertas concesiones para que la acusada reciba un juicio justo. Pero les advierto: no traten de sacar ventaja. ¿Está claro?

—Sí, Su Señoría.

—Sí, Su Señoría.

La jueza Young se volvió a Alan Penn.

—El Estado ha opuesto excepciones previas *in liminae*. No le daré curso a menos que la defensa esté de acuerdo.

Alan Penn permaneció sentado, pensando. La moción significaba que ambas partes tendrían la oportunidad de rebatir de inmediato el testimonio de testigos no deseables, en lugar de seguir el procedimiento normal. Le daría a su cliente la oportunidad de desacreditar a los testigos de la fiscalía. Pero era una espada de doble filo: también le daría la oportunidad a la fiscalía de desacreditar el testimonio de la defensa.

Estaban esperando su respuesta. Alan Penn tomó una decisión.

—La Defensa acepta, Su Señoría.

Fue su primer error.

El fiscal y el abogado defensor resultaron fascinantes de observar para los espectadores y la prensa. Gus Venable estaba vestido de blanco y Alan Penn de negro; los dos se movían por la sala del tribunal como jugadores de una partida de ajedrez mortal y coreografiada; Paige Taylor era el peón sacrificado.

Paige Taylor estaba sentada en el banquillo del testigo y era interrogada por Alan Penn.

—¿John Cronin era su paciente, doctora Taylor?

—Así es.

—¿Y cuáles eran sus sentimientos hacia él?

—Me agradaba. Sabía lo enfermo que estaba, pero tenía mucho coraje. Fue operado de un tumor cardíaco.

—¿Usted realizó la cirugía cardíaca?

—Sí.

—¿Y qué descubrió durante la operación?

—Cuando le abrimos el pecho, descubrimos que tenía un melanoma que había hecho metástasis.

—En otras palabras, cáncer que se le había extendido por todo el cuerpo.

—Sí. Había hecho metástasis a las glándulas linfáticas.

—O sea que no había esperanza para él. ¿No existía ninguna medida heroica que pudiera devolverle la salud?

—Ninguna.

—¿John Cronin fue conectado a un respirador artificial?

—Correcto.

—Doctora Taylor, ¿administró deliberadamente una dosis fatal de insulina a fin de terminar con la vida de John Cronin?

—Sí.

Hubo un repentino murmullo en la sala.

"De veras que tiene sangre fría", pensó Gus Venable. *"Lo dice como si le hubiera dado una taza de té."*

—¿Podría decirle al jurado por qué terminó con la vida de John Cronin?

—Porque me pidió, me rogó que lo hiciera. Me hizo llamar en medio de la noche porque los dolores que sentía eran terribles. La medicación que le estábamos suministrando ya no surtía efecto. —Su voz era pausada. —Dijo que no quería seguir sufriendo. Le quedaban pocos días de vida. Me suplicó que le pusiera fin. Y lo hice.

—¿Doctora, tuvo algún reparo en dejarlo morir? ¿Algún sentimiento de culpa?

La doctora Paige Taylor sacudió la cabeza.

—No. Si lo hubiera visto... No tenía sentido que siguiera sufriendo.

—¿Cómo administró la insulina?

—Se la inyecté al suero endovenoso.

—¿Y eso le produjo algún dolor adicional?

—No. Simplemente se durmió.

Gus Venable se puso de pie.

—¡Objeción! ¡Creo que lo que la acusada quiere decir es que se murió! Yo...

La jueza Young golpeó con su mazo.

—Señor Venable, está cometiendo desacato. Ya tendrá oportunidad de interrogar a la acusada. Siéntese.

El fiscal miró al jurado, sacudió la cabeza y tomó asiento.

—Doctora Taylor, cuando administró la insulina a John Cronin, ¿sabía que éste la había designado en su testamento para heredar un millón de dólares?

—No. No podía creerlo cuando me enteré.

"Debería crecerle la nariz", pensó Gus Venable.

—¿En ningún momento recibió dinero ni regalos, ni pidió nada a John Cronin?

Un tenue rubor cubrió sus mejillas.

—¡Nunca!

—¿Pero tenía una relación amistosa con él?

—Sí. Cuando un paciente está tan enfermo, la relación médico-paciente cambia. Hablábamos de problemas de negocios y de problemas familiares.

—¿Pero no tenía razón para esperar nada de él?

—No.

—Le dejó ese dinero porque había llegado a respetarla y a confiar en usted. Gracias, doctora Taylor. —Penn se dirigió a Gus Venable. —Su testigo.

Cuando Penn volvió al escritorio de la defensa, Paige Taylor miró hacia el fondo de la sala. Jason estaba sentado allí, tratando de parecer alentador. Junto a él estaba Honey. Un desconocido estaba sentado junto a Honey, en el lugar que debió haber ocupado Kat. *"Si estuviera viva. Pero Kat está muerta"*, pensó Paige. *"También la maté."*

Gus Venable se puso de pie y caminó con lentitud, arrastrando los pies hasta el estrado. Observó los asientos destinados a la prensa: todos estaban ocupados, y todos los periodistas se afanaban por escribir. *"Voy a darles tema para escribir"*, pensó.

Se paró frente a la acusada durante un largo rato y la estudió. Después preguntó en forma casual:

—Doctora Taylor, ¿John Cronin fue el primer paciente a quien usted asesinó en el Embarcadero County Hospital?

Alan Penn estaba de pie, furioso.

—¡Su Señoría...!

La jueza Young ya había golpeado con su mazo.

—¡Ha lugar! —Se volvió a los dos abogados. —Habrá un receso de quince minutos. Quiero verlos en mi oficina.

Cuando los dos abogados estuvieron en su oficina, la jueza Young se dirigió a Gus Venable.

—Usted fue a la facultad de abogacía, ¿no es cierto, Gus?

—Lo siento, Su Señoría. Yo...

—¿Vio alguna carpa allí fuera?

—¿Cómo?

Su voz fue como un látigo.

—Mi sala no es un circo, y no voy a permitirle que lo convierta en uno. ¡Cómo se atreve a hacer una pregunta tan provocativa!

—Le pido disculpas, Su Señoría. Volveré a formular la pregunta y...

—¡Hará algo más! —espetó la jueza Young—. Volverá a considerar su actitud. Se lo advierto, si vuelve a hacer una pregunta parecida declararé nulo el juicio.

—Sí, Su Señoría.

Cuando volvieron a la sala, la jueza Young dijo al jurado:

—El jurado no tomará en cuenta la última pregunta del fiscal. —Se volvió al fiscal: —Puede continuar.

Gus Venable se dirigió nuevamente al estrado de los testigos.

—Doctora Taylor, sin duda habrá sido grande su sorpresa al enterarse de que el hombre a quien usted asesinó le dejó un millón de dólares.

Alan Penn estaba de pie.

—¡Objeción!

—Ha lugar. —La jueza Young se dirigió a Venable. —Se está abusando de mi paciencia.

—Le pido disculpas, Su Señoría. —Se volvió a la acusada. —La relación entre usted y su paciente debió de ser *muy* amistosa. Me refiero a que no todos los días una persona casi desconocida nos deja un millón de dólares, ¿no es verdad?

Paige Taylor se ruborizó levemente.

—Nuestra amistad era en el contexto de la relación médico-paciente.

—¿Solamente? Un hombre no excluye de su testamento a su amada esposa y familia y deja un millón de dólares a una extraña sin que haya mediado algún tipo de persuasión. Esas charlas que según su testimonio usted mantuvo con su paciente sobre problemas de negocios...

La jueza Young se inclinó hacia adelante y dijo con tono de advertencia:

—Señor Venable...

El fiscal levantó las manos en señal de rendición. Se volvió a la acusada.

—Así que John Cronin y usted mantenían charlas amistosas. Él le contó cosas personales, y sentía aprecio y respeto por usted. ¿Es una síntesis justa, doctora?

—Sí.

—Gracias. Puede descender por un momento. —Se dirigió a la jueza. —Quisiera llamar al estrado a Gary Williams.

Después de que el testigo hubo hecho el juramento, Gus Venable preguntó:

—¿Trabaja usted como ordenanza en el Embarcadero County Hospital?

—Así es.

—¿Trabajaba en la guardia tres cuando John Cronin fue internado el año pasado?

—Sí.

—¿Podría decirnos quién era el médico a cargo de este caso?

—La doctora Taylor.

—¿Cómo describiría la relación entre la doctora Taylor y John Cronin?

—¡Objeción! —Alan Penn estaba de pie otra vez. —Está pidiendo una opinión del testigo.

—Ha lugar.

—Permítame expresarlo de otra manera. ¿Alguna vez

escuchó una conversación entre la doctora Taylor y John Cronin?

—Claro que sí. No podía evitarlo. Trabajaba en esa guardia a todas horas.

—¿Diría que esas conversaciones eran amistosas?

—No, señor.

—¿De veras? ¿Por qué lo asegura?

—Bueno... recuerdo el día en que el señor Cronin fue internado, y la doctora Taylor comenzó a examinarlo, le dijo que mantuviera sus... —Vaciló. —No sé si puedo repetir sus palabras.

—Sí, señor Williams. Creo que no hay niños en la sala.

—Bueno, dijo que mantuviera sus asquerosas manos alejadas de él.

—¿*Eso* le dijo a la doctora Taylor?

—Sí, señor.

—Por favor dígale al jurado qué otra cosa vio u oyó.

—Bueno, él siempre la llamaba "esa perra". No quería que se le acercara. Cada vez que la doctora entraba en su habitación, hacía comentarios como: "¡Ahí vuelve esa perra!" y "Dile a esa perra que me deje tranquilo" y "¿Por qué no me consiguen un médico *de verdad*?"

Gus Venable hizo una pausa para mirar el sitio donde estaba sentada la doctora Taylor. Las miradas de los jurados lo siguieron. Venable sacudió la cabeza, como si se hubiera entristecido, y después volvió a la testigo.

—¿Le pareció el señor Cronin un hombre dispuesto a darle un millón de dólares a la doctora Taylor?

Alan Penn volvió a ponerse de pie.

—¡Objeción! Otra vez está pidiendo opinión al testigo.

La jueza Young respondió:

—Denegada. La testigo puede responder la pregunta.

Alan Penn miró a Paige Taylor y se hundió en su asiento.

—¡Diablos, no! La odiaba con toda su alma.

El doctor Arthur Kane estaba en el estrado.

Gus Venable dijo:

—Doctor Kane, usted era el residente principal a cargo cuando se descubrió que John Cronin había sido ase... —miró a la jueza Young— ...había muerto por una sobredosis de insulina inyectada en su suero endovenoso. ¿Correcto?

—Sí.

—¿Y a continuación descubrió que la doctora Taylor era la responsable?

—Así es.

—Doctor Kane, voy a mostrarle el Certificado de Defunción oficial emitido por el hospital y firmado por la doctora Taylor. —Tomó un papel y se lo entregó a Kane. —¿Podría leerlo en voz alta, por favor?

Kane comenzó a leer.

—"John Cronin. Causa de defunción: paro respiratorio como complicación de infarto de miocardio producido como consecuencia de una embolia pulmonar.

—¿Y en lenguaje popular?

—El informe dice que el paciente murió de un paro cardíaco.

—¿Y ese certificado está firmado por la doctora Taylor?

—Sí.

—Doctor Kane, ¿fue ésa la verdadera causa de la muerte de John Cronin?

—No. La inyección de insulina produjo su muerte.

—Quiere decir que la doctora Taylor administró una dosis fatal de insulina y después falsificó el informe?

—Sí.

—¿Y usted se lo hizo saber al doctor Wallace, el administrador del hospital, quien a su vez se lo informó a las autoridades?

—Sí. Sentí que era mi deber. —Su voz sonó con virtuosa indignación. —Soy médico. No considero correcto quitar la vida a otro ser humano bajo ninguna circunstancia.

El siguiente testigo fue la viuda de John Cronin.

Hazel Cronin rondaba los cuarenta años, tenía el cabello color rojo fuego y una figura voluptuosa que el sencillo vestido negro no conseguía ocultar.

Gus Venable comenzó:

—Sé lo dolorosa que le resulta esta situación, señora Cronin, pero debo pedirle que describa al jurado cómo era su relación con su difunto marido.

La viuda de Cronin se secó los ojos con un enorme pañuelo de encaje.

—El nuestro era un matrimonio feliz. John era un hombre maravilloso. Solía decirme que yo era la única verdadera felicidad que había conocido.

—¿Cuánto tiempo estuvo casada con John Cronin?

—Dos años, pero John siempre decía que parecían dos años en el cielo.

—Señora Cronin, ¿alguna vez su esposo habló con usted de la doctora Taylor? ¿Alguna vez le contó lo excelente médica que opinaba que era? ¿O de cuánta ayuda le había resultado? ¿O cuánto le agradaba?

—Nunca la nombró.

—¿Nunca?

—Nunca.

—¿Alguna vez habló John con usted de su intención de excluirlos a usted y a sus hermanos de su testamento?

—Por supuesto que no. Era el hombre más generoso del mundo. Siempre me decía que no había nada que yo no pudiera tener, y que cuando muriera... —Su voz se quebró. —...que cuando muriera sería una mujer rica, y... —No pudo continuar.

La jueza Young dijo:

—Puede retirarse...

Sentado en el fondo de la sala, Jason Curtis estaba furioso. No podía creer lo que los testigos estaban diciendo de Paige. *"Es la mujer que amo"*, pensó. *"La mujer con la que voy a casarme."*

Inmediatamente después del arresto de Paige, Jason Curtis había ido a visitarla a la cárcel.

—Lucharemos juntos —le aseguró—. Te conseguiré el

mejor abogado criminalista del país. —Un nombre le vino a la mente de inmediato. *Alan Penn.* Jason había ido a verlo.

—He estado siguiendo el caso por los periódicos —respondió Penn—. La prensa ya la juzgó y la condenó.

—La conozco —aseguró Jason Curtis—. Créame, Paige no pudo haber hecho lo que hizo por dinero.

—Ella admite haberlo matado —dijo Penn—. Así que lo que aquí está en discusión es la eutanasia. Matar por piedad no es legal en California, como tampoco en la mayor parte de los Estados Unidos, pero existen muchas opiniones encontradas al respecto. Puedo presentar un caso bastante aceptable: Florence Nightingale escuchó una Voz que venía de lo alto, etcétera, etcétera. Pero el problema es que su media naranja mató a un paciente que le dejó un millón de dólares en su testamento. ¿Qué vino primero: el huevo o la gallina? ¿Supo lo del millón antes de matarlo o después?

—Paige no sabía nada del dinero —aseguró Jason con firmeza.

Penn respondió con tono falto de compromiso:

—De acuerdo. Fue una feliz coincidencia. El fiscal de distrito va a entablar juicio por Asesinato en Primer Grado y quiere la pena de muerte.

—¿Va a tomar el caso?

Penn vaciló. Era evidente que Jason Curtis creía en la doctora Taylor. *De la misma forma en que Sansón creyó en Dalila.* Miró a Jason y pensó: "*¿Al pobre desgraciado le habrán cortado el pelo y todavía no lo sabe?*".

Jason esperaba una respuesta.

—Tomaré el caso, siempre y cuando esté consciente de que tenemos todo en contra. Va a ser muy difícil ganarlo.

La afirmación de Alan Penn resultó ser demasiado optimista.

Cuando a la mañana siguiente se reanudó el juicio, Gus Venable llamó a unos cuantos testigos nuevos.

Una enfermera había subido al estrado.

—Oí decir a John Cronin: "Sé que moriré en la mesa de operaciones. Usted va a matarme. Espero que la encierren por asesinato...".

Más tarde, un abogado estaba sentado en el estrado. Gus Venable preguntó:

—Cuando le informó a la doctora Taylor que había heredado un millón de dólares de John Cronin, ¿cuál fue su respuesta?

—Dijo algo así como: "No es ético. Era mi paciente".

—¿Admitió que no era ético?

—Sí.

—¿Pero aceptó el dinero?

—¡Ah, sí! Por supuesto.

El testimonio acumulativo de los testigos era devastador. Cada uno de ellos contradecía el testimonio de la doctora Taylor, y no había nada que Alan Penn pudiera hacer para rebatirlos. Gus Venable volvió a llamar a Paige Taylor al estrado para reafirmar el testimonio de los testigos de la fiscalía.

—Doctora Taylor, usted testificó antes que no tenía idea de que John Cronin fuera a dejarle dinero en su testamento, ni de que fuera a excluir de él a su familia.

—Así es.

—¿Cuánto gana un médico residente en el Embarcadero County Hospital?

Alan Penn se puso de pie.

—¡Objeción! No veo...

—Es una pregunta adecuada. La testigo puede responder.

—Treinta y ocho mil dólares por año.

Venable replicó con tono compasivo:

—Hoy día no es mucho, ¿no es cierto? Y a eso hay que restarle deducciones, impuestos y gastos personales. No le quedaría suficiente para hacer un viaje de lujo, digamos, a Londres, a París o a Venecia, ¿no es así?

—Supongo que no.

—No. ¿Así que no proyectó ningún viaje parecido,

porque sabía que no podría pagarlo?
—Así es.
Alan Penn se había puesto de pie de nuevo.
—Su Señoría...
La jueza Young se dirigió al fiscal.
—¿Adónde quiere llegar, señor Venable?
—Sólo quiero dejar sentado que la acusada no estaba proyectando un viaje de lujo a ninguna parte.
—Ya respondió esa pregunta.
—Eso es todo, doctora Taylor. Si la corte me lo permite, quisiera llamar a Alma Rogers al estrado.

Cuando la testigo hubo jurado, Venable preguntó:
—Señora Rogers, ¿cuál es su ocupación?
—*Señorita* Rogers.
—Discúlpeme, por favor.
—Trabajo en la agencia de viajes Corniche.
—¿Su agencia reserva plazas para excursiones a distintos países, hace reservas de hoteles y se encarga de otros menesteres para sus clientes?
—Sí, señor.
—Quiero que observe a la acusada. ¿Alguna vez la había visto?
—¡Oh, sí! Vino a nuestra agencia de viajes hace un año.
—¿Y qué quería?
—Dijo que estaba interesada en un viaje a Londres, a París y, creo, a Venecia.
—¿Pidió precios de excursiones?
—¡Oh, no! Dijo que quería todo de primera clase: avión y hoteles. Y creo que estaba interesada en alquilar un yate.
En la sala se produjo un silencio. Gus Venable caminó hasta el escritorio de la fiscalía y tomó unas carpetas.
—La policía encontró estos folletos en el armario que la doctora Taylor tenía en el hospital. Son itinerarios de viaje a París, a Londres y a Venecia, folletos de hoteles y aerolíneas costosos, y uno que detalla los precios de alquiler de yates privados.

Hubo un murmullo en la sala.

El fiscal había abierto uno de los folletos.

—Aquí están los precios de alquiler de algunos yates. —Leyó en voz alta: —El *Christina O*... veintiséis mil dólares por semana más gastos del barco... el *Resolute Time*, veinticuatro mil quinientos por semana... el *Lucky Dream*, veintisiete mil trescientos por semana. —Alzó la mirada. —Hay una marca junto al *Lucky Dream*. Paige Taylor ya había elegido el yate de veintisiete mil trescientos dólares por semana. Pero todavía no había elegido su víctima.

Alan Penn se volvió para mirar a Paige. Ésta miraba la mesa, con el rostro pálido.

—Quisiéramos que se los considerara Evidencia A. —Venable se volvió a Alan Penn y sonrió. —Su testigo.

Penn se puso de pie, tratando de ganar tiempo, pensando rápido.

—¿Cómo marcha el negocio del turismo hoy día, señorita Rogers?

—¿Perdón?

—Le pregunté cómo marcha el negocio. ¿Corniche es una agencia de turismo grande?

—Sí, bastante grande.

—Me imagino que a la agencia entra muchísima gente para pedir información sobre viajes.

—Claro.

—¿Diría que cinco o seis personas por día?

—¡No! —Su voz sonó indignada. —Hablamos por lo menos con cincuenta personas por día para concertar viajes.

—¿Cincuenta personas por día? —Se mostró impresionado. —Y el día del que hablamos fue hace un año. Si multiplicamos cincuenta por trescientos días, nos da un total de quince mil personas.

—Supongo que sí.

—Y sin embargo, de todas esas personas, usted recordó a la doctora Taylor. ¿Por qué?

—Bueno, ella y sus dos amigas estaban tan emocionadas por hacer un viaje a Europa. Me resultaron encantadoras; parecían colegialas. ¡Oh, sí! Las recuerdo con mucha claridad, en especial porque no tenían aspecto de poder pagar el alquiler de un yate.

—Ajá. ¿Supongo que cualquiera que entra en la agencia para pedir un folleto siempre contrata un viaje?

—Bueno, no, por supuesto que no. Pero...

—La doctora Taylor no *contrató* un viaje, ¿no es verdad?

—Bueno, no. No con nuestra agencia. Ella...

—Ni con ninguna otra. Sólo *pidió* ver algunos folletos.

—Sí, ella...

—Lo cual no es igual que *ir* a París o a Londres, ¿no es verdad?

—Bueno, no, pero...

—Gracias. —Se volvió a la jueza Young. —Quisiera llamar al estrado a la doctora Taylor.

—Doctora Taylor, ¿recuerda haber pedido estos folletos de viaje?

—Sí.

—¿Proyectaba ir a Europa o alquilar un yate?

—¡Por supuesto que no! Todo fue una especie de broma, un sueño imposible. Mis amigas y yo pensamos que nos levantaría el ánimo. Estábamos muy cansadas y... en ese momento nos pareció una buena idea. —Su voz se hizo imperceptible.

Alan Penn miró al jurado con disimulo. Sus rostros reflejaban la más absoluta desconfianza.

Gus Venable interrogaba a la acusada.

—Doctora Taylor, todo médico debe tomar el Juramento Hipocrático, ¿no es verdad?

—Sí.

—¿Y parte de ese juramento dice... —El fiscal leyó de un papel que tenía en la mano. —"...me abstendré de cualquier acto de malicia o de corrupción."?

—Sí.

—En otras palabras, usted juró seguir estrictamente las reglas de la medicina.

—Así es.

—Doctora Taylor, además de administrar en forma ilegal una dosis fatal de insulina a John Cronin, ¿violó esas reglas en alguna otra oportunidad?

—No.

—Puede descender del estrado.

Venable se volvió a la jueza Young.

—Quisiera llamar al estrado al doctor Benjamin Wallace.

—Doctor Wallace, ¿está a cargo de la administración del Embarcadero County Hospital?

—Así es.

—¿Así que, por supuesto, conoce a la doctora Taylor y está familiarizado con su trabajo?

—Sí.

—Acaba de escuchar a la doctora Taylor testificar que con una sola excepción nunca, en ningún momento, violó el Juramento Hipocrático. ¿Es eso cierto?

—No, señor, me temo que no.

—¿Podría precisar qué otro crimen cometió la doctora Taylor?

—Teníamos un paciente quien, según la doctora Taylor, necesitaba una transfusión de sangre. Su familia se rehusó a otorgar el permiso.

—¿Y qué sucedió?

—La doctora Taylor de todos modos dio la transfusión al paciente.

—¿Y eso es legal?

—Por supuesto que no. No sin una orden judicial.

—¿Entonces qué hizo la doctora Taylor?

—Consiguió la orden judicial después y le cambió la fecha.

—¿Así que cometió un acto ilegal y falsificó los registros del hospital para cubrirse?

—Así es.

Alan Penn miró a Paige, furioso. *¿Qué otra cosa me habrá ocultado?*

Gus Venable reexaminaba a la acusada.

—Doctora Taylor, ¿conoce al doctor Lawrence Barker?

Paige tuvo un repentino recuerdo. *Voy a asesinar a Lawrence Barker, pero lo haré de a poco. Primero haré que sufra... y después lo voy a matar.*

—Sí. Conozco al doctor Barker.

—¿De qué manera?

—El doctor Barker y yo trabajamos juntos varias veces durante los últimos dos años.

—¿Diría que es un médico competente?

—Es más que competente; es brillante.

—¿Podría ser más específica?

—El doctor Barker es uno de los cirujanos cardiovasculares más reconocidos del mundo. Tiene muchos pacientes privados, pero dona tres días por semana al Embarcadero County Hospital.

—¿Entonces aprecia mucho su opinión en temas médicos?

—Sí.

—¿Y cree que sería capaz de juzgar la competencia de otro médico?

Paige vaciló.

—Sí.

Gus Venable se dirigió a la jueza.

—Su Señoría, como usted sabe, por desgracia el doctor Barker sufrió un ataque cardíaco y no puede presentarse en esta corte para testificar. Con permiso de la sala, quisiera pedirle a la acusada que descienda del estrado mientras interrogo a algunos de los testigos que trabajaron con el doctor Barker.

La jueza Young se volvió a Alan Penn.

—¿La defensa tiene alguna objeción?

Penn se puso de pie.

—Por supuesto que sí. No veo qué importancia pueda tener. El doctor Barker no está siendo juzgado aquí. Si...

Venable interrumpió.

—Su Señoría, le aseguro que mis preguntas guardan

relación con el testimonio que acabamos de escuchar. Tiene que ver con la opinión que el doctor Barker tiene de la competencia de la acusada como médica.

La jueza respondió, escéptica:

—Veremos. Esta es una sala de tribunal, no un río. No permitiré ninguna excursión de pesca. Puede llamar a sus testigos.

—Gracias.

—Puede descender del estrado por el momento, doctora Taylor.

Gus Venable se dirigió al alguacil.

—Quisiera llamar al estrado al doctor Mathew Peterson.

Paige Taylor se puso de pie y regresó al escritorio de la defensa. Si los espectadores buscaban alguna señal de emoción en su rostro, se vieron desilusionados.

Tan fría como el hielo, pensaba el presidente del jurado.

Un hombre de aspecto elegante, de unos sesenta años, se acercó al estrado de los testigos. Se le tomó juramento y cuando tomó asiento, Gus Venable inquirió:

—Doctor Peterson, ¿desde cuándo trabaja en el Embarcadero County Hospital?

—Desde hace ocho años.

—¿Y cuál es su especialidad?

—Soy cirujano cardíaco.

—Y durante esos años, ¿alguna vez tuvo oportunidad de trabajar con el doctor Lawrence Barker?

—¡Oh, sí! Muchas veces.

—¿Qué opinión le merece?

—La misma que a todo el mundo. Posiblemente excluyendo a DeBakey y a Cooley, el doctor Barker sea el mejor cirujano cardíaco del mundo.

—¿Estaba usted presente en el quirófano la mañana en que la doctora Taylor operó a un paciente llamado... —Fingió consultar un pedazo de papel. —...Lance Kelly?

El tono del testigo cambió.

—Sí, estaba presente.

—¿Podría describir lo sucedido esa mañana?

El doctor Peterson respondió, reacio:

—Bueno... las cosas empezaron a funcionar mal. Comenzamos a perder al paciente.

—Cuando dice: "a perder al paciente..."

—Su corazón se detuvo. Estábamos tratando de resucitarlo y...

—¿Habían mandado a llamar al doctor Barker?

—Sí.

—¿Y el doctor Barker ingresó al quirófano durante el transcurso de la operación?

—Hacia el final, sí, pero era demasiado tarde para hacer nada. No pudimos revivir al paciente.

—¿Y en ese momento el doctor Barker dijo algo a la doctora Taylor?

—Bueno, todos estábamos muy nerviosos, y...

—Le pregunté si el doctor Barker dijo algo a la doctora Taylor.

—Sí.

—¿Y qué fue lo que dijo el doctor Barker?

Hubo una pausa, en mitad de la cual se oyó un trueno, como si fuera la voz de Dios. Un momento más tarde se desató la tormenta y las pesadas gotas de lluvia comenzaron a caer sobre el techo de los tribunales.

—El doctor Barker dijo: "Usted lo mató".

Los espectadores estaban causando un tumulto. La jueza Young golpeó con su mazo.

—¡Es suficiente! ¿Acaso viven en cuevas? Otra explosión como esta y deberán esperar bajo la lluvia.

Gus Venable esperó a que se apaciguara el ruido. Cuando se recobró el silencio preguntó:

—¿Está seguro de que eso fue lo que dijo el doctor Barker a la doctora Taylor: "Usted lo mató."?

—Sí.

—¿Y usted testificó que la opinión médica del doctor Barker era valiosa?

—Oh, sí.

—Gracias. Eso es todo, doctor. —Se volvió a Alan Penn. —Su testigo.

Penn se puso de pie y se acercó al estrado de los testigos.

—Doctor Peterson, nunca observé una operación, pero imagino que debe de reinar una enorme tensión, en especial cuando se trata de algo tan serio como una intervención cardíaca.

—Hay muchísima tensión.

—Y en una ocasión semejante, ¿cuántas personas hay en el quirófano? ¿Tres o cuatro?

—¡Oh, no! Siempre hay seis o más.

—¿De verdad?

—Sí. Por lo general hay dos cirujanos, uno asistente, a veces dos anestesistas, una enfermera de limpieza y por lo menos una enfermera circulante.

—Ya veo. Entonces debe de haber mucho ruido y muchos nervios en el ambiente: gente dando instrucciones, etcétera.

—Sí.

—¿Y tengo entendido que se acostumbra poner música durante una operación?

—Así es.

—Cuando el doctor Barker entró y vio que Lance Kelly estaba muriendo, probablemente ese hecho contribuyó a la confusión.

—Bueno, todo el mundo estaba muy ocupado tratando de salvar al paciente.

—¿Haciendo mucho ruido?

—Había mucho ruido, sí.

—Y sin embargo, en medio de toda esa confusión y ruido, y por encima de la música, usted pudo oír al doctor Barker decir que la doctora Taylor había matado al paciente. En medio de la confusión, usted pudo haberse equivocado, ¿no?

—No, señor. No pude haberme equivocado.

—¿Por qué está tan seguro?

El doctor Peterson suspiró.

—Porque estaba parado junto al doctor Barker cuando lo dijo.

No había forma de salir airoso.

—No más preguntas.

El caso se derrumbaba y no había nada que pudiera hacer para salvarlo. Y estaba a punto de empeorar.

Denise Berry subió al estrado de los testigos.

—¿Usted es enfermera en el Embarcadero County Hospital?

—Sí.

—¿Desde cuándo trabaja allí?

—Desde hace cinco años.

—Durante ese período, ¿alguna vez oyó alguna conversación entre la doctora Taylor y el doctor Barker?

—Seguro. Montones de veces.

—¿Podría repetir algunas de ellas?

La enfermera Berry miró a la doctora Taylor y vaciló.

—Bueno, el doctor Barker solía ser muy duro...

—No fue eso lo que le pregunté, enfermera Berry. Le pedí que nos contara algunos comentarios específicos que haya oído que el doctor Barker hacía a la doctora Taylor.

Hubo una larga pausa.

—Bueno, una vez dijo que era incompetente, y...

Gus Venable se mostró sorprendido.

—¿Oyó al doctor Barker decir a la doctora Taylor que era incompetente?

—Sí, señor. Pero él siempre...

—¿Qué otros comentarios oyó que el doctor Barker hacía de la doctora Taylor?

La testigo se mostraba reacia a responder.

—En realidad no recuerdo...

—Señorita Berry, le recuerdo que está bajo juramento.

—Bueno, una vez le oí decir... —El resto de la oración fue un murmullo.

—No podemos oírla. Suba el tono de voz, por favor. ¿Qué le oyó decir?

—Dijo que... no permitiría que la doctora Taylor operara ni a su perro.

Hubo un murmullo colectivo en la sala.

—Pero estoy segura de que él sólo quiso decir...

—Creo que todos damos por sentado que el doctor Barker quiso decir lo que dijo.

Todas las miradas estaban fijas en Paige Taylor.

Gus Venable continuó:

—Usted oyó a la acusada testificar que respetaba mucho la opinión médica del doctor Barker. Espero que también haya escuchado con atención la opinión que tenía sobre su competencia... o falta de ella.

Alan Penn estaba de pie, furioso.

—¡Objeción!

—Ha lugar.

Pero era demasiado tarde. El daño estaba hecho.

Durante el siguiente receso, Alan Penn llevó a Jason al retrete de hombres.

—¿En qué maldito lío me metió? —gritó Penn, irritado—. John Cronin la odiaba. Siempre insisto en que mis clientes me digan la verdad, toda la verdad. Es la única manera en que puedo ayudarlos. Bueno, *a ella* no puedo ayudarla. Su amiguita está tan hundida en la nieve que necesito esquíes para sacarla. Cada vez que abre la boca, una docena de testigos prueban que es una mentirosa psicopática. ¡El maldito caso se derrumba en caída libre!

Esa tarde Jason Curtis fue a ver a Paige.

—Tiene una visita, doctora Taylor.

Jason ingresó en la celda de Paige.

—Paige...

Esta se volvió a Jason; trataba de contener las lágrimas.

—Todo se ve muy mal, ¿no es así?

Jason forzó una sonrisa.

—Ya sabes lo que dicen: "No está terminado hasta que esté terminado".

—Jason, no creerás que maté a John Cronin por su dinero, ¿no? Lo que hice fue sólo para ayudarlo.

—Te creo —respondió Jason con tranquilidad—. Te amo.

La tomó entre sus brazos. *No quiero perderla*, pensó Jason. *No puedo. Es lo mejor que me pasó en la vida.*

—Todo va a salir bien. Te prometí que siempre estaríamos juntos.

Paige se apretó contra él y pensó: *"Nada es eterno. Nada. ¿Cómo pudo haber salido todo tan mal... tan mal... tan mal..."*.

LIBRO PRIMERO

CAPÍTULO UNO

San Francisco
Julio de 1990

—Hunter, Kate.

—Presente...

—Taft, Betty Lou.

—Presente...

—Taylor, Paige.

—Presente...

Eran las únicas mujeres del gran grupo de residentes ingresantes a primer año en el enorme y opaco auditorio del Embarcadero County Hospital.

El Embarcadero County era el hospital más antiguo de San Francisco, y uno de los más antiguos del país. Durante el Gran Terremoto de 1989, Dios les había gastado una broma a los habitantes de San Francisco y había dejado el hospital en pie. Era un complejo desagradable que ocupaba más de tres manzanas, con edificios de ladrillo y piedra, gris debido a los años de suciedad acumulada.

En el interior de la entrada del edificio principal había una enorme sala de espera, con bancos duros de madera para pacientes y visitas. Las paredes se descascaraban debido a las sucesivas capas de pintura acumuladas al cabo de muchos años. Los pisos de los pasillos estaban gastados y desparejos debido a los miles de pacientes que se desplazaban en sillas de ruedas, muletas y a pie. El complejo entero estaba bañado con la añeja pátina del tiempo.

El Embarcadero County Hospital era una ciudad dentro de otra. Contaba con más de nueve mil empleados, entre los que se contaban cuatrocientos médicos, ciento cincuenta médicos voluntarios de medio tiempo, ochocientos médicos residentes y tres mil enfermeras, además de técnicos, ayudantes y demás personal técnico. Las plantas superiores contenían un complejo de doce quirófanos, un almacén central, un banco de sangre, el centro de organización, tres salas de emergencia, una sala de SIDA y más de dos mil camas.

En este día de julio, primer día del arribo de los nuevos residentes, el doctor Benjamin Wallace, administrador del hospital, se puso de pie para hablar. Wallace era el prototipo del político, un hombre alto e imponente de pocas luces pero encanto suficiente para haber escalado hasta su posición actual.

—Esta mañana quiero darles la bienvenida a todos ustedes, médicos residentes. Durante los primeros dos años de la facultad de Medicina trabajaron con cadáveres. En los últimos dos años, trabajaron con pacientes de hospital bajo la supervisión de médicos principales. Ahora serán *ustedes* quienes deberán ser responsables por sus pacientes. Se trata de una tremenda responsabilidad, que requiere dedicación y habilidad.

Sus ojos escrutaron el auditorio.

—Algunos de ustedes piensan dedicarse a la cirugía; otros a la medicina interna. Cada grupo será asignado a un médico residente principal, quien les explicará la rutina diaria. De ahora en más, todo lo que hagan puede ser cuestión de vida o muerte.

Todos escuchaban con atención, pendientes de cada palabra.

—Embarcadero es un hospital del condado. Significa que cualquier persona que golpee a nuestra puerta es admitida. La mayoría de los pacientes son indigentes; vienen aquí porque no pueden pagar un hospital privado. Nuestras salas de emergencia están ocupadas las veinticuatro horas del día. El trabajo es excesivo y el sueldo escaso. En un hospital privado, el primer año consistiría en tareas de rutina; en el segundo año les permitirían alcanzarle el escalpelo al cirujano y en el tercer año se les permitiría realizar alguna operación de cirugía menor supervisada. Bueno, aquí pueden olvidarse de todo eso. Nuestro lema aquí es: "Observa el primero, haz el segundo, enseña el tercero".

"Contamos con muy poco personal, y cuanto más rápido podamos hacerlos ingresar en los quirófanos, mejor. ¿Alguna pregunta?

Había un millón de preguntas que los nuevos residentes querían formular.

—¿Ninguna? Bien. Su primer día empieza oficialmente mañana. Se presentarán en la Recepción Principal a las cinco y media de la mañana. ¡Buena suerte!

La reunión informativa había terminado. Hubo un éxodo general hacia las puertas y se oyó el murmullo de conversaciones nerviosas. Las tres mujeres estaban juntas.

—¿Dónde están las demás mujeres?

Creo que somos todas las que hay.

—Es muy parecido a la facultad, ¿no? Los hombres por un lado y las mujeres por el otro. Tengo la sensación de que este lugar pertenece a la Edad Media.

La persona que hablaba era una mujer negra de belleza perfecta, de casi un metro ochenta y cinco de estatura, de huesos grandes pero intensamente elegante. Todo en ella: su modo de caminar, su porte, su mirada tranquila e irónica transmitían un mensaje de indiferencia.

—Soy Kate Hunter, pero me dicen Kat.

—Paige Taylor. —Joven y amigable, parece inteligente, segura de sí misma.

Se volvieron a la tercera mujer.

—Betty Lou Taft, pero me dicen Honey. —Hablaba con suave acento sureño. Tenía un rostro sincero e inocente, ojos grises claro y sonrisa cálida.

—¿De dónde eres? —preguntó Kat.

—De Memphis, Tennessee.

Ambas miraron a Paige. Ésta decidió darles la sencilla respuesta:

—De Boston.

—De Minneapolis —completó Kat—. *Bastante cerca*, pensó.

Paige dijo:

—Parece que todas estamos lejos de casa. ¿Dónde están parando?

—Yo estoy en un hotel de mala muerte —respondió Kat—. Todavía no tuve oportunidad de buscar un lugar donde vivir.

—Tampoco yo —dijo Honey.

El rostro de Paige se iluminó.

—Esta mañana estuve mirando algunos departamentos. Uno de ellos era espléndido, pero no puedo pagarlo sola. Tiene tres dormitorios...

Se miraron la una a la otra.

—Si compartiéramos el alquiler... —sugirió Kat.

El departamento estaba situado en el distrito de Marina, en la calle Filbert. Era perfecto para ellas. Los muebles eran viejos, pero era limpio y prolijo.

Cuando las tres terminaron de examinarlo, Honey opinó:

—Creo que es hermoso.

—¡Estoy de acuerdo! —coincidió Kat.

Miraron a Paige.

—Alquilémoslo.

Se mudaron esa misma tarde. El portero las ayudó a subir el equipaje por las escaleras.

—Así que van a trabajar en el hospital —comentó—. Son enfermeras, ¿no?

—Médicas —lo corrigió Kat.

El portero la miró con escepticismo.

—¿Médicas? Quiere decir ¿médicas *de verdad*?

—Sí, médicas de verdad —respondió Paige.

El hombre gruñó:

—Si he de ser honesto, si necesitara atención médica no

creo que quisiera que una mujer me examinara.

—Lo tendremos en cuenta.

—¿Dónde está el televisor? —quiso saber Kat—. No lo veo.

—Si quieren televisor deberán comprarlo. Que disfruten el departamento, señoritas, digo... doctoras. —Se rió entre dientes.

Las tres lo miraron salir.

Kat repitió, imitando su voz:

—Son enfermeras, ¿no? —bufó—. ¡Machista! Bueno, elijamos los dormitorios.

—Cualquiera está bien para mí —dijo Honey con voz suave.

Examinaron los tres dormitorios. El principal era más grande que los otros dos.

Kat sugirió:

—¿Por qué no lo tomas tú, Paige? Al fin de cuentas, tú encontraste este lugar.

Paige asintió.

—De acuerdo.

Fueron a sus respectivos dormitorios y comenzaron a desempacar. De su valija Paige extrajo con cuidado una fotografía enmarcada de un hombre de alrededor de treinta años. Era atractivo, tenía puestos unos anteojos de marco negro que le otorgaban un aire erudito. Paige puso la fotografía junto a su cama, junto a un montón de cartas.

Kat y Honey se acercaron.

—¿Qué tal si salimos a cenar?

—Estoy lista —accedió Paige.

Kat vio la fotografía.

—¿Quién es?

Paige sonrió.

—Es el hombre con quien me voy a casar. Es médico y trabaja para la Organización Mundial de la Salud. Se llama Alfred Turner. Ahora está trabajando en África, pero va a venir a San Francisco para que podamos estar juntos.

—¡Qué afortunada! —dijo Honey, con voz romántica—. Parece un buen hombre.

Paige la miró.

—¿Sales con alguien?

—No. Creo que no tengo mucha suerte con los hombres.

Kat dijo:

—Tal vez tu suerte cambie en Embarcadero.

Cenaron en Tarantino's, cerca del departamento. Durante la cena charlaron de sus orígenes y de sus vidas, pero había cierta limitación en la conversación, una especie de reserva. Eran tres desconocidas que se probaban, que empezaban a conocerse con cuidado.

Honey habló muy poco. *"Es tímida"*, pensó Paige. *"Es vulnerable. Algún hombre en Memphis debe de haberle roto el corazón."*

Paige observó a Kat. *"Segura de sí misma. Enorme dignidad. Me gusta cómo habla. Es evidente que proviene de una buena familia."*

Mientras tanto, Kat estaba estudiando a Paige. *"Una niña rica que nunca tuvo que trabajar para conseguir nada en su vida. Progresó gracias a su linda carita."*

Honey las miraba a las dos. *"Son tan seguras de sí mismas. La vida les va resultar fácil."*

Todas estaban equivocadas.

Cuando regresaron al departamento, Paige estaba demasiado exaltada para dormir. Se acostó en la cama y pensó en el futuro. Afuera de su ventana, en la calle, se oyó el ruido de un choque de autos, después los gritos de la gente, y en la imaginación de Paige todo se confundió en el recuerdo de los nativos africanos gritando y cantando, y del disparo de armas. Fue transportada hacia el pasado, a la pequeña aldea en la jungla en África Oriental, atrapada en medio de una mortal guerra entre tribus.

Paige estaba aterrorizada.

—¡Van a matarnos!

Su padre la tomó entre sus brazos.

—No van a hacernos daño, querida. Estamos aquí para ayudarlos. Saben que somos sus amigos.

Y sin previo aviso, el jefe de una de las tribus había irrumpido en su choza...

Honey se había acostado y pensaba. *"Estás muy lejos de Memphis, Tennessee, Betty Lou. Supongo que nunca podré regresar. Nunca más."* Todavía podía oír la voz del alguacil que le decía: "Por respeto a su familia, vamos a informar la muerte del reverendo Doublas Lipton como "suicidio por razones desconocidas", pero le sugiero que se vaya de este pueblo rápido y no vuelva más..."

Kat miraba por la ventana de su dormitorio y escuchaba los ruidos de la ciudad. Podía oír las gotas de lluvia que murmuraban: *"Lo lograste... Lo lograste... Les demostré a todos que estaban equivocados. ¿Quieres ser médica? ¿Una médica negra? Y los rechazos de las facultades de medicina. "Gracias por enviarnos su solicitud. Desafortunadamente no nos quedan vacantes."*

"En vista de sus antecedentes, permítanos aconsejarle que en una universidad más pequeña se hallará más cómoda."

Tenía las mejores notas, pero de veinticinco facultades a las que había enviado solicitud, sólo una la había aceptado. El Decano de la facultad le había dicho:

—En estos días resulta reconfortante ver a una muchacha que proviene de una familia normal y decente.

¡Si hubiera conocido la terrible verdad...!

CAPÍTULO DOS

A las cinco y media de la mañana del día siguiente, cuando ingresaron los nuevos residentes, personal del hospital los aguardaba para guiarlos a sus respectivas tareas. Incluso a esa temprana hora, la batahola había comenzado.

Habían ingresado pacientes toda la noche. Habían llegado en ambulancias, patrulleros y a pie. El personal del hospital los llamaba los "P" y los "E", los pecios y las echazones de la sociedad, que fluían a torrentes en las salas de emergencia, lastimados y sangrantes, víctimas de tiroteos, de heridas de arma blanca y de accidentes automovilísticos, los heridos en cuerpo y alma, los desamparados y parias, el flujo y reflujo de la humanidad que merodea por las oscuras cloacas de toda gran ciudad.

Se percibía una intensa sensación de caos organizado: movimientos frenéticos, ruidos estridentes y decenas de crisis inesperadas, todas las cuales debían ser atendidas de inmediato.

Los nuevos residentes se habían agrupado en un tropel protector, mientras se acostumbraban al nuevo ambiente y escuchaban los sonidos misteriosos que los rodeaban.

Paige, Kat y Honey esperaban en el corredor cuando un residente principal se les acercó.

—¿Quién de ustedes es la doctora Taft?

Honey alzó la mirada y respondió:

—Yo.

El residente sonrió y extendió la mano.

—Es un honor para mí conocerla. Me pidieron que viniera a buscarla. Nuestro jefe dice que usted tuvo las notas más altas en la universidad que este hospital jamás haya tenido. Estamos encantados de tenerla entre nosotros.

Honey sonrió, incómoda.

—Gracias.

Kat y Paige miraron asombradas a Honey. *¡Jamás hubieran imaginado que era tan brillante!*

—¿Tiene pensado dedicarse a la medicina interna, doctora Taft?

—Sí.

El residente se volvió a Kat.

—¿Doctora Hunter?

—Sí.

—Está interesada en neurocirugía.

—Así es.

El médico consultó un listado.

—Trabajará con el doctor Hutton.

El residente se dirigió a Paige.

—¿Doctora Taylor?

—Sí.

—Usted irá a cirugía cardíaca.

—Así es.

—Bien. Las destinaremos a usted y a la doctora Hunter a recorridos de posoperatorio. Pueden presentarse en la oficina de la jefa de enfermeras, Margaret Spencer, al final del corredor.

—Gracias.

Paige miró a las demás y respiró profundamente.

—¡Aquí voy! ¡Nos deseo a todas mucha suerte!

La jefa de enfermeras, Margaret Spencer, se parecía más a un acorazado que a una mujer: era robusta, de expresión severa y modos bruscos. Se encontraba atareada detrás del sector de enfermeras cuando Paige se aproximó.

—Discúlpeme...

La enfermera Spencer alzó la mirada.

—¿Sí?

—Me dijeron que debía presentarme aquí. Soy la doctora Taylor.

La enfermera Spencer consultó una hoja de papel.

—Aguarde un momento. —Atravesó una puerta y regresó un minuto más tarde con tres elementos: guantes, un camisolín y un delantal. —Aquí tiene. Los guantes son para usar en el quirófano, el camisolín para el área de comida y el delantal para Terapia Intensiva.

—Gracias.

—¡Ah! Esto también. —Se estiró y entregó a Paige un rótulo que rezaba: "*Paige Taylor, M.D.*". Se sintió como si le hubieran entregado la Medalla de Honor. Todos los años largos y difíciles de trabajo y estudio estaban resumidos en esa breve frase: *Paige Taylor, M.D.*

La enfermera Spencer la estaba observando.

—¿Se encuentra bien?

—Sí —sonrió Paige—. Estoy bien, gracias. ¿Dónde puedo...?

—El vestuario de los médicos está al final del corredor a la izquierda. Hará recorrido de salas, así que deberá cambiarse.

—Gracias.

Paige caminó hacia el fondo del corredor, asombrada ante la gran actividad que se desplegaba alrededor. El pasillo estaba repleto de médicos, enfermeras, técnicos y pacientes que corrían en diferentes direcciones. El insistente murmullo del altoparlante se sumaba al alboroto.

—Doctor Keenan... quirófano 3. ...Doctor Keenan... quirófano 3.

—Doctor Talbot... sala de urgencias 1. Stat. ...Doctor Talbot... sala de urgencias 1. Stat.

—Doctor Engel... habitación 212. ...Doctor Engel... habitación 212.

Paige se acercó a una puerta que decía VESTUARIO DE MÉDICOS y la abrió. En el interior había una docena de médicos en diferentes estados de desnudez. Dos de ellos estaban completamente desvestidos. Se volvieron para mirar a Paige cuando se abrió la puerta.

—¡Oh! ¡Disculpen! —murmuró Paige, y cerró la puerta en seguida. Se quedó allí, sin saber qué hacer. Unos metros más allá vio una puerta que rezaba VESTUARIO DE ENFERMERAS. Paige se acercó y abrió la puerta. En el interior, varias enfermeras se estaban cambiando a sus uniformes.

Una de ellas la saludó:

—Hola. ¿Eres una de las nuevas enfermeras?

—No —replicó Paige—. Cerró la puerta y volvió al vestuario de médicos. Permaneció parada un momento, después respiró profundo y entró. Todos dejaron de hablar.

Uno de los hombres dijo:

—Disculpa, cariño. Este vestuario es para médicos.

—Soy médica —respondió Paige.

Se miraron unos a otros.

—¡Ah! Bueno... bienvenida.

—Gracias. —Vaciló un momento, después caminó hacia un armario vacío. Los hombres la observaron mientras guardaba la ropa de hospital en el armario. Paige miró a los hombres por un momento; después comenzó a desabotonarse la blusa con lentitud.

Los médicos permanecieron allí, sin saber qué hacer. Uno de ellos dijo:

—Tal vez deberíamos... proporcionar un poco de intimidad a la damita.

¡La damita!

—Gracias —respondió Paige—. Se quedó esperando hasta que los médicos terminaron de vestirse y salieron del vestuario.

¿Tendré que pasar por esto todos los días?

En las rondas hospitalarias, se sigue una formación tradicional que nunca varía: el médico a cargo siempre va delante, seguido por el residente principal y los demás residentes y uno o dos estudiantes de medicina. El médico a cargo al que Paige había sido asignada era el doctor William Radnor. Paige y otros cinco residentes se reunieron en el corredor para esperarlo.

En el grupo había un médico chino. Éste le extendió la mano.

—Soy Tom Chang —se presentó—. Espero que estén todos tan nerviosos como yo.

A Paige en seguida le cayó simpático.

Un hombre se acercaba al grupo.

—Buenos días —saludó—. Soy el doctor Radnor. —Tenía voz suave y ojos azules brillantes. Cada uno de los residentes se presentó.

—Es el primer día de sala. Quiero que presten mucha atención a todo lo que vean y oigan, pero al mismo tiempo es importante que parezcan tranquilos.

Paige hizo una nota mental. *Prestar mucha atención, pero parecer tranquila.*

—Si el paciente percibe que están nerviosos, también *él* va a estarlo, y es probable que piense que va a morirse de alguna enfermedad que ustedes no le informaron.

No poner nerviosos a los pacientes.

—Recuerden, de ahora en adelante van a ser responsables de las vidas de otros seres humanos.

Ahora soy responsable de otras vidas. ¡Ay, mi Dios!

Cuanto más hablaba el doctor Radnor, más nerviosa se ponía Paige, y cuando éste terminó de hablar ya no le quedaba confianza en sí misma. *¡No estoy preparada para esto!*, pensó. *No sé lo que estoy haciendo. ¿Quién dijo que servía para ser médica? ¿Y si mato a alguien?*

El doctor Radnor seguía hablando:

—Deberán tomar notas detalladas de cada uno de sus pacientes... laboratorio, sangre, electrolitos, todo. ¿Está claro?

Hubo murmullos de respuesta:

—Sí, doctor.

—Permanentemente tenemos de treinta a cuarenta pacientes en cirugía. Será tarea de ustedes asegurarse de que todo esté organizado adecuadamente. Empezaremos el recorrido de salas ahora, y por la tarde volveremos a hacer el mismo recorrido.

Todo le había parecido tan fácil en la facultad de medicina. Paige pensó en los cuatro años que había durado la carrera. Había ciento cincuenta estudiantes y sólo quince mujeres. Nunca olvidaría el primer día de clase de Anatomía Descriptiva. Los estudiantes habían entrado en una enorme habitación revestida con azulejos blancos, con veinte mesas dispuestas en hileras, cada una de ellas cubierta con sábanas amarillas. Se habían asignado cinco estudiantes para cada mesa.

El profesor había dicho:

—Muy bien, quiten las sábanas. —Y allí, delante de Paige, estaba su primer cadáver. Había tenido miedo de desmayarse o de vomitar; sin embargo, sintió una extraña calma. El cadáver había sido preservado lo cual, de algún modo, lo alejaba un paso de la humanidad.

Al principio los estudiantes trabajaban en silencio y respetuosamente en el laboratorio de anatomía. Sin embargo, ante el asombro de Paige, a la semana comían sándwiches durante las disecciones y hacían bromas groseras. Era una forma de autodefensa, la negación de la propia mortalidad. Ponían nombres a los cadáveres y los trataban como si fueran viejos amigos. Paige trataba de comportarse con tanta naturalidad como los demás, pero le resultaba difícil. Miraba el cadáver sobre el que estaba trabajando y pensaba: *"He aquí un hombre que tenía un hogar y una familia. Iba a la oficina todos los días, y una vez por año salía de vacaciones con su esposa e hijos. Probablemente le encantaba hacer deporte, le gustaba ir al cine y al teatro, reía y lloraba, observaba crecer a sus hijos, compartía sus alegrías y tristezas, y tenía sueños grandes y hermosos. Espero que todos se le hayan cumplido..."* Cierta tristeza agridulce se apoderaba de ella porque él estaba muerto y *ella* vivía.

Con el tiempo, incluso para Paige las disecciones se convirtieron en rutina. *Abrir el pecho, examinar las cos-*

tillas, los pulmones, el saco pericárdico que cubre el corazón, las venas, las arterias y los nervios.

Gran parte de los primeros dos años de estudios debieron memorizar largas listas que los estudiantes llamaban Recitación de Órganos. Primero los nervios craneanos: olfativo, óptico, oculomotor, troclear, trigémino, abductor, facial, auditivo, glosofaríngeo, vago, espinal e hipogloso.

Los estudiantes recurrían a la nemotecnia para recordar. La más clásica era: "Oh, oh, Olimpo, torres tales, almas francesas, almas germanas venden ecos históricos."

Los dos últimos años de la facultad habían sido más interesantes, con clases de medicina interna, cirugía, pediatría y obstetricia, y habían trabajado en el hospital local. "*Recuerdo aquella vez...*" Paige estaba pensando.

—Doctora Taylor... —El residente principal la estaba observando.

Paige reaccionó sobresaltada; el resto del grupo ya había caminado hasta la mitad del corredor.

—Ya voy —se apresuró a decir.

La primera parada fue en una sala enorme y rectangular, con hileras de camas alineadas entre sí a ambos lados de la habitación y una pequeña repisa junto a cada cama. Paige esperaba que las camas estuvieran separadas por cortinas, pero aquí no existía la intimidad.

El primer paciente era un anciano de tez cetrina. Estaba dormido y respiraba profundamente. El doctor Radnor caminó hasta el pie de la cama, estudió el cuadro allí colgado; después fue junto al paciente y le tocó con suavidad el hombro.

—¿Señor Potter?

El paciente abrió los ojos.

—¿Hm?

—Buenos días. Soy el doctor Radnor. Sólo pasé para ver cómo andaba. ¿Pasó bien la noche?

—Bastante bien.

—¿Siente algún dolor?

—Sí. Me duele el pecho.

—Déjeme examinarlo.

Cuando terminó el examen dijo:

—Está evolucionando bien. Le diré a la enfermera que le dé algo para el dolor.

—Gracias, doctor.

—Volveremos a verlo por la tarde.

Se alejaron de la cama. El doctor Radnor se volvió a los residentes.

—Procuren siempre hacer preguntas cuya respuesta sea "sí" o "no", de modo que el paciente no se fatigue. Y tranquilícenlo con respecto a su progreso. Quiero que estudien su cuadro y que tomen notas. Volveremos esta tarde para ver cómo sigue. Mantengan un registro actualizado de los dolores de cada paciente, de su enfermedad actual, de enfermedades pasadas, historia familiar y social. Si bebe, fuma, etcétera. Cuando volvamos a hacer las rondas, espero que hayan confeccionado un informe sobre el progreso de cada paciente.

Se trasladaron a la cama de otro paciente, un hombre de unos cuarenta años.

—Buenos días, señor Rawlings.

—Buenos días, doctor.

—¿Se siente mejor esta mañana?

—No mucho. Me levanté muchas veces durante la noche. Me duele el estómago.

El doctor Radnor se volvió al residente principal.

—¿Qué resultado dio la proctoscopía?

—No hay señales de que exista algún problema.

—Aplíquele un enema de bario, stat.

El residente principal tomó nota.

Paige murmuró:

—¿Qué significa "stat"?

Uno de los residentes respondió:

—Significa: "Mueve el trasero".

El doctor Radnor lo escuchó.

—Stat proviene del latín, *statim*. Significa "de inmediato".

En los años por venir, Paige iba a escuchar esa palabra con frecuencia.

La siguiente paciente era una anciana que había sido operada de la cadera. Estaba enyesada.

—Buenos días, señora Turkel.

—¿Cuánto tiempo más me van a tener aquí?

—No mucho más. —Examinó su cadera. —La operación fue un éxito. Pronto estará bailando. —El doctor Radnor se dirigió a los residentes. —Ocúpense de que le cambien el yeso, por favor.

Y se trasladaron al siguiente paciente.

La rutina se repitió una y otra vez, y la mañana pasó con rapidez. Vieron a treinta pacientes. Después de cada visita, los residentes tomaban nota frenéticamente, rogando ser capaces de descifrarlas más tarde.

Una de los pacientes resultó ser un enigma para Paige. Parecía gozar de perfecta salud.

Cuando se alejaron de ella, Paige preguntó:

—¿Qué problema tiene, doctor?

El doctor Radnor suspiró.

—No tiene ningún problema. Es una "fusu".

Paige lo miró sorprendida.

—¿Una "fusu"?

—Es un acrónimo de "¡Fuera de mi sala de urgencias!". Los fusus son personas que *disfrutan* estar enfermos. Es su pasatiempo. En este último año fue internada seis veces.

Se trasladaron hasta el último paciente, una anciana conectada a un respirador. Estaba en coma.

—Tuvo un infarto masivo —explicó el doctor Radnor a los residentes—. Hace seis semanas que está en coma. Sus signos vitales están desapareciendo. No podemos hacer nada más por ella. Esta tarde vamos a desconectarla del respirador.

Paige lo miró escandalizada.

—¿A desconectarla?

El doctor Radnor respondió con calma:

—El Comité de Ética del hospital tomó la decisión esta mañana. La paciente está en estado vegetativo. Tiene ochenta y siete años y ha padecido muerte cerebral. Es una crueldad mantenerla viva y su familia ya no puede seguir pagando. Los veré a todos en la ronda de la tarde.

Lo observaron alejarse. Paige se volvió a mirar a la paciente otra vez. Estaba viva. *Dentro de pocas horas estaría muerta. Esta tarde vamos a desconectarla del respirador.*

¡Eso es asesinato!, pensó Paige.

CAPÍTULO TRES

Esa tarde, al finalizar la ronda, los nuevos residentes se reunieron en el barcito de la primera planta. Éste contenía ocho mesas, un viejo televisor blanco y negro y dos máquinas expendedoras de sándwiches rancios y café agrio.

Las conversaciones de todas las mesas eran casi idénticas.

Uno de los residentes dijo:

—¿Podrías echarle un vistazo a mi garganta? ¿No está irritada?

—Creo que tengo fiebre. Me siento como el demonio.

—Tengo el vientre hinchado y blando. Estoy seguro de que tengo apendicitis.

—Tengo un dolor terrible en el pecho. ¡Pido a Dios que no vaya a tener un ataque cardíaco!

Kat se sentó en una mesa junto con Paige y Honey.

—¿Cómo les fue? —preguntó.

—Creo que bien —respondió Honey.

Las dos miraron a Paige.

—Estuve tensa pero relajada, nerviosa pero tranquila. —Suspiró. —Fue un día muy largo. Seré feliz cuando pueda irme de acá y divertirme un poco esta noche.

—Yo también —coincidió Kat—. ¿Por qué no vamos a cenar y a ver una película?

—Suena fantástico.

Un ordenanza se acercó a su mesa.

—¿Doctora Taylor?

Paige alzó la mirada.

—Soy yo.

—El doctor Wallace quiere verla en su oficina.

¡El administrador del hospital! ¿Qué habré hecho? pensó Paige.

El ordenanza estaba esperando.

—Doctora Taylor...

—Ya voy. —Dio un profundo respiro y se levantó. —Las veré más tarde.

—Por aquí, doctora.

Paige siguió al ordenanza hasta el ascensor y subieron hasta el quinto piso, donde estaba la oficina del doctor Wallace.

Benjamin Wallace estaba sentado en su escritorio. Alzó la mirada cuando entró Paige.

—Buenas tardes, doctora Taylor.

—Buenas tardes.

Wallace se aclaró la garganta.

—¡Bien! ¡Es su primer día y ya causó sensación!

Paige lo miró, confundida.

—No... no entiendo.

—Me enteré de que esta mañana tuvo un problemita en el vestuario de médicos.

—¡Ah! —*¡Así que de eso se trata!*

Wallace la observó y sonrió.

—Supongo que tendré que hacer algunos arreglos para usted y las otras dos niñas.

—No somos... —*No somos niñas*, empezó a decir Paige. —Se lo agradeceríamos.

—Mientras tanto, si no desea utilizar el vestuario de las enfermeras...

—No soy enfermera —acotó Paige con firmeza—. Soy médica.

—Por supuesto, por supuesto. Bien, haremos algunos arreglos para usted, doctora.

—Gracias.

El doctor Wallace entregó una hoja de papel a Paige.

—Mientras tanto, éste es su horario. Estará de guardia durante las próximas veinticuatro horas, comenzando a las seis. —Consultó el reloj. —O sea dentro de treinta minutos.

Paige lo estaba mirando atónita. Su día había empezado esa mañana a las cinco y media.

—*¿Veinticuatro horas*?

—Bueno, en realidad serán treinta y seis, porque por la mañana volverá a recorrer las salas.

¡Treinta y seis horas! ¿Cómo voy a soportar semejante horario?

Pronto habría de averiguarlo.

Paige fue a buscar a Kat y a Honey.

—Voy a tener que olvidarme de la cena y de la película —explicó Paige—. Estaré treinta y seis horas de guardia.

Kat asintió.

—Nosotras también acabamos de recibir malas noticias. Yo tengo guardia mañana y Honey el miércoles.

—No será tan malo —dijo Paige con ánimo—. Tengo entendido que hay una habitación para los médicos de guardia donde se puede dormir. Voy a disfrutar esto.

Estaba equivocada.

Un ordenanza la guiaba por un largo pasillo.

—El doctor Wallace me informó que voy a estar de guardia treinta y seis horas —comentó Paige—. ¿Todos los residentes trabajan esa cantidad de horas?

—Solamente los tres primeros años —la consoló el ordenanza.

¡Grandioso!

—Pero tendrá mucho tiempo para descansar, doctora.

—¿Sí?

—Aquí. Esta es la habitación para los médicos de guardia. —Abrió la puerta y Paige dio un paso adentro. La habitación se parecía a la celda de un monje de un monasterio asolado por la pobreza. No contenía otra cosa que un colchón deforme, un lavabo agrietado y una mesa de noche sobre la que había un teléfono. —Podrá dormir entre llamada y llamada.

—Gracias.

Los llamados comenzaron cuando Paige se encontraba en el bar, a punto de empezar a cenar.

—Doctora Taylor: sala de emergencia 3... Doctora Taylor: sala de emergencia 3.

—Tenemos un paciente con una costilla fracturada...

—El señor Henegan se queja de dolores en el pecho...

—El paciente de la sala dos tiene dolor de cabeza. ¿Es correcto darle un analgésico...?

A medianoche, Paige recién había conseguido dormirse cuando la despertó el teléfono.

—Comuníquese con la sala de emergencia 1. —Se trataba de una herida de arma blanca, y para cuando Paige terminó de atenderla, era la una de la mañana. A las 02:15 la despertaron otra vez.

—Doctora Taylor: sala de emergencia dos. Stat.

Paige respondió, dormida:

—Está bien. —*¿Qué fue lo que dijo que significaba? "Mueve el trasero"*. Se obligó a levantarse y se desplazó por el pasillo hasta la sala de emergencia. Había ingresado un paciente con una pierna rota. Gritaba del dolor.

—Saquen una radiografía —ordenó Paige—. Y administrenle 50 miligramos de Demerol. —Apoyó la mano sobre el brazo del paciente. —Todo va a salir bien. Trate de relajarse.

Por el altoparlante, una voz metálica e impersonal anunció:

—Doctora Taylor: sala tres. Stat.

Paige miró al paciente que sufría; no deseaba abandonarlo.

La voz repitió:

—Doctora Taylor: sala tres. Stat.

—Ya voy —murmuró Paige. Se apresuró a salir de la habitación y corrió por el pasillo hasta la sala tres. Un paciente había vomitado y aspirado y se estaba ahogando.

—No puede respirar —informó la enfermera.

—Succiónenlo —ordenó Paige. Mientras observaba cómo el paciente comenzaba a normalizar la respiración, volvió a oír su nombre en el altoparlante.

—Doctora Taylor: sala cuatro. Sala cuatro.

Paige sacudió la cabeza y corrió hasta la sala cuatro, donde una paciente gritaba quejándose de espasmos abdominales. Paige hizo un rápido examen.

—Podría ser disfunción intestinal. Saquen un ultrasonido —ordenó.

Para cuando regresó al paciente con la pierna rota, el calmante había hecho efecto. Hizo que lo trasladaran al quirófano y le acomodó la pierna. Cuando terminaba, volvió a oír su nombre:

—Doctora Taylor: preséntese en la sala de emergencia dos. Stat.

—El paciente con úlcera estomacal de la sala cuatro está con dolores.

A las 03:30:

—Doctora Taylor, el paciente de la habitación 310 tiene una hemorragia...

En una de las salas había un paciente con ataque cardíaco; Paige, nerviosa, estaba escuchando los latidos del paciente cuando oyó otra vez su nombre en el altoparlante:

—Doctora Taylor a la sala de emergencia 2, stat. ...Doctora Taylor a la sala de emergencia 2, stat.

No debo desesperarme —pensó Paige—. *Debo conservar la calma y permanecer tranquila.* Pero se desesperó. *¿Quién era más importante: el paciente que estaba examinando o el siguiente?*

—Usted no se mueva de aquí —dijo, insensatamente—. Enseguida vuelvo.

Mientras Paige se apresuraba por llegar a la sala de emergencia dos, oyó su nombre otra vez:

—Doctora Taylor: sala de emergencia uno, stat. ...Doctora Taylor: sala de emergencia uno, stat.

¡Dios mío!, pensó Paige. Se sentía como en medio de una pesadilla terrible e interminable.

Durante el resto de la noche, la despertaron para que atendiera un caso de envenenamiento con comida, un brazo roto, una hernia hiatal y una costilla fracturada. Para cuando volvió a arrastrarse hasta la habitación de guardia, estaba tan exhausta que apenas podía moverse. Se arrastró hasta la cama y apenas había empezada a adormecerse cuando volvió a sonar el teléfono.

Se extendió para alcanzarlo sin abrir los ojos.

—Hola...

—Doctora Taylor, la estamos esperando.

—¿Qué? —Permaneció acostada, tratando de recordar dónde estaba.

—Debe comenzar sus rondas, doctora.

—¿Mis rondas? —*Tiene que tratarse de una broma pesada*, pensó. *Es inhumano. ¡No pueden hacer esto con una persona!* Sin embargo, la estaban esperando.

Diez minutos más tarde, Paige estaba haciendo rondas otra vez, medio dormida. Se tropezó con el doctor Radnor.

—Discúlpeme —murmuró— pero no he dormido en toda la noche...

El doctor Radnor le dio una palmadita en el hombro, comprensivo.

—Se acostumbrará.

Cuando por fin Paige salió de la guardia, durmió catorce horas sin parar.

La intensa presión y las horas de castigo resultaron ser demasiado para algunos de los residentes, quienes simplemente desaparecieron del hospital. *Eso no va a pasarme a mí*, prometió Paige.

La presión era constante. Al finalizar uno de los turnos de Paige, después de treinta y seis horas agobiantes, estaba tan exhausta que no tenía idea de dónde estaba. Se arrastró hasta el ascensor y permaneció allí, con la mente en blanco.

Tom Chang se le acercó.

—¿Te encuentras bien?

—Sí —murmuró Paige.

Tom sonrió.

—Se te ve muy mal.

—Gracias. ¿Por qué nos hacen esto? —preguntó Paige.
Chang se encogió de hombros.
—La teoría es que nos mantiene en contacto con nuestros pacientes. Si vamos a casa y los abandonamos, no sabemos lo que les está pasando mientras estamos ausentes.
Paige asintió.
—Tiene sentido. —No tenía ningún sentido. —¿Cómo podemos cuidarlos si nos dormimos de pie?
Chang volvió a encogerse de hombros.
—No soy yo quien hace las reglas. Así funcionan los hospitales. —Miró a Paige más de cerca. —¿Podrás llegar a tu casa?
Paige lo miró y dijo con altivez.
—Por supuesto.
—Cuídate. —Chang desapareció por el pasillo.
Paige esperó a que llegara el ascensor. Cuando por fin llegó, estaba profundamente dormida.

Dos días más tarde, Paige tomaba el desayuno con Kat.
—¿Quieres oír una terrible confesión? —preguntó Paige—. A veces, cuando me despiertan a las cuatro de la mañana para que le dé a alguien una aspirina, y voy arrastrándome por el pasillo, semiinconsciente, y paso por las habitaciones donde duermen los pacientes arropados y tranquilos, tengo ganas de golpear en todas las puertas y gritar: "¡Todo el mundo arriba!"
Kat extendió su mano.
—Bienvenida al club.

Los pacientes ingresaban de todas formas, tamaños, edades y colores. Eran miedosos, valientes, amables, arrogantes, exigentes y considerados. Eran seres humanos que sufrían.
La mayoría de los médicos eran dedicados. Como en cualquier profesión, había médicos buenos y malos. Los había jóvenes y viejos, torpes y expertos, agradables y

groseros. Algunos, en algún momento u otro, hacían proposiciones sexuales a Paige. Algunas eran sutiles y otras, groseras.

—¿No te sientes sola de noche? Yo sí. ¿Qué tal si...?

—Tantas horas de trabajo son para morirse ¿no es verdad? ¿Sabes qué cosa me da energía? Una buena relación sexual. ¿Por qué no...?

—Mi esposa estará fuera de la ciudad unos días. Tengo una cabaña cerca de Carmel. Este fin de semana podríamos...

Y los pacientes.

—¿Así que eres mi médica? ¿Sabes qué me curaría...?

—Acércate a la cama, linda. Quiero ver si ésas son verdaderas...

Paige apretaba los dientes y los ignoraba. *Cuando Alfred y yo nos casemos, todo esto terminará.* El sólo pensar en Alfred la ponía feliz. Pronto volvería de África. *Pronto.*

Una mañana en el desayuno, antes de hacer las rondas, Paige y Kat hablaron del acoso sexual que estaban sufriendo.

—La mayoría de los médicos se comportan como verdaderos caballeros, pero algunos parecen creer que somos hembras en celo y que estamos aquí para servirlos —comentó Kat—. Creo que no pasa semana sin que alguno de los médicos arremeta. "¿Por qué no vienes a mi casa a tomar una copa? Tengo unos discos compactos fantásticos". O en el quirófano, cuando estoy asistiendo, el cirujano me roza el pecho con un brazo. Un imbécil me dijo: "Sabes, cuando pido pollo, me gusta la carne negra".

Paige suspiró.

—Creen que nos halagan al tratarnos como objetos sexuales. Más me halagaría que nos trataran como médicas.

—Muchos no nos quieren cerca. Quieren que nos acostemos con ellos o que nos acostemos con ellos. ¡No es justo! A las mujeres se las considera inferiores hasta tanto prueben lo contrario, y a los hombres se los cree superiores hasta que prueban lo imbéciles que son.

—Es el viejo mundo de los hombres —dijo Paige—. Si hubiera más como nosotras, comenzaríamos un nuevo mundo de mujeres.

Paige había oído hablar de Arthur Kane. Era tema constante de habladurías en todo el hospital. Lo habían apodado doctor 007: con licencia para matar. Su solución para todos los problemas consistía en operar, y tenía realizadas más operaciones que cualquier otro médico del hospital. También era el médico que más muertes tenía en su haber.

Era calvo, bajo, de nariz aguileña, dientes manchados por el tabaco y obeso. Increíblemente se creía un donjuán. Le gustaba referirse a las enfermeras nuevas y a las médicas residentes como "carne fresca".

Paige Taylor era carne fresca. La vio en el bar del hospital y se sentó a su mesa, sin invitación.

—Te he estado observando.

Paige alzó la mirada, sorprendida.

—Disculpe, ¿cómo dijo?

—Soy el doctor Kane. Mis amigos me llaman Arthur. —Había un tono de lascivia en su voz.

Paige se preguntó cuántos amigos tendría.

—¿Cómo te está yendo aquí?

La pregunta tomó por sorpresa a Paige.

—B...bien, creo.

El médico se inclinó hacia adelante.

—Este es un hospital grande. Es fácil perderse. ¿Sabes qué quiero decir?

Paige respondió, sin ganas:

—La verdad que no.

—Eres demasiado bonita para ser sólo otra cara más. Si quieres llegar a alguna parte, necesitas a alguien que te ayude. Alguien que conozca los hilos.

La conversación se hacía cada vez más desagradable.

—Y a usted le gustaría ayudarme.

—Correcto. —Dejó ver sus dientes manchados de tabaco. —¿Por qué no lo hablamos durante la cena?

—No hay nada de qué hablar —respondió Paige—. No estoy interesada.

Arthur Kane observó a Paige ponerse de pie e irse, y su rostro reflejó una expresión maléfica.

Los residentes de cirugía de primer año hacían una rotación de dos meses: alternaban entre obstetricia, ortopedia, urología y cirugía.

Paige descubrió que era peligroso ingresar en un hospital escuela durante el verano por cualquier enfermedad seria, porque muchos de los médicos del personal estaban de vacaciones y los pacientes quedaban a merced de los inexpertos y jóvenes residentes.

A casi todos los cirujanos les gustaba escuchar música en el quirófano. Uno de los médicos tenía el apodo de Mozart y otro Axel Rose debido a sus gustos musicales.

Por alguna razón, las operaciones siempre parecían dar hambre a los médicos. Estaban constantemente hablando de comida. Un cirujano podía estar extirpando una vesícula biliar gangrenosa a un paciente y comentar:

—Anoche en Bardelli's cené una excelente comida italiana. Es la mejor de San Francisco.

—¿Comiste los pasteles de cangrejo del Cypress Club...?

—Si te gusta la buena carne, prueba en la Casa de las Mejores Costillas en Van Ness...

Y mientras tanto, una enfermera limpiaba la sangre y las tripas del paciente.

Cuando no hablaban de comida, los médicos hablaban de los resultados del juego de béisbol o de fútbol.

—¿Viste el partido de 49 el domingo pasado? Apuesto a que echan de menos a Jose Montana. Siempre los salvaba en los últimos dos minutos del partido...

Al mismo tiempo que extraían un apéndice con hernia.

Kafka, pensaba Paige. *A Kafka le encantaría ver esto.*

A las 03:00, cuando Paige dormía en la habitación de guardia, la despertó el teléfono.

Una voz ronca dijo:

—Doctora Taylor: habitación 419: paciente con ataque cardíaco. ¡Tendrá que apurarse! La línea se cortó.

Paige se sentó al borde de la cama, mientras luchaba contra el sueño, y se puso de pie. *¡Tendrá que apurarse!* Salió al corredor, pero no había tiempo para esperar el ascensor. Subió apurada las escaleras y corrió por el pasillo del cuarto piso hasta la habitación 419, con el corazón desbocado. Abrió la puerta y se quedó en la puerta, mirando.

La 419 pertenecía a un almacén.

Kat Hunter hacía sus recorridos con el doctor Richard Hutton. Éste rondaba los cuarenta años, era adusto y rápido. No pasaba más de dos o tres minutos con cada paciente: examinaba los cuadros y enseguida impartía órdenes a los residentes quirúrgicos con voz entrecortada, como de ametralladora.

—Verifiquen la hemoglobina y programen la cirugía para mañana...

—Observen de cerca su cuadro de temperatura...

—Compatibilice cuatro unidades de sangre...

—Quiten esos puntos...

—Sáquenle algunas placas de pecho...

Kat y los demás residentes tomaban nota de todo y hacían todo lo posible por seguirle el ritmo.

Se acercaron a un paciente que estaba en el hospital hacía una semana y a quien se lo había sometido a una serie de exámenes debido a su elevada fiebre, sin ningún resultado.

Cuando salieron al pasillo, Kat preguntó:

—¿Qué problema tiene?

—Es un caso de SDS —respondió un residente.

—¿Un *qué*?

—Un SDS: Sólo Dios Sabe. Le hemos hecho radiografías, tomografías computadas, drenajes espinales, biopsia de hígado, de todo. No sabemos cuál es su enfermedad.

Se trasladaron a una sala donde dormía un paciente joven, con la cabeza vendada después de una operación. Cuando el doctor Hutton comenzó a quitar el vendaje, el paciente se despertó, asustado.

—¿Qué... qué pasa?

—¡Siéntese! —ordenó el doctor Hutton. El joven temblaba.

Nunca voy a tratar así a mis pacientes, prometió Kat.

El siguiente paciente era un hombre de aspecto saludable que rondaba los setenta. Apenas el doctor Hutton se acercó a la cama, el paciente gritó:

—*¡Ganso!* ¡Voy a iniciarle juicio, maldito hijo de perra!

—Señor Sparolini...

—¡No me llame señor Sparolini! Me convirtió en un pelotudo eunuco.

Eso es oxímoron, pensó Kat.

—Señor Sparolini, usted aceptó someterse a la vasectomía y...

—Fue idea de mi esposa. ¡Maldita perra! Sólo espere a que vuelva a casa.

Lo dejaron murmurando en voz baja.

—¿Cuál es su problema? —preguntó uno de los residentes.

—Su problema es que es un viejo lujurioso. Su esposa es joven, tiene seis hijos y no quiere tener más.

La siguiente paciente era una niña de diez años. El doctor Hutton consultó su cuadro.

—Vamos a darte una inyección para que se vayan los bichitos malos.

Una enfermera llenó una jeringa y se acercó a la niña.

—¡No! —gritó la niña—. ¡Me va a doler!

—Esto no te dolerá, linda —le aseguró la enfermera.

Las palabras produjeron un oscuro eco en la mente de Kat.

Esto no te dolerá, linda... *Era la voz de su padrastro que le susurraba en medio de la temerosa oscuridad.*

Esto te va a gustar. Abre las piernas. ¡Vamos, putita! Y su padrastro le había separado las piernas y la había violado, mientras le tapaba la boca para evitar que gritara del dolor. Kat tenía trece años. Después de esa noche, las visitas de su padrastro se convirtieron en un terrorífico ritual nocturno. "Eres afortunada al tener un hombre como yo que te enseñe cómo coger", solía decirle. "¿Sabes qué significa Kat en inglés?: gatita. Y quiero un poco." Y se arrojaba encima de ella y la sostenía, y no había llanto ni ruego que lo detuviera.

Kat nunca había conocido a su padre. Su madre era mucama, y trabajaba por las noches en un edificio de oficinas cercano al pequeño departamento que ocupaban en Gary, Indiana. El padrastro de Kat era un hombre enorme que había sido lastimado en un accidente en un molino de acero y permanecía en casa la mayor parte del tiempo, bebiendo. A la noche, cuando la madre de Kat salía a trabajar, iba a la habitación de Kat. *"Si le cuentas algo a tu madre o a tu hermano, te mataré." No puedo permitir que lastime a Mike*, pensó Kat. Su hermano era cinco años menor que ella, y Kat lo adoraba. Lo cuidaba como una madre, lo protegía y luchaba sus batallas por él. Era el único punto brillante en la vida de Kat.

Una mañana, aterrorizada como estaba por las amenazas de su padrastro, decidió contarle todo a su madre. Su madre le pondría fin a su sufrimiento y la protegería.

—Mamá, tu esposo viene a mi cama por la noche cuando no estás, y me viola.

Su madre la observó un momento y después abofeteó a Kat.

—¡No te atrevas a inventar más mentiras, pequeña roñosa! Kat nunca había vuelto a hablar sobre el tema. La única razón por la que permanecía en su casa era Mike. *Se encontrará perdido sin mí*, pensó Kat. Sin embargo, el día que se enteró que estaba embarazada se fugó para vivir con una tía en Minneapolis.

El día que Kat se escapó de su casa, su vida cambió por completo.

—No tienes obligación de decirme qué pasó —le había dicho su tía Sophie—. Pero a partir de ahora, dejarás de escaparte. ¿Conoces esa canción que cantan en Plaza Sésamo? *¿No es fácil ser verde*? Bueno, querida, tampoco es fácil ser negro. Tienes dos opciones: puedes seguir escapándote, ocultándote y responsabilizando al mundo por tus problemas, o puedes ponerte de pie por tus propios medios y decidir ser alguien importante.

—¿Y cómo lo consigo?

—*Sabiendo* que eres importante. En primer lugar, niña, hazte una imagen mental de quien quieras ser y de lo que quieras ser. Después ponte a trabajar *para convertirte en esa persona.*

No voy a tener este bebé, decidió Kat. *Quiero hacer un aborto.*

Fue arreglado con discreción, durante un fin de semana. Lo hizo una partera amiga de la tía de Kat. Cuando todo terminó, Kat pensó con furia: *"Nunca más voy a permitir que un hombre me toque. ¡Nunca!"*

Minneapolis resultó un paraíso para Kat. A pocas cuadras de casi cualquier casa había lagos, arroyos y ríos. Y había más de ocho mil acres de parques. Kat iba a navegar en los lagos de la ciudad y paseaba en barco por el Mississippi.

Visitó el Gran Zoológico con su tía Sophie y pasó muchos domingos en el parque de diversiones Valleyfair. Paseó en carros de heno en Cedar Creek Farm y observó a los caballeros armados que luchaban en el Shakopee Renaissance Festival.

La tía Sophie observaba a Kat y pensaba: *"La niña*

nunca tuvo infancia".

Kat estaba aprendiendo a divertirse; sin embargo, la tía Sophie presentía que en lo más profundo del corazón de su sobrina había un sitio al que nadie podía acceder, una barrera que ella misma había creado para evitar que la volvieran a lastimar.

Hizo amigas en la escuela; pero nunca con varones. Todas sus amigas salían con muchachos, pero Kat era una solitaria, y demasiado orgullosa para contarle a nadie el porqué de su conducta. Kat respetaba a su tía, a quien amaba mucho.

Kat nunca había tenido mucho interés en la escuela ni en la lectura de libros, pero la tía Sophie cambió todo eso. Su casa estaba llena de libros, y el entusiasmo de Sophie resultó contagioso.

—Existen mundos maravillosos allí dentro —decía a la pequeña—. Lee, y sabrás de dónde vienes y adónde vas. Tengo la sensación de que algún día serás famosa, linda. Pero primero tienes que recibir educación. Estamos en los Estados Unidos. Puedes convertirte en lo que quieras ser. Puedes ser negro o pobre, pero también lo fueron muchos de nuestros congresistas, actores de cine, científicos y leyendas del deporte. Algún día tendremos un presidente negro. Puedes ser todo lo que quieras ser. Sólo depende de ti.

Ese fue el comienzo.

Kat se convirtió en la mejor alumna de su clase. Era una ávida lectora. Cierto día en la biblioteca de la escuela tomó por casualidad una copia de *Arrowsmith*, de Sinclair Lewis, y quedó fascinada con la historia del joven y dedicado médico. Leyó *Promises To Keep*, de Agnes Cooper y *Woman Surgeon*, del doctor Else Roe. Ante Kat se abrió todo un mundo nuevo. Descubrió que había personas en esta tierra que se dedicaban a ayudar a otros, a salvar vidas. Cierto día, cuando Kat volvió de la escuela, dijo a su tía Sophie:

—Voy a ser médica. Una médica famosa.

CAPÍTULO CUATRO

Cierto lunes por la mañana, cuando Paige terminó su guardia y se dirigió al auto, habían hecho tajos a dos de sus llantas. Las observó sin poder creerlo. *¿Quién?*, se preguntó. *¿Quién?*

El miércoles desaparecieron tres cuadros de los pacientes de Paige y ésta fue responsabilizada.

La noche siguiente, la despertaron a las 04:00 en la habitación de guardia. Medio dormida, tomó el teléfono.

—Habla la doctora Taylor.

Silencio.

—¡Hola!... ¡Hola!

Oyó una respiración al otro extremo de la línea. Después hubo un "clic".

Paige permaneció despierta el resto de la noche.

Por la mañana, Paige dijo a Kat:

—O me estoy volviendo paranoica o alguien me odia. —Contó a Kat lo sucedido.

—A veces los pacientes se las toman contra los médicos —opinó Kat—. ¿Se te ocurre alguien que...?

Paige suspiró.

—Decenas.

—Estoy segura de que no tienes de qué preocuparte.

Paige deseó poder creerle.

A principios de febrero llegó el telegrama mágico. Estaba esperando a Paige cuando volvió al departamento muy tarde esa noche. Decía: *Llego San Francisco domingo mediodía. Ansioso por verte. Cariños, Alfred.*

¡Por fin estaba en camino de regreso! Paige leyó el telegrama una y otra vez; la emoción era cada vez mayor. *¡Alfred!* Su nombre conjuraba un vertiginoso caleidoscopio de hermosos recuerdos...

Paige y Alfred habían crecido juntos. Sus padres formaban parte de un grupo de médicos de la OMS que viajaban a países del Tercer Mundo para luchar contra enfermedades exóticas y virulentas. La madre de Paige y Paige acompañaban al doctor Taylor, quien encabezaba el equipo.

Paige y Alfred habían tenido una infancia de fantasía. En la India Paige aprendió a hablar hindi. A los dos años aprendió que el nombre de la cabaña de bambú donde vivían era *basha*. Su padre era un *gorashaib*, un hombre blanco, y ella era una *nani*, una hermanita. Al padre de Paige lo llamaban *abadhan*, el líder, o *baba*, padre.

Cuando los padres de Paige no la veían, bebía *bhanga*, una bebida intoxicante hecha con hojas de hachís, y comía *chapati* con *ghi*.

Y a continuación iban rumbo a África. ¡Camino a otra aventura!

Paige y Alfred se acostumbraron a nadar y a bañarse en ríos infestados de cocodrilos e hipopótamos. Tenían como mascotas cebras bebé, cheetahs y serpientes, y crecieron en las humeantes junglas de Nigeria y las aldeas rurales de India y Birmania; con frecuencia vivían en cabañas redondas y sin ventanas hechas de *wattle* y *daub*, con pisos de barro compacto y techos de paja cónicos. *Algún día*, se prometió Paige a sí misma, *voy a vivir en una casa de verdad, en una hermosa cabaña con césped verde y una cerca de estacas puntiagudas.*

Para los médicos y las enfermeras era una vida difícil y frustrante, pero para los dos niños era una constante aventura: vivían en la tierra de los leones, las jirafas y los elefantes. Asistían a escuelas primitivas construidas con ladrillos de cenizas, y cuando no había escuelas, tenían tutores.

Paige era una niña inteligente y su mente absorbía todo como una esponja. Alfred la adoraba.

—Algún día voy a casarme contigo, Paige.

—Yo también voy a casarme contigo, Alfred.

Eran dos niños serios de doce años, decididos a pasar juntos el resto de sus vidas.

Los médicos pertenecientes a la OMS eran hombres y mujeres dedicados y generosos que vivían para su trabajo. Solían trabajar en circunstancias casi imposibles. En África debían competir con los *wogesha*, los curanderos nativos cuyos remedios primitivos eran pasados de generación en generación, y que muchas veces tenían efectos mortales. El remedio tradicional de los masai para las heridas de la piel era el *olkilorite*, una mezcla de sangre de vaca, carne cruda y la esencia de una raíz misteriosa.

El remedio kikuyu para la viruela era hacer que un grupo de niños echaran fuera la enfermedad con palos.

—Deben dejar de hacerlo —les decía el doctor Taylor—. No los ayuda.

—Es preferible a que usted nos clave agujas filosas en la piel —le respondían.

Los dispensarios consistían en mesas dispuestas bajo los árboles para realizar las cirugías. Los médicos atendían a cientos de pacientes por día, y siempre había una larga fila que esperaba para verlos: leprosos, nativos con pulmones tuberculosos, tos ferina, viruela, disentería...

Paige y Alfred eran inseparables. Cuando crecieron, caminaban juntos al mercado, a alguna aldea a kilómetros de distancia. Y hablaban de sus planes para el futuro.

La medicina formaba parte de la infancia de Paige. Aprendió a sentir afecto por los pacientes, a dar inyecciones y a administrar medicamentos. También pensaba de qué manera podía ayudar a su padre.

Paige amaba a su padre. George Taylor era el hombre más afectuoso y generoso que conocía. Su cariño por la gente era genuino. Había dedicado su vida a ayudar a quienes lo necesitaban, e inculcó dicha pasión en Paige. Pese a las largas horas de trabajo, George Taylor encontraba tiempo para dedicarle a su hija. Convertía en diversión la incomodidad de los lugares primitivos en que vivían.

La relación de Paige con su madre era diferente. Ésta era una belleza proveniente de un medio social acaudalado, cuya fría indiferencia mantenía lejos a Paige. Casarse con un médico que iba a trabajar en sitios remotos y exóticos le había parecido romántico, pero la dura realidad le había agriado el carácter. No era una mujer cálida y cariñosa; a Paige le parecía que siempre se estaba quejando.

—¿Por qué tuvimos que venir a este lugar desolado, George?

"Aquí viven como animales. Vamos a contagiarnos alguna de esas terribles enfermedades...

"¿Por qué no puedes ejercer en los Estados Unidos y ganar dinero como los demás médicos?

Y se quejaba una y otra vez.

Cuanto más lo criticaba su madre, mayor era la adoración que Paige sentía por su padre.

Cuando Paige tenía quince años, su madre se fugó con el dueño de una gran plantación de cacao en Brasil.

—No va a volver, ¿no es cierto? —preguntó Paige.

—No, querida. Lo siento.

—¡Me alegra! —No había querido decirlo. Estaba herida por el poco cariño que su madre había demostrado al abandonarlos.

La mala experiencia la acercó aún más a Alfred Turner. Jugaban, hacían expediciones juntos y compartían sueños.

—Yo también voy a ser médico cuando sea mayor —le

confió Alfred—. Vamos a casarnos y a trabajar juntos.

—¡Y vamos a tener muchos hijos!

—Claro, si así lo deseas.

La noche del día en que Paige cumplió dieciséis años, la intimidad emocional que habían compartido durante toda la vida entró en una nueva dimensión. En un pueblito de África oriental, los médicos habían salido para atender una emergencia debido a una epidemia. Paige, Alfred y un cocinero eran los únicos que habían quedado en el campamento.

Habían cenado y se habían ido a dormir. Pero en medio de la noche Paige se despertó en su tienda por el lejano tronar de una estampida. Permaneció despierta; a medida que pasaban los minutos y el sonido de la estampida se hacía más cercano, más miedo tenía. Se le aceleró la respiración. No se sabía cuándo volverían su padre y los demás.

Se levantó; la tienda de Alfred estaba a pocos metros. Aterrorizada, Paige se levantó, alzó la solapa de la tienda y corrió a la de Alfred. Éste dormía.

—¡Alfred!

Éste se despertó instantáneamente.

—¿Paige? ¿Pasa algo malo?

—Estoy asustada. ¿Puedo acostarme en tu cama un momento?

—Claro. —Permanecieron acostados, mientras escuchaban cómo los animales arremetían contra los matorrales.

A los pocos minutos los ruidos comenzaron a extinguirse.

Alfred tomó conciencia del cuerpo tibio de Paige acostado junto a él.

—Paige, creo que es mejor que vuelvas a tu tienda.

Paige sintió la excitación de Alfred contra su cuerpo.

La gran necesidad física que se había acumulado en el interior de ambos explotó de repente.

—Alfred...

—¿Sí? —respondió Alfred con voz ronca.
—Vamos a casarnos, ¿no es cierto?
—Sí.
—Entonces está bien.

Los sonidos de la jungla desaparecieron, y comenzaron a explorar y a descubrir un mundo que nadie antes había poseído. Fueron los primeros amantes del mundo, y se glorificaron en el maravilloso milagro.

Al amanecer Paige volvió gateando hasta su tienda y pensó, feliz: "*Ya soy mujer*".

De vez en cuando George Taylor le sugería a Paige que volviera a los Estados Unidos a vivir con un hermano suyo en su preciosa casa de Deerfield, al norte de Chicago.
—¿Por qué? —preguntaba Paige.
—Para que puedas convertirte en una señorita respetable.
—Ya *soy* una señorita respetable.
—Las señoritas respetables no andan jugando con monos salvajes ni tratan de montar cebras bebés.

La respuesta de Paige era siempre la misma.
—No voy a abandonarte.

Cuando Paige tenía diecisiete años el equipo de la OMS viajó a una aldea en la jungla del sur de África para luchar contra una epidemia de fiebre tifoidea. La situación empeoró porque, poco después de la llegada de los médicos, estalló la guerra entre dos tribus locales. Le advirtieron a George Taylor que partiera.
—¡No puedo, por el amor de Dios! ¡Tengo pacientes que morirán si los abandono!

Cuatro días más tarde, la aldea fue atacada. Paige y su padre se acurrucaron en su choza, mientras escuchaban los gritos y el ruido de las armas de fuego.

Paige estaba aterrorizada.
—¡Van a matarnos!

Su padre la tomó en sus brazos.

—No nos harán daño, querida. Estamos aquí para ayudarlos. Saben que somos sus amigos.

Y tenía razón.

El jefe de una de las tribus había irrumpido en la choza con algunos de sus guerreros.

—No se preocupe. Nosotros los cuidaremos. —Y así había sido.

Por fin la lucha y el tiroteo llegaron a su fin, pero por la mañana George Taylor había tomado una decisión.

Envió un mensaje a su hermano: *Envío Paige próximo avión. Detalles por cable. Favor búscala en aeropuerto.*

Paige estaba furiosa cuando oyó las noticias. Fue llevada en medio de terribles sollozos al polvoriento y pequeño aeropuerto donde la esperaba un Piper Cub para transportarla a una ciudad donde tomaría un avión hasta Johannesburgo.

—¡Lo haces porque quieres deshacerte de mí! —gritó.

Su padre la apretó contra su pecho.

—Te amo más que nada en el mundo, mi amor. Voy a echarte de menos cada minuto que pase. Pero pronto volveré a los Estados Unidos, y volveremos a estar juntos.

—¿Prometido?

—Prometido.

Alfred fue a despedir a Paige.

—No te preocupes —la consoló Alfred—. Voy a ir a buscarte apenas pueda. ¿Me esperarás?

Fue una pregunta muy tonta, después de tantos años.

—Por supuesto que sí.

Tres días más tarde, cuando el avión de Paige aterrizó en el aeropuerto O'Hare en Chicago, el tío de Paige, Richard, la estaba esperando. Paige no lo conocía. Lo único que sabía era que su tío era un comerciante muy acaudalado y que su esposa había muerto varios años antes.

—Es el exitoso de la familia —siempre decía el padre de Paige.

Las primeras palabras de su tío la aturdieron.

—Lamento tener que decírtelo, Paige, pero acabo de recibir la noticia de que tu padre murió en una sublevación nativa.

Todo su mundo se derrumbó en un instante. El dolor fue tan fuerte que no pensó que podría soportarlo. *"No dejaré que mi tío me vea llorar"*, prometió Paige. *"Nunca debí haberme ido. Voy a volver."*

Al volver del aeropuerto, Paige miraba por la ventana el tránsito pesado.

—Odio Chicago.

—¿Por qué, Paige?

—Porque es una jungla.

Richard no permitió que Paige regresara a África para el funeral de su padre, lo cual la enfureció.

Trató de hacerla razonar.

—Paige, ya enterraron a tu padre. No tiene sentido que vayas.

Pero sí había un motivo: Alfred estaba en África.

Pocos días después de la llegada de Paige, su tío se sentó a charlar con ella sobre su futuro.

—No hay nada que discutir —le informó Paige—. Voy a ser médica.

A los veintiún años, cuando terminó la escuela, Paige envió solicitud a diez facultades de medicina y fue aceptada por todas. Paige eligió una facultad en Boston.

Le llevó dos días localizar por teléfono a Alfred en Zaire, donde éste trabajaba con un grupo de la OMS.

Cuando Paige le contó la noticia, dijo:

—¡Es maravilloso, mi amor! Yo ya estoy estudiando. Cuando los dos terminemos, haremos las prácticas juntos.

Juntos. La palabra mágica.

—Paige, estoy desesperado por verte. Si puedo salir algunos días, ¿podrías reunirte conmigo en Hawaii?

No hubo la menor vacilación.

—Sí.

Y los dos lograron reunirse. Más tarde, Paige imaginaba lo díficil que debió de haber sido para Alfred hacer ese viaje tan largo; sin embargo, nunca había dicho nada.

Pasaron tres días increíbles en un hotelito en Hawaii llamado Sunny Cove. Fue como si nunca se hubieran separado. Paige deseaba tanto pedirle a Alfred que regresara con ella a Boston, pero al mismo tiempo sabía que era un acto egoísta. Su trabajo era mucho más importante.

El último día que pasaron juntos, mientras se vestían, Paige preguntó:

—¿Cuál es tu próximo destino, Alfred?

—Gambia, y después Bangladesh.

Para salvar vidas, para ayudar a quienes lo necesitan con tanta desesperación. Paige lo abrazó con fuerza y cerró los ojos. No quería dejarlo ir nunca.

Como si leyera sus pensamientos, Alfred aseguró:

—Nunca te dejaré ir.

Paige empezó a estudiar medicina. Con Alfred se carteaban con frecuencia. No importaba en qué parte del mundo estuviera, Alfred siempre la llamaba por teléfono el día de su cumpleaños y para Navidad. Algunos días antes de la víspera de Año Nuevo, cuando Paige estaba en tercer año de medicina, Alfred la llamó por teléfono.

—¿Paige?

—¡Mi amor! ¿Dónde estás?

—En Senegal. Estaba pensando que está a sólo catorce mil kilómetros del hotel Sunny Cove.

Le llevó sólo un minuto darse cuenta.

—¿Quieres decir...?

—¿Puedes reunirte conmigo en Hawaii para la víspera de Año Nuevo?

—¡Sí, sí!

Alfred viajó por más de medio mundo para reunirse con Paige, y esta vez la magia fue todavía más fuerte. El tiempo se había detenido para los dos.

—El año que viene estaré a cargo de mi propio grupo en la OMS —le contó Alfred—. Cuando termines la universidad, quiero que nos casemos...

Pudieron encontrarse una vez más, y cuando no podían reunirse, las cartas los unían en el tiempo y en el espacio. ¡Tantos años de trabajo como médico en países del Tercer Mundo, como su padre y el padre de Paige, llevando a cabo la maravillosa misión de curar! ¡Y ahora, por fin, Alfred volvía a ella!

Mientras Paige leía el telegrama de Alfred por quinta vez, pensaba: *¡Va a venir a San Francisco!*

Kat y Honey estaban durmiendo en sus habitaciones. Paige las sacudió hasta que se despertaron.

—¡Viene Alfred! ¡Viene Alfred! ¡Llega el domingo!

—Maravilloso —murmuró Kat—. ¿Por qué no me despiertas el domingo? Acabo de acostarme.

Honey fue más comprensiva. Se sentó en la cama y exclamó:

—¡Es grandioso! Me muero por conocerlo. ¿Cuánto hace que no lo ves?

—Dos años —respondió Paige— pero siempre nos mantuvimos en contacto.

—Eres afortunada —suspiró Kat—. Bueno, ya estamos todas despiertas. Voy a preparar un poco de café.

Las tres se sentaron a la mesa de la cocina.

—¿Por qué no le preparamos una fiesta a Alfred? —sugirió Honey—. ¿Una especie de "despedida de soltero"?

—Es una buena idea —coincidió Kat.

—Será una celebración real: ¡con torta, globos... de todo!

—Le prepararemos una cena aquí —propuso Honey.

Kat sacudió la cabeza.

—Ya probé tus comidas. Mejor la encargamos afuera.

Faltaban cuatro días para el domingo; pasaron todo su tiempo libre hablando de la llegada de Alfred. Por obra de algún milagro, las tres estaban libres el domingo.

El sábado, Paige consiguió llegar al salón de belleza; salió de compras y gastó una fortuna en un vestido nuevo.

—¿Estoy bien? ¿Creen que le gustará?

—¡Estás sensacional! —le aseguró Honey—. Espero que te merezca.

Paige sonrió.

—Espero *merecerlo*. Les encantará. ¡Es fantástico!

El domingo, el elaborado almuerzo que habían ordenado fue arreglado sobre la mesa del comedor, con una botella de champagne helado. Las mujeres esperaban nerviosas la llegada de Alfred.

A las dos de la tarde sonó el timbre de la puerta principal. Paige corrió a abrirla. Allí estaba Alfred. Con aspecto un poco cansado, un poco más delgado. Pero era *su* Alfred. Junto a él había una morena que debía rondar los treinta años.

—¡Paige! —exclamó Alfred.

Paige lo abrazó. Después se volvió a Honey y a Kat y lo presentó, orgullosa.

—Les presento a Alfred Turner. Alfred, te presento a mis compañeras de departamento, Honey Taft y Kat Hunter.

—Encantado de conocerlas —saludó Alfred. Se volvió a la mujer que lo acompañaba. —Les presento a Karen Turner, mi esposa.

Las tres mujeres quedaron atónitas.

Paige repitió, lentamente:

—¿Tu esposa?

—Sí. —Frunció el entrecejo. —¿No... no recibiste mi carta?

—¿Carta?

—Sí. La envié hace varias semanas.
—No...
—Lo siento... Lo siento terriblemente. Te explicaba todo en mi... pero por supuesto, si no recibiste la... —Su voz se convirtió en un murmullo... —Lo lamento de veras, Paige. Tú y yo estuvimos separados tanto tiempo que yo... después conocí a Karen... y sabes cómo es...
—Sé cómo es —respondió Paige, aturdida. Se volvió a Karen e hizo una sonrisa forzada. —Espero... que tú y Alfred sean muy felices.
—Gracias.
Hubo un silencio incómodo.
Karen dijo:
—Creo que es mejor que nos vayamos, querido.
—Sí, creo que es mejor —dijo Kat.
Alfred se pasó los dedos por el pelo.
—Lo siento de veras, Paige. Yo... bueno... adiós.
—Adiós, Alfred.
Las tres mujeres permanecieron de pie, mirando a los recién casados.
—¡Qué bastardo! —exclamó Kat—. ¡Qué trastada!
Los ojos de Paige estaban inundados de lágrimas.
—Yo... él no quiso... quiero decir... debe de habérmelo explicado todo en la carta.
Honey rodeó a Paige con los brazos.
—Debería haber una ley que ordenara que todos los hombres fueran castrados.
—¡Brindo por eso! —coincidió Kat.
—Discúlpenme —dijo Paige. Se apresuró a entrar en su dormitorio y cerró la puerta tras de sí.
No salió durante el resto del día.

CAPÍTULO CINCO

Durante los meses siguientes Paige vio muy poco a Kat y a Honey; tomaban un desayuno apresurado en la cafetería, y a veces se cruzaban en los pasillos, pero se comunicaban principalmente dejándose notas en el departamento.

—La cena está en el refrigerador...

—El microondas está descompuesto...

Lo siento, no tuve tiempo para limpiar...

—¿Qué tal si salimos a cenar las tres el sábado a la noche...?

Las horas imposibles seguían constituyendo un castigo y probando los límites de todos los residentes.

Paige agradeció la presión; no le quedaba tiempo para pensar en Alfred ni en el maravilloso futuro que habían planeado juntos. No obstante, no podía sacárselo de la cabeza. Lo hecho por Alfred le producía un profundo dolor que se rehusaba a desaparecer. Paige se torturaba con las inútiles preguntas:

—¿Y si me hubiera quedado en África con Alfred?

—¿Y si hubiera venido conmigo a Chicago?

—¿Y si no hubiera conocido a Karen?

—¿Y si...?

Cierto viernes, cuando Paige fue al vestuario a ponerse el uniforme, sobre éste habían escrito la palabra "perra" con marcador negro.

Al día siguiente, cuando Paige fue a buscar su cuaderno de trabajo, no lo encontró: todas sus notas habían desaparecido. *Tal vez lo extravié*, pensó.

Pero no terminaba de creerlo.

El teléfono la despertó a la una de la mañana en su departamento.

—Sería mejor que volviera al hospital de inmediato, doctora. Uno de sus pacientes entró en *shock*.

Era la misma voz ronca disfrazada tras un murmullo jadeante. Pero en esta oportunidad Paige creyó reconocerla. *¡Por Dios!*, pensó. *¡No puedo creerlo!*

A la mañana siguiente advirtió a Kat y a Honey:

—Cuídense de Arthur Kane; está loco.

El mundo fuera del hospital había cesado de existir. Paige sabía que Irak había invadido Kuwait, pero esa noticia era minimizada por un paciente de quince años que moría de leucemia. El día que Alemania oriental y occidental se unieron, Paige estaba ocupada tratando de salvarle la vida a un paciente diabético. Margaret Thatcher renunció a su cargo de Primera Ministra de Inglaterra, pero más importante era que el paciente de la habitación 214 podía caminar otra vez.

Los médicos que trabajaban con Paige le hacían la vida soportable. Salvo pocas excepciones, eran hombres dedicados a sanar, a aliviar el dolor y a salvar vidas. Paige observaba los milagros que realizaban a diario y se llenaba de orgullo.

La presión más grande era trabajar en la sala de emergencia, que siempre estaba repleta de gente que sufría todas las formas imaginables de dolores.

Las largas horas en el hospital y la presión provocaban un enorme cansancio a los médicos y enfermeras que allí trabajaban.

La tasa de divorcios entre los médicos era extraordinariamente alta, y las aventuras extramatrimoniales eran cosa de todos los días.

Tom Chang era uno de los que tenían un problema. Se lo contó a Paige, taza de café de por medio.

—Soy capaz de soportar tantas horas de trabajo —le confió Chang— pero mi esposa no. Se queja de que nunca me ve y de que soy un extraño para nuestra hijita. Y tiene razón; no sé qué hacer.

—¿Tu esposa vino alguna vez al hospital?

—No.

—¿Por qué no la invitas a almorzar aquí, Tom? Que sea partícipe de lo que haces y de lo importante que es para ti.

El rostro de Chang se iluminó.

—Es una buena idea. Gracias, Paige. Lo haré. Me gustaría que la conocieras. ¿Te gustaría almorzar con nosotros?

—Me encantaría.

La esposa de Chang, Sye, resultó ser una joven adorable de belleza clásica y eterna. Chang le enseñó el hospital y después almorzaron en la cafetería con Paige.

Chang le contó a Paige que Sye había nacido y crecido en Hong Kong.

—¿Y te gusta San Francisco? —quiso saber Paige.

Hubo un corto silencio.

—Es una ciudad interesante —respondió Sye con educación— pero me siento una extraña aquí. Es demasiado grande, demasiado ruidosa.

—Pero tengo entendido que Hong Kong también es una ciudad grande y ruidosa.

—Vengo de un pueblito a una hora de distancia de Hong Kong. Allí no hay ruido ni automóviles, y todo el mundo conoce a sus vecinos. —Miró a su marido. —Tom y yo y nuestra hijita éramos muy felices allí. Todo es muy hermoso en la isla de Llama. Tiene playas blancas y granjas pequeñas, y ahí cerca hay un pueblito de pescadores, Sak Kwu Wan. ¡Es tan pacífico!

Su voz se llenó de una gran nostalgia.

—Mi esposo y yo estábamos juntos la mayor parte del tiempo, como debe estarlo una familia. Aquí nunca lo veo.

Paige dijo:

—Señora Chang, sé que ahora le parece difícil, pero dentro de algunos años Tom podrá poner su propio consultorio; entonces tendrá más tiempo.

Tom Chang tomó la mano de su esposa.

—¿Lo ves? Todo va a salir bien, Sye. Debes tener paciencia.

—Comprendo —respondió. No había convicción en su voz.

Mientras hablaban, un hombre entró en la cafetería. Parado como estaba junto a la puerta, Paige sólo podía verle la nuca. El corazón comenzó a latirle con fuerza. El hombre se dio vuelta: era un perfecto extraño.

Chang estaba observando a Paige.

—¿Te encuentras bien?

—Sí —mintió Paige. *Tengo que olvidarlo. Se terminó.* Y sin embargo, los recuerdos de todos esos años maravillosos, la felicidad, el amor que se habían tenido. ¿Cómo olvido todo eso? ¿Podré convencer a algún médico de aquí de que me haga una lobotomía?

Paige se tropezó con Honey en el pasillo. Honey estaba sin aliento y parecía preocupada.

—¿Estás bien? —le preguntó Paige.

Honey sonrió, incómoda.

—Sí, estoy bien. —Y siguió caminando apurada.

Honey había sido asignada a un médico asistente llamado Charles Isler, a quien en el hospital le llamaban ordenancista.

El primer día de recorrido de salas de Honey, le había dicho:

—Esperaba ansioso el momento de trabajar con usted,

doctora Taft. El doctor Wallace me contó de sus notas brillantes en la facultad de medicina. Tengo entendido que va a hacer las prácticas de Medicina Interna.

—Así es.

—Bien. Entonces la tendremos entre nosotros durante los próximos tres años.

Comenzaron el recorrido.

El primer paciente era un muchacho mejicano. El doctor Isler ignoró a los demás residentes y se dirigió a Honey.

—Creo que éste le parecerá un caso interesante, doctora Taft. El paciente muestra todos los síntomas clásicos: anorexia, pérdida de peso, gusto metálico, fatiga, anemia, hiperirritabilidad y falta de coordinación. ¿Cómo lo diagnosticaría?

Y sonrió, expectante.

Honey lo miró un momento.

—Bueno, podrían ser muchas cosas, ¿no?

El doctor Isler la miró, confundido.

—Es un caso típico de...

Uno de los residentes interrumpió:

—¿...envenenamiento con plomo?

—Correcto —respondió el doctor Isler.

Honey sonrió.

—Por supuesto. Envenenamiento con plomo.

El doctor Isler volvió a dirigirse a Honey.

—¿Cómo lo trataría?

Honey respondió con evasivas:

—Bueno, existen varios métodos de tratamiento, ¿no es verdad?

Un segundo residente interrumpió:

—Si el paciente estuvo expuesto mucho tiempo, debe ser tratado como un caso potencial de encefalopatía.

El doctor Isler sonrió.

—Correcto. Es lo que estamos haciendo: corrigiendo la deshidratación y las molestias electrolíticas, y sometiéndolo a terapia queloidal.

Miró a Honey. Esta asintió.

El siguiente era un paciente de unos ochenta años. Tenía los ojos rojos y los párpados pegados.

—En seguida nos ocuparemos de sus ojos —aseguró el doctor Isler—. ¿Cómo se siente?

—Pues... no demasiado mal para ser un anciano.

El doctor Isler echó atrás la sábana y dejó ver la rodilla y el tobillo hinchados del paciente. Tenía lesiones en las plantas de los pies.

El doctor Isler se dirigió a los residentes.

—La hinchazón es producida por la artritis. —Miró a Honey. —La cual, combinada con las lesiones y la conjuntivitis, estoy seguro de que conoce el diagnóstico.

Honey respondió con lentitud:

—Bueno... podría ser...

—Es el síndrome de Reiter —respondió uno de los residentes—. La causa es desconocida. Por lo general hay poca fiebre.

El doctor Isler asintió.

—Correcto. —Volvió a mirar a Honey. —¿Cuál es la prognosis?

—¿La prognosis?

El residente respondió:

—La prognosis no es clara. Puede tratarse con drogas antiinflamatorias.

—Muy bien —lo felicitó el doctor Isler.

Visitaron a otros doce pacientes. Cuando terminaron, Honey dijo al doctor Isler:

—¿Podría hablar un momento a solas con usted, doctor Isler?

—Sí. Venga a mi oficina.

Cuando se sentaron en la oficina, Honey dijo:

—Sé que está desilusionado conmigo...

—Debo admitir que me sorprendió un poco que usted...

Honey lo interrumpió.

—Lo sé, doctor Isler. Anoche no pude cerrar los ojos. En realidad, estaba tan emocionada porque iba a trabajar con usted que... no pude dormir.

El médico la miró, sorprendido.

—Ya veo. Sabía que tenía que haber una razón para... Quiero decir, sus notas en la universidad fueran tan brillantes. ¿Qué la hizo decidirse a ser médica?

Honey bajó la mirada un momento, luego murmuró:

—Tenía un hermano más joven que sufrió un accidente. Los médicos hicieron todo lo posible por salvarle la vida... pero vi cómo se moría. Fue una larga agonía; me sentí tan impotente... Entonces decidí que iba a pasar mi vida sanando a otras personas. —Los ojos se le llenaron de lágrimas.

¡Es tan vulnerable! pensó Isler.

—Me alegro de que hayamos tenido esta pequeña charla.

Honey lo miró y pensó: *"Me creyó"*.

Capítulo Seis

Del otro lado de la ciudad, periodistas y equipos de televisión esperaban en la calle cuando Lou Dinetto salió de los tribunales, sonriendo y saludando, como un miembro de la realeza a los súbditos. Había dos guardaespaldas a su lado: un hombre alto y delgado al que llamaban La Sombra, y otro robusto llamado Rhino. Como de costumbre, Lou Dinetto iba vestido con ropa cara y elegante: un traje de seda gris con camisa blanca, corbata azul y zapatos de cocodrilo. La confección de su ropa debía ser cuidadosa para hacerlo parecer apuesto, porque era bajo, corpulento y patizambo. Siempre tenía una sonrisa a flor de labios y alguna ocurrencia lista para los periodistas, a quienes les gustaba citarlo. Dinetto había sido acusado y juzgado tres veces por cargos desde incendio premeditado y extorsión hasta asesinato; en todas las oportunidades había salido libre.

Ahora, mientras salía de los tribunales, uno de los periodistas preguntó a los gritos:

—¿Sabía que iban a exonerarlo, señor Dinetto?

Dinetto se echó a reír.

—Por supuesto que sí. Soy un comerciante inocente. El gobierno no tiene otra cosa que hacer que perseguirme. Esa es una de las razones por las que los impuestos son tan elevados.

Una cámara de televisión lo enfocó. Lou Dinetto se detuvo para sonreírle.

—Señor Dinetto, ¿podría explicar por qué no se presentaron dos testigos que iban a dar testimonio en su contra en su juicio por asesinato?

—Claro que puedo explicarlo —respondió Dinetto—. Se trata de ciudadanos honestos que decidieron no cometer perjurio.

—El gobierno asegura que usted es el cabecilla de una banda en la costa occidental, y que fue usted quien ordenó...

—Lo único que ordeno son los lugares donde se sienta la gente en mi restaurante. Quiero que todo el mundo esté cómodo. —Sonrió frente a la multitud de periodistas. —A propósito, quedan todos invitados a mi restaurante esta noche: habrá cena y bebidas gratis.

Se acercó a la calzada, donde lo esperaba una larga limusina negra.

—Señor Dinetto...

—Señor Dinetto...

—Señor Dinetto...

—Los veré en mi restaurante esta noche, damas y caballeros. Ya saben dónde está.

Y Lou Dinetto se sentó en el auto mientras seguía saludando y sonriendo. Rhino cerró la puerta de la limusina y se subió al asiento delantero. La Sombra se deslizó detrás del volante.

—¡Estuvo fantástico, jefe! —lo felicitó Rhino—. Usted sabe bien cómo tratar a estos holgazanes.

—¿Adónde? —preguntó La Sombra.

—A casa. Me daré un baño caliente y comeré un buen bistec.

El coche partió.

—No me gusta esa pregunta acerca de los testigos —dijo Dinetto—. ¿Estás seguro de que nunca...?

—No a menos que puedan hablar bajo el agua, jefe.

Dinetto asintió.

—Bien.

El coche se deslizó veloz por la calle Fillmore. Dinetto preguntó:

—¿Vieron la cara que puso el fiscal de distrito cuando el juez me exoneró...?

De repente un perrito salido quién sabe de dónde se

cruzó frente a la limusina. La Sombra giró el volante con brusquedad para evitar atropellarlo, y pisó el freno. El coche se subió a la acera y chocó contra un poste de alumbrado. La cabeza de Rhino se estrelló contra el parabrisas.

—¡Qué *diablos* haces? —gritó Dinetto—. ¿Tratas de matarme?

La Sombra temblaba.

—Lo siento, jefe. Se cruzó un perro frente al auto...

—¿Y decidiste que su vida era más importante que la mía? ¡Estúpido imbécil!

Rhino gemía. Se dio vuelta y Dinetto vio que le salía sangre de una profunda herida en la frente.

—¡Por el amor de Dios! —gritó Dinetto—. ¡Mira lo que hiciste!

—Estoy bien —murmuró Rhino.

—¡Qué diablos! —Dinetto se dirigió a La Sombra. —Llévalo al hospital.

La Sombra hizo retroceder la limusina.

—El Embarcadero está a sólo un par de cuadras de aquí. Lo llevaremos a la guardia.

—Entendido, jefe.

Dinetto se hundió en su asiento.

—Un perro —repitió disgustado—. ¡Dios mío!

Kat estaba de guardia cuando entraron Dinetto, La Sombra y Rhino. Rhino sangraba profusamente.

Dinetto llamó a Kat:

—¡Eh, usted!

Kat levantó la mirada.

—¿Me está hablando a mí?

—¿A quién diablos cree que le estoy hablando? Este hombre está sangrando. Cúrelo enseguida.

—Hay seis personas antes que él —respondió Kat con tranquilidad—. Tendrá que esperar su turno.

—No va a esperar nada —le dijo Dinetto—. Lo curará ahora.

Kat se acercó a Rhino y lo examinó. Tomó un trozo de

algodón y lo apretó contra la herida.

—Sosténgalo ahí. Ya vuelvo.

—¡Dije que lo curará *ahora*! —espetó Dinetto.

Kat se volvió a Dinetto.

—Esta es una guardia de hospital. Soy la médica a cargo. Así que será mejor que se quede tranquilo o si no váyase.

La Sombra explicó:

—Señorita, no sabe con quién está hablando. Es mejor que haga lo que el hombre dice. Es el señor Lou Dinetto.

—Ahora que terminamos con las presentaciones —dijo Dinetto con impaciencia— ocúpese de mi hombre.

—Tiene un problema de audición —respondió Kat—. Se lo diré una vez más: o se queda tranquilo o se va de aquí. Tengo mucho trabajo que hacer.

Rhino chilló:

—No puede hablarle así a...

Dinetto lo interrumpió.

—¡Cállate! —Volvió a mirar a Kat y su tono cambió. —Le agradecería que se ocupara de él lo más pronto posible.

—Pondré todo de mi parte. —Kat sentó a Rhino en una camilla. —Acuéstese. Volveré en unos minutos. —Miró a Dinetto. —En el rincón hay unas sillas.

Dinetto y La Sombra la miraron caminar al otro lado de la sala para ocuparse de los pacientes que esperaban.

—¡Por Dios! —exclamó La Sombra—. No tiene idea de quién es usted.

—No creo que hubiera ninguna diferencia. Ella tiene agallas.

Quince minutos más tarde, Kat regresó a Rhino y lo examinó.

—No hay conmoción —anunció—. Tiene suerte; es una fea herida.

Dinetto observó mientras Kat cosía con destreza la frente de Rhino.

Cuando Kat terminó, dijo:

—Va a sanar muy bien. Vuelva dentro de cinco días y le quitaré los puntos.

Dinetto se acercó y examinó la frente de Rhino.
—Hizo un muy buen trabajo.
—Gracias —dijo Kat—. Ahora, si me disculpan...
—Espere un minuto —la llamó Dinetto. Se volvió a La Sombra. —Dale un billete de cien.
La Sombra sacó un billete de cien dólares del bolsillo.
—Tenga.
—La caja está afuera.
—No es para el hospital; es para usted.
—No, gracias.
Dinetto observó a Kat alejarse y empezar a atender a otro paciente.
La Sombra dijo:
—Tal vez no fue suficiente, jefe.
Dinetto sacudió la cabeza.
—Es una mujercita independiente. Me gusta. —Quedó en silencio por un momento. —El doctor Evans se va a retirar, ¿no es verdad?
—Ajá.
—De acuerdo. Quiero que averigüen todo lo que puedan de esta doctora.
—¿Para qué?
—Creo que nos puede ser útil.

CAPÍTULO SIETE

En los hospitales mandan las enfermeras. Margaret Spencer, la jefa de enfermeras, trabajaba en el Embarcadero County Hospital desde hacía veinte años y sabía dónde estaban enterrados todos los cuerpos... en sentido literal y figurado. La enfermera Spencer estaba a cargo del hospital, y los médicos que no lo aceptaran estaban en problemas. Ella sabía qué médicos eran adictos a las drogas o al alcohol, qué médicos eran incompetentes y cuáles merecían su apoyo. Tenía a su cargo a todas las estudiantes de enfermería, a las enfermeras con diploma y a las enfermeras de quirófano, Era Margaret Spencer quien decidía cuál de ellas sería asignada a los distintos quirófanos, y dado que enfermeras había desde indispensables hasta incompetentes, a los médicos les convenía llevarse bien con Margaret Spencer. Tenía el poder de asignar a una enfermera inepta para asistir en una complicada extirpación de riñón o, si el médico le agradaba, de enviarle su enfermera más competente para asistirlo en una simple amigdalectomía. Entre los muchos prejuicios de Margaret Spencer figuraba su antipatía por las mujeres médicas y por los negros.

Kat Hunter era mujer, médica y negra.

A Kat las cosas le estaban resultando difíciles. No era nada que se dijera o hiciera en forma evidente; sin embargo, percibía el prejuicio de una manera demasiado sutil para señalarlo: las enfermeras que pedía nunca estaban disponibles, aquellas que le asignaban eran casi incompetentes. Con frecuencia la enviaban a examinar pacientes clínicos varones con enfermedades venéreas. Aceptó los primeros casos pensando que formaban parte de la rutina, pero cuando tuvo que atender seis casos en un día, comenzó a sospechar.

Durante un almuerzo preguntó a Paige:

—¿Tuviste que atender a muchos hombres con enfermedades venéreas?

Paige pensó un momento.

—Uno la semana pasada; era un ordenanza.

Voy a tener que hacer algo al respecto, pensó Kat.

La enfermera Spencer había planeado deshacerse de la doctora Hunter haciéndole la vida tan imposible que le resultara más fácil renunciar. Pero no había contado con la dedicación de Kat ni con su capacidad. Poco a poco, Kat se había ido ganando a la gente con la que trabajaba. Tenía una virtud innata que impactaba a sus compañeros de trabajo y a sus pacientes. Pero el verdadero cambio se produjo a raíz de lo que en todo el hospital dio en llamarse el famoso caso de la sangre de cerdo.

Cierta mañana mientras hacían el recorrido de las salas, Kat estaba trabajando con un residente principal llamado Dundas. Estaban junto a la cama de un paciente en estado inconsciente.

—El señor Levy sufrió un accidente automovilístico —informó Dundas a los residentes—. Perdió una gran cantidad de sangre y necesita una transfusión de inmediato. En este momento el hospital no cuenta con reservas de sangre. Este hombre tiene familia, pero ésta se rehúsa a donarle su sangre. ¡Es exasperante!

Kat quiso saber:

—¿Dónde está su familia?

—En la sala de espera de las visitas —respondió el doctor Dundas.

—¿Le molestaría si hablo con ellos? —preguntó Kat.

—No servirá de nada. Ya hablé con ellos. Ya tomaron una decisión.

Cuando terminaron el recorrido, Kat se dirigió a la sala de espera de las visitas. Allí esperaban la esposa y el hijo mayor del hombre. El hijo llevaba puesto un *yarmulke* y un *talus* ritual.

—¿Señora Levy? —preguntó Kat a la mujer.

Ésta se puso de pie.

—¿Cómo está mi marido? ¿Va a operarlo el médico?

—Sí —respondió Kat.

—Bien, no nos pida que donemos sangre. Es demasiado peligroso en los tiempos que corren, con el SIDA y todas esas enfermedades.

—Señora Levy —explicó Kat— el SIDA no se contagia por donar sangre. No es posib...

—¡No me diga! Leo los periódicos. Sé bien cómo es.

Kat la estudió un momento.

—Ya veo. Bueno, está bien, señora Levy. En este momento el hospital no cuenta con reservas de sangre, pero pudimos solucionar el problema.

—¡Qué bien!

—Vamos a transfundirle a su esposo sangre de cerdo.

La madre y el hijo miraron a Kat, atónitos.

—*¡Qué!*

—Sangre de cerdo —repitió Kat, divertida—. Es probable que no haga ningún daño. —Se dio vuelta para irse.

—¡Espere un minuto! —gritó la señora Levy.

Kat se detuvo.

—¿Sí?

—Este... dénos un minuto, por favor.

—Por supuesto.

Quince minutos más tarde, Kat se acercó al doctor Dundas.

—Ya no tiene que preocuparse por la familia del señor Levy. Los dos están felices de donar sangre.

Instantáneamente la anécdota se convirtió en leyenda en todo el hospital. Los médicos y las enfermeras que antes habían ignorado a Kat, insistieron en hablar con ella.

Pocos días más tarde Kat entró en la habitación privada de Sam Haley, un paciente con úlcera. Estaba comiendo un enorme almuerzo que se había hecho traer de una tienda cercana.

Kat se acercó a su cama.

—¿Qué está haciendo?

Sam levantó la mirada y sonrió.

—Comiendo un almuerzo como la gente, para variar. ¿Quiere un poco? Hay mucha comida aquí.

Kat llamó a una enfermera.

—¿Sí, doctora?

—Saque esta comida de aquí. El señor Haley debe guardar una dieta estricta de hospital. ¿Acaso no leyó su cuadro?

—Sí, pero él insistió en...

—Quite esto de aquí, por favor.

—¡Eh, espere un momento! —protestó Haley—. ¡No puedo tragar la papilla que me dan en este hospital!

—Va a comerla si quiere deshacerse de su úlcera. —Kat miró a la enfermera. —Sáquela.

Treinta minutos más tarde Kat debió presentarse en la oficina del administrador.

—¿Quería verme, doctor Wallace?

—Sí, siéntese. Sam Haley es uno de sus pacientes, ¿no es cierto?

—Así es. Lo encontré almorzando un sándwich de *pastrami* caliente con encurtidos y ensalada de papas, lleno de especias y...

—Y usted se lo quitó.

—Por supuesto.

Wallace se inclinó en su silla.

—Doctora, probablemente no sabía que Sam Haley integra el consejo supervisor del hospital. Queremos que esté feliz. ¿Entiende lo que quiero decir?

Kat lo miró y dijo con terquedad:

—No, señor.

El doctor Wallace pestañeó.

—¿Cómo?

—Me parece que la mejor manera de tener feliz al señor

Sam Haley es tenerlo sano. No va a curarse si se destruye el estómago.

Benjamin Wallace hizo una sonrisa forzada.

—¿Por qué no dejamos que él tome esa decisión?

Kat se puso de pie.

—Porque *yo* soy su médica. ¿Algo más?

—Este... no. Es todo.

Kat salió de la oficina.

Benjamin Wallace se quedó sentado, atónito. *¡Mujeres médicas!*

Kat estaba de guardia nocturna cuando recibió un llamado.

—Doctora Hunter, creo que debe subir a la trescientos veinte.

—En seguida.

La paciente de la habitación trescientos veinte era la señora Molloy y sufría de cáncer. Sus perspectivas eran pobres. Cuando se acercó a la puerta, Kat oyó voces que discutían. Entró en la habitación.

La señora Molloy estaba en la cama, fuertemente seda da pero consciente. Su hijo y dos hijas estaban en la habitación.

El hijo decía:

—Yo digo que dividamos la fortuna en tres.

—¡No! —respondió una de las hijas—. Laurie y yo somos las que estuvimos cuidando a mamá. ¿Quiénes le cocinaron y le hicieron la limpieza? ¡Nosotras! Entonces tenemos derecho a su dinero y...

—¡Soy su sangre tanto como ustedes! —gritó el hombre.

La señora Molloy los escuchaba desde su cama, impotente.

Kat estaba furiosa.

—Disculpen —dijo.

Una de las mujeres la miró.

Vuelva más tarde, enfermera. Estamos ocupados.

Kat respondió, cnojada:

—Ella es mi paciente. Les doy diez segundos para que salgan de la habitación. Pueden quedarse en la sala de espera de las visitas. Ahora largo de aquí antes de que llame a seguridad y los haga echar.

El hombre empezó a decir algo, pero la mirada de Kat se lo impidió. Se volvió a sus hermanas y se encogió de hombros:

—Podemos hablar afuera.

Kat miró salir a los tres. Se volvió a la señora Molloy y le acarició la cabeza.

—No lo dijeron en serio —aseguró con suavidad. Se sentó junto a la cama mientras sostenía la mano de la anciana y esperó a que se durmiera.

Todos nos morimos pensó Kat. *Olvida lo que dijo Dylan Thomas. El verdadero truco consiste en entrar suavemente en la buena noche.*

Kat estaba ocupada atendiendo un paciente cuando un ordenanza entró en la sala.

—Tiene un llamado urgente en el escritorio, doctora.

Kat frunció el entrecejo.

—Gracias. —Se volvió al paciente, que tenía un yeso de cuerpo entero, con las piernas suspendidas de una polea. —En seguida vuelvo.

En el pasillo, en la oficina de las enfermeras, Kat tomó el teléfono.

—¿Hola?

—Hola, hermanita.

—¡Mike! —Se emocionó al escuchar la voz de su hermano, pero pronto la emoción se convirtió en preocupación. —Mike, te dije que nunca me llamaras aquí. Tienes el número del departamento por si...

—¡Eh, lo siento! Esto no podía esperar. Tengo un problemita.

Kat sabía lo que seguía.

—Pedí prestado un poco de dinero a un tipo para invertir en un negocio...

Kat ni se preocupó por preguntar de qué clase de negocio se trataba.

—...y fracasó.

—Ajá. Y ahora quiere que le devuelva su dinero.
—¿Cuánto es, Mike?
—Bueno... si pudieras enviarme cinco mil...
—*¿Qué?*
La enfermera sentada en el escritorio la miró con curiosidad.
Cinco mil dólares. Kat bajó el tono de voz.
—No tengo tanto. Puedo... enviarte la mitad ahora y el resto dentro de unas semanas. ¿Está bien?
—Supongo que sí. Odio molestarte, hermanita, pero ya sabes cómo es.
Kat sabía exactamente cómo era. Su hermano tenía veinticinco años y siempre estaba involucrado en negocios misteriosos. Integraba pandillas, y sólo Dios sabía a qué se dedicaban, pero Kat sentía una profunda responsabilidad hacia su hermano. *Es mi culpa*, pensó Kat. *Si no me hubiese fugado de casa y no lo hubiera abandonado...*
—No te metas en problemas, Mike. Te quiero.
—Yo también te quiero, Kat.
De algún lado tendré que sacar el dinero, pensó Kat. *Mike es lo único que tengo en el mundo.*

El doctor Isler había esperado ansioso el momento de volver a trabajar con Honey Taft. Le había perdonado el mal desempeño del primer día; de hecho, le complacía que lo admirara tanto. Pero ahora, mientras hacían el recorrido de las salas una vez más, Honey permanecía rezagada de los demás residentes y nunca se ofrecía para responder a sus preguntas.
Treinta minutos después del recorrido, el doctor Isler estaba sentado en la oficina de Benjamin Wallace.
—¿Qué problema tienes? —preguntó Wallace.
—Es la doctora Taft.
Wallace lo miró con genuina sorpresa.
—¿La doctora Taft? Tiene las mejores recomendaciones que jamás haya visto.
—Es lo que me asombra —respondió el doctor Isler—. Estuve recibiendo informes de algunos de los otros resi-

dentes. Hace diagnósticos erróneos y comete serios errores. Quisiera saber qué diablos pasa.

—No lo entiendo. Estudió en una buena facultad de medicina.

—Tal vez deberías llamar al decano de la facultad —le sugirió el doctor Isler.

—Es Jim Pearson. Es un buen hombre; voy a llamarlo.

Pocos minutos más tarde, Wallace hablaba con Jim Pearson. Intercambiaron ocurrencias, y después Wallace dijo:

—El motivo de mi llamada es la doctora Taft.

Hubo un corto silencio.

—¿Sí?

—Parece que tenemos un problema con ella, Jim. Fue admitida en el hospital con tus mejores recomendaciones.

—Correcto.

—De hecho, tengo su informe frente a mí. Dice que fue una de las estudiantes más brillantes que jamás hayan tenido.

—Es verdad.

—Y que iba a ser un crédito para la profesión médica.

—Así es.

—¿Hubo alguna duda acerca de...?

—Ninguna —respondió con firmeza el doctor Pearson—. En absoluto. Tal vez esté un poco nerviosa. Es muy sensible, pero si le das una oportunidad, estoy seguro de que todo irá bien.

—Bueno, te agradezco que me lo digas. Por supuesto que le daremos todas las oportunidades. Gracias.

—Por nada. —Colgó.

Jim Pearson se quedó sentado, odiándose por lo que acababa de hacer.

Pero mi esposa y mis hijos están primero.

CAPÍTULO OCHO

Honey Taft había tenido la mala suerte de haber nacido en una familia de gente exitosa. Su apuesto padre era el fundador y presidente de una enorme compañía de computación en Memphis, Tennessee; su hermosa madre era científica genetista, y las hermanas mayores de Honey, mellizas, eran tan atractivas, inteligentes y ambiciosas como sus padres. Los Taft formaban una de las familias más prominentes de Memphis.

Honey había nacido sin ser deseada cuando sus hermanas tenían seis años.

—Honey fue nuestro pequeño accidente —solía contar su madre a sus amigas—. Quise hacerme un aborto, pero Fred no lo permitió. Ahora lo lamenta.

Mientras que las hermanas de Honey eran hermosas, Honey era fea. Las mellizas eran brillantes y Honey era de inteligencia promedio. Las hermanas habían empezado a hablar a los nueve meses, y Honey no había pronunciado palabra hasta que tuvo casi dos años.

—Le decimos "la tontita" —se reía su padre—. Honey es el "patito feo" de la familia Taft. Sólo que no creo que se convierta en cisne.

La verdad era que Honey no era fea, pero tampoco era bonita. Era común, con un rostro delgado y triste, pelo rubio descolorido y una figura poco envidiable. Lo que sí *tenía* Honey era un carácter extraordinariamente dulce y risueño, cualidad que no era valorada en una familia de gente tan competitiva.

Desde que Honey recordaba, su deseo más grande había

sido agradar a sus padres y hermanas, y hacer que éstos la amaran. Había sido un esfuerzo inútil: sus padres estaban ocupados con sus profesiones y sus hermanas muy entretenidas ganando concursos de belleza y becas. Y a la infelicidad de Honey se sumaba el hecho de que era tímida en exceso. Ya fuera en forma consciente o inconsciente, su familia le había inculcado un sentido de profunda inferioridad.

En el colegio secundario a Honey la llamaban "la solitaria". Iba sola a los bailes del colegio y a las fiestas; sonreía y trataba de no demostrar lo infeliz que se sentía por no estropear la diversión de nadie. Veía cómo los muchachos más populares del colegio pasaban a buscar a sus hermanas; después subía a su habitación solitaria a luchar con sus tareas.

Y trataba de no llorar.

Los fines de semana y durante las vacaciones de verano, Honey ahorraba dinero para sus gastos haciendo de niñera. Le encantaba cuidar niños, y éstos la adoraban.

Cuando Honey no trabajaba, salía a explorar Memphis por su cuenta. Visitó Graceland, donde vivió Elvis Presley, y caminó por Beale Street, donde nacieron los blues. Paseó por el Pink Palace Museum y por el Planetario, con su ruidoso dinosaurio. También visitó el acuario.

Y Honey siempre estaba sola.

No sabía que su vida estaba a punto de dar un giro drástico.

Honey sabía que muchas de sus compañeras de clase tenían aventuras amorosas. Se pasaban el tiempo hablando de ello en el colegio.

—¿Todavía no te acostaste con Ricky? ¡Es el mejor...!

—Joe para los orgasmos es...

—Anoche salí con Tony. Estoy exhausta. ¡Qué animal! Esta noche lo veo otra vez.

Honey se quedaba escuchando las conversaciones, llena de una envidia entre amarga y dulce, con la sensación de que nunca sabría lo que era el sexo. *¿Quién va a quererme?* se decía.

El viernes a la noche había un baile de gala del colegio. Honey no tenía intención de ir, pero su padre le dijo:

—Sabes, estoy preocupado por ti. Tus hermanas me dijeron que eres una solitaria y que no irás al baile de gala porque no pudiste conseguir acompañante.

Honey se ruborizó.

—No es cierto —respondió—. Sí tengo acompañante, y voy a ir. —*Que no me pregunte con quién*, rogó Honey.

Su padre no se lo preguntó.

Más tarde Honey se encontraba en el baile, sentada en su rincón habitual, mirando a los demás bailar y divertirse.

Fue entonces que ocurrió el milagro.

Roger Merton, el capitán del equipo de fútbol y el muchacho más popular del colegio, estaba en la pista de baile peleándose con su novia. Había estado bebiendo.

—¡Eres un bastardo inútil y egoísta! —gritaba ella.

—¡Y tú una perra estúpida!

—Ve a masturbarte.

—No tengo necesidad de masturbarme, Sally. Puedo acostarme con otra; con cualquiera que desee.

—¡Adelante! —Y Sally salió furiosa de la pista.

Honey no pudo evitar oír la discusión.

Merton vio que Honey lo estaba mirando.

—¿Qué diablos miras? —farfulló.

—Nada —respondió Honey.

—¡Le enseñaré a esa perra! ¿Crees que no le enseñaré?

—S...sí.

—¡Claro que sí! Tomemos una copita.

Honey vaciló. Era evidente que Merton estaba ebrio.

—Bueno, yo no...

—Fantástico. Tengo una botella en el auto.

—No creo que...

Merton tomó a Honey por el brazo y la sacó del salón. Ella lo acompañó porque no quería hacer una escena ni ponerlo en ridículo.

Una vez fuera, Honey trató de librarse de él.

—Roger, no creo que sea una buena idea. Yo...

—¿Qué diablos eres? ¿Una cobarde?

—No, es que...

—De acuerdo, entonces. Ven.

La condujo hasta su auto y abrió la portezuela. Honey se quedó parada un momento.

—Entra.

—Sólo puedo quedarme un ratito —dijo Honey.

Entró en el coche porque no quería que Roger se enojara. Él se deslizó junto a ella.

—Le enseñaremos a esa perra estúpida, ¿no es cierto? —Le alcanzó una botella de whisky. —Aquí tienes.

Honey había bebido sólo una vez en su vida y no le había gustado en absoluto. Pero no quería herir los sentimientos de Roger. Lo miró y tomó un sorbito de mala gana.

—Eso está bien. Eres nueva en el colegio, ¿no es verdad?

Honey y Roger eran compañeros en tres materias.

—No —respondió—. Yo...

Roger se inclinó y comenzó a jugar con sus pechos.

Asustada, Honey se echó atrás.

—¡Eh, ven aquí! ¿Acaso no deseas complacerme? —preguntó.

Fue la frase mágica. Honey deseaba complacer a todo el mundo, y si éste era el modo de hacerlo...

En el incómodo asiento trasero del auto de Merton, Honey hizo el amor por primera vez; un mundo nuevo e increíble se abrió ante ella. No es que hubiera disfrutado al hacerlo, pero ese detalle no tuvo importancia. Lo que sí fue importante fue que Merton lo disfrutó. De hecho, Honey se sorprendió de *cuánto* lo disfrutó. Pareció dejarlo extático. Nunca había visto a nadie disfrutar tanto de algo. *Conque así es como se complace a un hombre*, pensó.

Fue como una Epifanía.

Honey no pudo quitarse de la cabeza el milagro que había ocurrido. Se acostó en su cama, mientras recordaba la virilidad de Merton en su interior, empujando cada vez más rápido, y después sus gemidos: "Sí, sí... Dios mío, eres fantástica, Sally".

A Honey ni siquiera eso le había importado. ¡Había complacido al capitán del equipo de fútbol! ¡Al más popular de la escuela! *Y eso que no sabía lo que estaba haciendo*, pensó Honey. *Si aprendiera en serio a complacer a un hombre...*

Y fue entonces que Honey tuvo su segunda Epifanía.

A la mañana siguiente, Honey se dirigió a Pleasure Chest, una librería pornográfica situada en Poplar Street, y compró media docena de libros sobre el erotismo. Los escondió en su casa y los leyó en la intimidad de su cuarto. Quedó asombrada por lo que leyó.

Arremetió página tras página de *Jardín Perfumado* y del *Kama Sutra*, de *El arte tibetano del amor* y de la *Alquimia del éxtasis*. Cuando los terminó fue a buscar más. Leyó las palabras de Gedun Chopel y las narraciones misteriosas de Kanchinatha.

Estudió las excitantes fotografías de las treinta y siete posiciones para hacer el amor, y aprendió el significado de la Media Luna y del Círculo, el Pétalo de Loto y los Pedazos de Nube, así como la manera de moverse.

Honey se convirtió en experta de los ocho tipos de sexo oral, y de los caminos a dieciséis placeres, y del éxtasis de la cadena de mármoles. Aprendió a enseñar a un hombre a experimentar *karuna*, a fin de intensificar el placer. Por lo menos en teoría.

Honey ya se sentía preparada para poner en práctica sus conocimientos.

El *Kama Sutra* dedicaba varios capítulos a los afrodisíacos para excitar a un hombre, pero como Honey no tenía idea de dónde podía conseguir *hedysarum gangeticum*, la planta de *kshirika* o el *xanthochymus pictorius*, se las arregló para encontrar sus propios sustitutos.

Cuando a la semana siguiente Honey volvió a ver a

Roger Merton en clase, se acercó a él y dijo:

—La otra noche lo disfruté mucho. ¿Podemos hacerlo otra vez?

Le llevó un momento a Roger recordar a Honey.

—¡Claro! ¿Por qué no? Mis viejos salen esta noche. ¿Por qué no vienes a casa alrededor de las ocho?

Cuando Honey llegó a la casa de Merton esa noche, llevaba consigo un frasquito con miel de arce.

—¿Para qué es eso? —le preguntó Merton.

—Te enseñaré —respondió Honey.

Y se lo enseñó.

Al día siguiente Merton hablaba con sus compañeros acerca de Honey:

—¡Es increíble! ¡No creerían lo que puede hacer con un poco de miel caliente!

Esa tarde, media docena de muchachos pedían salir con Honey. A partir de ese momento, comenzó a salir todas las noches. Los muchachos eran muy felices y en consecuencia Honey era muy feliz.

Los padres de Honey estaban encantados por la repentina popularidad de su hija.

—Nuestra hija tardó un poquito en florecer —dijo su padre con orgullo— ¡pero ya se ha convertido en una verdadera Taft!

Honey siempre había tenido malas notas en matemáticas, y sabía que le había ido muy mal en el examen final. Su profesor de matemáticas, el señor Janson, era soltero y vivía cerca de la escuela. Cierta tarde Honey le hizo una visita. El profesor abrió la puerta y la miró sorprendido.

—¡Honey! ¿Qué haces aquí?

—Necesito su ayuda —respondió Honey—. Mi padre va a matarme si no apruebo matemáticas. Traje algunos problemas. Pensé que tal vez podría verlos conmigo.

El profesor vaciló un momento.

—No es lo común, pero... está bien.

Al señor Janson le gustaba Honey. No era como las

demás alumnas de su clase. Éstas eran ruidosas e indiferentes. Honey, por el contrario, era sensible y cariñosa, siempre dispuesta a complacer. Ojalá tuviera más capacidad para las matemáticas.

El señor Janson se sentó junto a Honey en el sillón y comenzó a explicarle los misterios de los logaritmos.

Pero Honey no tenía interés por los logaritmos. Mientras el profesor Janson hablaba, Honey se acercaba a él cada vez más. Comenzó a respirarle en el cuello y en el oído, y antes de que supiera lo que estaba pasando, el señor Janson se encontró con el cierre de los pantalones abierto.

Miró a Honey, atónito.

—¿Qué estás haciendo?

—Te deseé desde la primera vez que te vi —dijo Honey. Abrió el bolso y extrajo una latita de crema batida.

—¿Qué es eso?

—Déjame enseñarte...

Honey obtuvo un diez en matemáticas.

No eran sólo los accesorios que Honey utilizaba los que la hacían tan popular; era el conocimiento acumulado de todos los libros antiguos sobre erotismo que había leído. Maravillaba a sus parejas con experimentos con los que jamás habían soñado siquiera, de miles de años de antigüedad y ya olvidados. Aportó un nuevo significado a la palabra "éxtasis".

Las notas de Honey mejoraron muchísimo; de repente se hizo más popular de lo que sus hermanas habían sido en sus épocas de escuela secundaria. A Honey la llevaban a cenar al Private Eye y al Bombay Bicycle Club, y a pasear a Ice Capades en Memphis Mall. Los muchachos la llevaban a esquiar a Cedar Cliff y a hacer paracaidismo a Landis Airport.

Los años de Honey en la escuela tuvieron el mismo éxito en lo social. Cierta noche durante la cena, su padre comentó:

—Dentro de poco vas a graduarte. Es tiempo de que pienses en tu futuro. ¿Sabes qué quieres hacer de tu vida?

Respondió de inmediato.

—Quiero ser enfermera.

El rostro de su padre enrojeció.

—Querrás decir médica.

—No, papá, yo...

—Eres una Taft. Si quieres dedicarte a la medicina, serás médica. ¿Comprendido?

—Sí, papá.

Honey había dicho la verdad a su padre con respecto a su deseo de ser enfermera. Le encantaba cuidar a la gente, ayudarla y darle cariño. Le aterrorizaba la idea de ser médica y de ser responsable de la vida de otras personas. Sin embargo, sabía que no debía desilusionar a su padre. *Eres una Taft.*

Las notas de Honey no alcanzaban para que ingresara en la facultad de medicina, pero la influencia de su padre sí. Era uno de los principales contribuyentes a la facultad de medicina de Knoxville, Tennessee. Tuvo una entrevista con Jim Pearson, el decano.

—Me estás pidiendo un favor muy grande —dijo Pearson— pero te diré qué voy a hacer. Admitiré a Honey en forma condicional. Si después de seis meses creemos que no está en condiciones de continuar, tendremos que pedirle que se vaya.

—Es justo. Honey va a sorprenderte.

Y tenía razón.

El señor Taft había hecho arreglos para que Honey viviera en Knoxville con un primo suyo, el reverendo

Douglas Lipton.

Douglas Lipton era ministro de la Iglesia bautista. Rondaba los sesenta años y estaba casado con una mujer diez años mayor que él.

Al ministro le encantó recibir a Honey en su casa.

—Es como una brisa de aire fresco —contó a su esposa. Jamás había visto a nadie tan ansioso por complacer.

A Honey le iba bastante bien en la facultad, pero le faltaba dedicación. Sólo iba allí para complacer a su padre.

Los profesores tenían aprecio por Honey. Tenía una bondad genuina que hacía que los profesores quisieran verla triunfar.

Irónicamente su punto débil era la anatomía. Durante la octava semana de clases, su profesor de anatomía la mandó llamar.

—Creo que voy a tener que aplazarte —dijo con tristeza.

No puedo fallar, pensó Honey. No puedo desilusionar a mi padre. *¿Qué habría aconsejado Boccaccio?*

Honey se acercó más a su profesor.

—Vine a esta facultad por usted. Oí hablar tanto de usted... —Se acercó más. —Quiero ser como usted. —Y más cerca. —Ser médica es lo único que me importa. —Y más cerca. —Por favor, ayúdeme...

Una hora más tarde, cuando Honey salió de la oficina del profesor, tenía las respuestas del siguiente examen.

Antes de que Honey terminara la facultad, había seducido a muchos profesores. Tenía cierto aire de vulnerabilidad que no podían resistir. Todos tenían la impresión de que eran *ellos* quienes la seducían y se sentían culpables por aprovecharse de su inocencia.

El doctor Jim Pearson fue el último en sucumbir a los encantos de Honey. Estaba intrigado por todo lo que le habían dicho sobre ella. Se corrían rumores de que era dueña de extraordinarias habilidades sexuales. Cierto día mandó a buscar a Honey para hablar de sus notas. Honey llevó consigo una cajita de azúcar impalpable, y antes de que terminara la tarde, el doctor Pearson estaba tan atrapado como los demás. Honey lo había hecho sentir joven e insaciable. Le había hecho sentir que él era el rey, que la había subyugado y la había convertido en su esclava.

Trató de no pensar en su esposa e hijos.

Honey sentía mucho cariño por el reverendo Douglas Lipton, y le entristecía que su esposa fuera una mujer fría y frígida que siempre lo criticaba. Honey sentía lástima por el ministro. *Él no se merece ese trato*, pensó Honey. *Necesita que lo reconforten.*

Cierto día, en medio de la noche, cuando la señora Lipton había ido a visitar a una hermana que vivía en las afueras de la ciudad, Honey entró en el dormitorio del ministro; estaba desnuda.

—Douglas...

El ministro abrió los ojos.

—¿Honey? ¿Te encuentras bien?

—No —respondió—. ¿Puedo hablar contigo?

—Por supuesto. —Se extendió para encender la lámpara.

—No enciendas la luz. —Se deslizó en la cama junto a él.

—¿Qué pasa? ¿No te sientes bien?

—Estoy preocupada.

—¿Por qué?

—Por ti. Mereces que te amen. Quiero hacerte el amor.

El ministro se despertó de repente.

—¡Por Dios, eres sólo una niña! ¡No puedes estar hablando en serio!

—Hablo en serio. Tu esposa no te ama...

—¡Honey, esto es imposible! Es mejor que vuelvas ahora a tu cuarto, y...

Sentía el cuerpo desnudo de Honey frotándose contra el suyo.

—Honey, no podemos hacer esto. Soy...

Los labios de Honey se posaron sobre los suyos; su cuerpo se subió encima de él y se dejó llevar por completo. Honey pasó la noche en su cama.

A las seis de la mañana, la puerta de la habitación se abrió y entró la señora Lipton. Permaneció de pie, mirándolos, y después salió sin decir una palabra.

Dos horas más tarde, el reverendo Douglas Lipton se suicidó en el garaje.

Cuando Honey oyó la noticia, quedó devastada, incapaz de creer lo que había pasado.

El comisario llegó a la casa y tuvo una charla con la señora Lipton.

Cuando terminó, salió a buscar a Honey.

—Por el bien de todos, vamos a informar la muerte del reverendo Douglas Lipton como "suicidio por razones desconocidas", pero le sugiero que se vaya de este pueblo rápido y no vuelva más...

Honey ingresó en Embarcadero County Hospital, en San Francisco, con una brillante recomendación del doctor Jim Pearson.

CAPÍTULO NUEVE

El tiempo había perdido todo significado para Paige. No había principio ni final; los días y las noches transcurrían en un ritmo constante. El hospital se había convertido en toda su vida. El mundo exterior era un planeta extraño y lejano.

La Navidad iba y venía, y un nuevo año comenzaba. En el exterior, las tropas estadounidenses habían liberado a Kuwait de Irak.

No había tenido noticias de Alfred. *Se dará cuenta de que cometió un error,* pensaba Paige. *Volverá a mí.*

La rutina seguía siendo frenética. No había tiempo para llegar a conocer a los pacientes: eran sólo vesículas biliares, hígados herniados, fémures y columnas vertebrales fracturados.

El hospital era una jungla llena de demonios mecánicos: máquinas de suero endovenoso, monitores cardíacos, tomógrafos, máquinas de rayos equis. Y cada uno tenía su sonido característico: había silbidos, zumbidos y el constante parloteo del sistema de altoparlantes, todos unidos en una cacofonía ruidosa y enloquecedora.

El segundo año de residencia fue un rito de transición. Los residentes pasaron a desempeñar tareas más exigentes y vieron ingresar al nuevo grupo con una mezcla de menosprecio y arrogancia.

—¡Pobres diablos! —dijo Kat a Paige—. ¡No saben en dónde se metieron!

Pronto lo descubrirán.

Paige y Honey estaban preocupadas por Kat. Adelgazaba cada vez más y parecía deprimida. En medio de una conversación, veían que Kat tenía la mirada perdida en el espacio, preocupada. De vez en cuando recibía un llamado telefónico y después de cada uno, la depresión parecía empeorar.

Paige y Honey decidieron tener una charla con ella.

—¿Está todo bien? —le preguntó Paige—. Sabes que te queremos, y si tienes algún problema nos gustaría ayudarte.

—Gracias. Les agradezco, pero no hay nada que puedan hacer. Es un problema de dinero.

Honey la miró, sorprendida.

—¿Y para qué necesitas dinero? Nunca salimos a ninguna parte. Ni siquiera tenemos tiempo de comprarnos nada. No...

—No es para mí; es para mi hermano. —Kat nunca antes había mencionado a su hermano.

—No sabía que tuvieras un hermano —dijo Paige.

—¿Vive en San Francisco? —quiso saber Honey.

Kat vaciló.

—No. Vive en el lado este, en Detroit. Algún día tienen que conocerlo.

—Nos encantaría. ¿A qué se dedica?

—Es una especie de empresario —respondió Kat en forma evasiva—. En este momento no está teniendo mucha suerte, pero Mike siempre se repone. —*Espero por Dios que esté diciendo la verdad*, pensó Kat.

Harry Bowman era uno de los nuevos residentes. Era un hombre que siempre estaba de buen humor, despreocupado, que se esforzaba por ser amable con todo el mundo.

Cierto día dijo a Paige:

—Voy a dar una fiestita mañana por la noche. Si tú, la doctora Hunter y la doctora Taft están libres, ¿por qué no vienen? Creo que lo pasarán bien.

—Está bien —respondió Paige—. ¿Qué tenemos que llevar?

Bowman se echó a reír.

—No tienen que traer nada.

—¿Estás seguro? ¿Una botella de vino, o...?

—¡Olvídalo! Es en mi departamentito.

El departamentito de Bowman resultó ser un enorme piso de diez ambientes llenos de muebles antiguos.

Las tres mujeres entraron y observaron asombradas.

—¡Mi Dios! —exclamó Kat—. ¿De dónde sacaste todo esto?

—Fui lo suficientemente listo de tener un padre inteligente —explicó Bowman—. Me dejó todo su dinero.

—¿Y trabajas? —se maravilló Kat.

Bowman sonrió.

—Me gusta ser médico.

El bufé consistió en caviar Beluga Malossal, pâté de campagne, salmón escocés ahumado, ostras en su caparazón, patas de cangrejo, encurtidos con cebolla en vinagreta y champagne Cristal.

Bowman tenía razón: las tres lo pasaron muy bien.

—No puedo agradecerte lo suficiente —dijo Paige a Bowman al finalizar la noche cuando se iban.

—¿Están libres el sábado? —preguntó.

—Sí.

—Tengo una lanchita. Las llevaré a dar un paseíto.

—Suena formidable.

A las cuatro de la mañana, a Kat la despertaron de un profundo sueño en la habitación de guardia.

—Doctora Hunter, sala de emergencia tres... Doctora Hunter, sala de emergencia tres.

Kat se levantó, luchando contra el cansancio. Se frotó

los ojos para quitarse el sueño y bajó con el ascensor hasta la sala de emergencia.

Un ordenanza la recibió en la puerta.

—Está acostado en la camilla del rincón. Le duele muchísimo.

Kat se acercó al paciente.

—Soy la doctora Hunter —dijo con sueño.

El paciente gruñó.

—¡Por Dios, doctora! Tiene que hacer algo. La espalda me está matando.

Kat reprimió un bostezo.

—¿Cuánto hace que tiene ese dolor?

—Cerca de dos semanas.

Kat lo miró, sorprendida.

—¿Dos semanas? ¿Por qué no vino antes?

El hombre trató de moverse y saltó de dolor.

—Si he de decirle la verdad, odio los hospitales.

—¿Entonces por qué viene ahora?

Se le iluminó el rostro.

—Dentro de poco habrá un importante torneo de golf, y si no me curo, no podré disfrutarlo.

Kat respiró hondo.

—¡Un torneo de golf!

—Ajá.

Kat luchaba por controlarse.

—Le diré algo. Vaya a su casa; tómese dos aspirinas a la mañana, y si no se siente mejor, llámeme. —Se dio vuelta y salió furiosa de la habitación; el paciente quedó con la boca abierta.

La lanchita de Harry Bowman resultó ser un elegante crucero de quince metros de eslora.

—¡Bienvenidas a bordo! —saludó a Paige, Kat y Honey en el muelle.

Honey miró el yate con admiración.

—Es hermoso —opinó Paige.

Pasearon por la bahía durante tres horas, y disfrutaron del día cálido y soleado. Era la primera vez que todos descansaban en semanas.

Mientras estaban anclados cerca de Angel Island y comían un delicioso almuerzo, Kat dijo:

—¡Esto es vida! No volvamos a la costa.

—Buena idea —coincidió Honey.

Con todo, fue un día celestial.

Cuando volvieron al muelle, Paige dijo:

—No me alcanzan las palabras para expresarte lo mucho que disfruté hoy.

—Fue un placer. —Bowman le dio una palmadita en el brazo. —Volveremos a hacerlo. En cualquier momento. Ustedes tres siempre serán bienvenidas.

Qué hombre agradable, pensó Paige.

A Honey le gustaba trabajar en obstetricia. Era una sala llena de vida nueva y nuevas esperanzas, en un ritual eterno y alegre.

Las madres primerizas eran ansiosas y aprensivas. Las veteranas, en cambio, no veían el momento de terminar.

Una de las mujeres que estaba a punto de dar a luz le dijo a Honey:

—Gracias a Dios podré volverme a mirar los dedos de los pies.

Si Paige hubiera llevado un diario, habría marcado el quince de agosto como un día memorable. Fue el día que Jimmy Ford entró en su vida.

Jimmy era un ordenanza del hospital, con la sonrisa más radiante y el carácter más dispuesto que Paige jamás hubiera conocido. Era pequeño y delgado, y parecía tener diecisiete años. Tenía veinticinco, y se desplazaba por los pasillos del hospital como un alegre tornado. Nada era demasiado difícil para él.

Siempre estaba haciendo mandados para todo el mundo. Para él no existían las categorías y se dirigía del mismo modo a los médicos, a las enfermeras y a los porteros.

A Jimmy Ford le encantaba contar chistes.

—¿Oíste el del paciente enyesado? El tipo de la cama de al lado le pregunta cómo se ganaba la vida, y él responde: "Era limpiador de vidrios en el Empire State Building". El tipo pregunta: "¿Cuándo renunció?" Y él responde: "Mientras caía desde el décimo piso".

Y Jimmy sonreía y salía corriendo a ayudar a alguna persona.

Jimmy adoraba a Paige.

—Algún día seré médico. Quiero ser como tú.

Siempre le llevaba regalitos: caramelos y juguetes de peluche. Con cada regalo iba un chiste.

—En Houston, un hombre para a un peatón y le pregunta: "¿Cuál es el camino más rápido al hospital?" Y el peatón le responde: "Diga algo malo de Texas".

Los chistes eran terribles, pero Jimmy los contaba con mucha gracia.

Llegaba al hospital a la misma hora que Paige, y se acercaba a ella en su motocicleta.

—El paciente pregunta: "¿Mi operación es peligrosa?" Y el cirujano le responde: "No. ¡Cómo quiere tener una operación peligrosa por doscientos dólares!"

Y se iba.

Cada vez que Paige, Kat y Honey estaban libres el mismo día, salían a explorar San Francisco. Visitaban el Molino Holandés y el Jardín de Té Japonés. Iban al Muelle de los Pescadores y andaban en el tranvía. Iban al teatro Curran y a cenar a Maharani, en Post Street. Todos los meseros eran indios, y ante el asombro de Kat y Honey, Paige les hablaba en hindi.

—*Hum Hindustani baht bahut ocho bolta hi.* —Y a partir de ese momento, el restaurante les pertenecía.

—¿Dónde diablos aprendiste a hablar indio? —preguntó Honey.

—Hindi —corrigió Paige. Vaciló antes de responder. —Vivimos... yo viví en India durante un tiempo. —Todavía todo era tan vívido... Ella y Alfred estaban en Agra, mirando el Taj Mahal.

"Shah Jahan lo construyó para su esposa. Le llevó veinte años, Alfred."

"Yo te construiré uno más grande. ¡No importa cuánto tiempo me lleve!"

"Te presento a Karen Turner, mi esposa."

Oyó que la llamaban y se volvió.

—Paige... —Kat parecía preocupada. —¿Estás bien?

—Sí, estoy bien.

Las horas imposibles continuaban. Otra víspera de Año Nuevo llegó y se fue, y transcurrió el segundo año, y el tercero, y nada había cambiado. El hospital era ajeno al mundo exterior. Las guerras, las hambrunas, los desastres en los países lejanos eran insignificantes en comparación con las crisis de vida y de muerte que vivían cotidianamente y que debían enfrentar las veinticuatro horas del día.

Cada vez que Kat y Paige se cruzaban en los pasillos del hospital, Kat sonreía con ironía y preguntaba:

—¿Lo estás pasando bien?

—¿Cuándo fue la última vez que dormiste? —retrucaba Paige.

Kat suspiraba.

—¡Ya ni me acuerdo!

Se arrastraban a través de los largos días y noches, tratando de soportar la presión incesante y exigente, comiendo algún sándwich cuando tenían un minuto de tiempo y bebiendo café frío de tazas de cartón.

En medio de una mañana atareada, Kat recibió otro llamado telefónico de Mike.

—Hola, hermanita.

Kat supo lo que se venía. Le había enviado todo el dinero que tenía, pero en lo profundo de su ser sabía que, por más dinero que le enviara, nunca sería suficiente.

—Odio tener que molestarte, Kat, de veras, pero me metí en un pequeño lío. —Su voz parecía cansada.

—Mike... ¿estás bien?

—¡Sí! No es nada serio. Es sólo que le debo a alguien que necesita el dinero en seguida, y me preguntaba...

—Veré lo que puedo hacer —dijo Kat con cansancio.

—Gracias. Siempre puedo contar contigo, ¿no es cierto, hermanita? Te quiero.

—Yo también te quiero, Mike.

Cierto día Kat dijo a Paige y a Honey:

—¿Saben qué necesitamos?

—¿Un mes de descanso?

—Vacaciones. Así es como deberíamos estar, paseando por los Champs Elysées, mirando todos esos escaparates costosos.

—De acuerdo. ¡Y todo en primera clase! —agregó Paige—. Dormiremos todo el día y nos divertiremos toda la noche.

Honey se echó a reír.

—Suena divertido.

—Dentro de unos meses tenemos vacaciones —observó Paige—. ¿Por qué no hacemos planes para ir a alguna parte las tres juntas?

—Es una gran idea —coincidió Kat con entusiasmo—. El sábado pasemos por alguna agencia de viajes.

Los tres días siguientes se la pasaron haciendo planes.

—Me muero por conocer Londres. Tal vez nos crucemos con la Reina.

—Yo quiero ir a París. Se supone que es la ciudad más romántica del mundo.

—Y yo quiero viajar en góndola a la luz de la Luna en Venecia.

"Tal vez viajemos a Venecia en nuestra luna de miel, Paige", le había propuesto Alfred. *"¿Te gustaría?"*

"¡Claro que sí!"

¿Habría llevado a Karen a Venecia en su luna de miel?

El sábado por la mañana las tres pasaron por la agencia de viajes Corniche en Powell Street.

La mujer que las atendió fue amable.

—¿En qué clase de viaje están interesadas?

—Nos gustaría ir a Europa: a Londres, a París, a Venecia...

—Hermoso. Tenemos algunos viajes económicos que...

—No, no, no. —Paige miró a Honey y sonrió. —Queremos todo en primera clase.

—Correcto. Pasaje aéreo en primera clase —anunció Kat.

—Hoteles de primera clase —agregó Honey.

—Bien, puedo recomendarles el Ritz en Londres, el Crillon en París, el Cipriani en Venecia, y...

Paige la interrumpió:

—¿Por qué no nos llevamos algunos folletos? Podemos estudiarlos y después decidir.

—Está bien —aceptó la agente de viajes.

Paige miraba un folleto.

—¿También arreglan el alquiler de yates?

—Así es.

—Bien. Tal vez alquilemos uno.

—Excelente. —La agente de viajes tomó un montón de folletos y se los entregó a Paige. —Cuando estén listas, avísenme y haré las reservas encantada.

—Pronto tendrá noticias nuestras —prometió Honey.

Cuando salieron de la agencia, Kat se echó a reír:

—No hay nada como soñar a lo grande, ¿no es cierto?

—No te preocupes —le aseguró Paige—. Algún día podremos ir a todos esos lugares.

El acoso sexual parecía haberse convertido en parte de la vida de Kat. No sólo recibía constantes insinuaciones por parte de los médicos, sino también de los pacientes que trataban de acostarse con ella. Éstos recibían la misma respuesta que los médicos.

"No permitiré que ningún hombre del mundo me toque."

Y estaba convencida de ello.

CAPÍTULO DIEZ

Seymour Wilson, jefe de medicina del Embarcadero County Hospital, era un hombre frustrado con un trabajo imposible: había demasiados pacientes, pocos médicos y enfermeras y los días tenían poquísimas horas. Se sentía como el capitán de un buque que se está hundiendo, corriendo en vano de un lado a otro para tratar de tapar agujeros.

En el presente la preocupación más inmediata del doctor Wilson era Honey Taft. Mientras que algunos médicos la tenían en gran estima, otros médicos residentes y enfermeras de opinión confiable informaban que la doctora Taft era incapaz de hacer su trabajo.

Finalmente Wilson fue a hablar con Ben Wallace.

—Quiero deshacerme de uno de nuestros médicos —anunció—. Los residentes con los cuales recorre salas me dicen que es incompetente.

Wallace recordaba a Honey. Era la que había tenido notas brillantes y una maravillosa recomendación.

—No lo entiendo —dijo—. Debe de haber algún error. —Quedó pensativo durante un momento. —Te diré lo que haremos, Seymour. ¿Quién es el médico más ruin de tu personal?

—Ted Allison.

—De acuerdo. Mañana por la mañana envía a Honey Taft a recorrer salas con el doctor Allison. Haz que te entregue un informe sobre su desempeño. Si él dice que es incompetente, me desharé de ella.

—Es justo —respondió el doctor Wilson—. Gracias, Ben.

En el almuerzo Honey contó a Paige que la mañana siguiente la habían asignado para recorrer salas con el doctor Allison.

—Lo conozco —dijo Paige—. Tiene reputación de ruin.

—Eso es lo que oí —respondió Honey, pensativa.

En ese momento, en otra parte del hospital, Seymour Wilson hablaba con Ted Allison. Éste era un veterano de veinticinco años. Había servido como oficial médico en la Marina, y todavía se enorgullecía de hacer echar gente.

Seymour Wilson le decía:

—Quiero que vigiles de cerca a la doctora Taft. Si no sirve, está afuera. ¿Comprendido?

—Comprendido. —Esperaba con ansias ese momento.

Al igual que Seymour Wilson, Ted Allison despreciaba a los médicos incompetentes. Además, tenía la fuerte convicción de que, si las mujeres deseaban ejercer la medicina, debían ser enfermeras. Si a Florence Nightingale le alcanzó, también debía alcanzarle al resto de las mujeres.

A las seis de la mañana del día siguiente, los residentes se reunieron en el corredor para empezar el recorrido. El grupo estaba formado por el doctor Allison, Tom Benson, su asistente principal y cinco residentes, incluyendo a Honey Taft.

Cuando Allison miró a Honey, pensó:

"De acuerdo, hermana, veamos lo que eres capaz de hacer."

Se dirigió al grupo:

—Comencemos.

El primer paciente de la Sala Uno era una adolescente que yacía acostada, cubierta con pesadas sábanas. Dormía cuando se acercó el grupo.

—Quiero que todos examinen su cuadro —indicó el doctor Allison.

Los residentes comenzaron a estudiar el cuadro del

paciente. El doctor Allison se volvió a Honey.

—Esta paciente tiene fiebre, escalofríos, malestar general y anorexia. Tiene tos y neumonía. ¿Cuál es su diagnóstico, doctora Taft?

Honey permaneció en silencio, con el entrecejo fruncido.

—¿*Bien?*

—Bueno —comenzó Honey pensativamente—. Diría que tal vez tiene psitacosis o fiebre del loro.

El doctor Allison la miró sorprendido.

—¿Qué le hace decir eso?

—Los síntomas son característicos de la psitacosis, y noté que trabaja medio día como empleada en una tienda de mascotas. Los loros infectados transmiten la psitacosis.

Allison asintió lentamente.

—Eso... está muy bien. ¿Sabe cuál es el tratamiento?

—Sí: tetraciclina durante diez días, reposo absoluto y mucho líquido.

El doctor Allison se dirigió al grupo.

—¿Escucharon todos? La doctora Taft tiene toda la razón.

Se trasladaron hasta la siguiente cama.

El doctor Allison explicó:

—Si examinan el cuadro de este paciente, verán que padece de tumores mesotélicos, hemorragias y fatiga. ¿Cuál es el diagnóstico?

Uno de los residentes respondió tentativamente:

—Parece una especie de neumonía.

Un segundo residente dijo:

—Podría ser cáncer.

El doctor Allison se dirigió a Honey:

—¿Cuál es su diagnóstico, doctora?

Honey quedó pensando.

—A simple vista parece una neumoconiosis fibrosa, una forma de envenenamiento con asbesto. El cuadro indica que el paciente trabaja en una fábrica de alfombras.

Ted Allison no pudo ocultar su admiración.

—¡Excelente! ¡Excelente! ¿Por casualidad conoce la terapia a seguir?

—Desafortunadamente todavía no existe una terapia específica...

El doctor Allison estaba cada vez más impresionado. En las dos horas siguientes, Honey diagnosticó un caso raro de síndrome de Reiter, *osteitis deformans polycythemia* y malaria.

Cuando terminaron el recorrido, el doctor Allison estrechó la mano de Honey.

—No me impresiono con facilidad, doctora, ¡pero quiero adelantarle que tiene un futuro maravilloso!

Honey se sonrojó.

—Gracias, doctor Allison.

—Y así pienso informárselo a Ben Wallace —prometió mientras se alejaba.

Tom Benson, el asistente principal de Allison, miró a Honey y sonrió:

—Te veré dentro de media hora, nena.

Paige trataba de evitar al doctor Arthur Kane, o 007. Estaba casi segura de que había sido Kane quien la había estado acosando por teléfono. *Pero, ¿y si estoy equivocada?*, pensó Paige. Kane no perdía ocasión de pedir que fuera Paige quien lo asistiera en las operaciones. Y cada vez era más ofensivo.

—¿Qué quieres decir con que no quieres salir conmigo? Algún otro debe de estar alimentándote.

O,

—Tal vez sea pequeño, querida, pero no en todas partes. ¿Entiendes lo que quiero decir?

Paige llegó a temer las ocasiones en que tenía que trabajar con él. En una y otra oportunidad Paige veía a Kane realizar operaciones innecesarias y extraer órganos sanos.

Cierto día, cuando Paige y Kane se dirigían al quirófano, Paige preguntó:

—¿De qué lo va a operar, doctor?

—¡De su billetera! —Cuando vio la expresión de Paige, agregó: —Sólo bromeaba, nena.

—¡Debería estar trabajando en una carnicería! —le dijo Paige a Kat, furiosa—. No tiene derecho a operar a nadie.

Después de una operación de hígado particularmente inepta, el doctor Kane miró a Paige y sacudió la cabeza:

—¡Qué lástima! No sé si va a sobrevivir.

Decidió tener una charla con Tom Chang: era cuanto Paige podía hacer para contener su ira.

—Alguien debería denunciar al doctor Kane —dijo—. ¡Está asesinando a sus pacientes!

—Tómalo con calma.

—¡No puedo! No está bien que permitan operar a un hombre como él. ¡Es un criminal! Debería comparecer ante el Comité de Credenciales.

—¿Y de qué serviría? Tendrías que hacer que otros médicos testificaran contra él, y nadie estaría dispuesto a hacerlo. Esta es una comunidad muy cerrada y todos tenemos que convivir, Paige. Es casi imposible lograr que un médico testifique contra otro. Todos somos vulnerables y nos necesitamos mucho unos a otros. Cálmate. Te llevaré a almorzar fuera del hospital.

Paige suspiró.

—Está bien, pero el sistema está podrido.

Durante el almuerzo Paige preguntó:

—¿Cómo les está yendo a ti y a Sye?

Tardó un momento en responder.

—...Estamos teniendo problemas. Mi trabajo está destruyendo nuestro matrimonio. No sé qué hacer.

—Estoy segura de que todo saldrá bien —lo tranquilizó Paige.

Chang asintió con énfasis:

—Será mejor que así sea.

Paige lo miró.
—Me suicidaría si mi esposa me abandonara.

A la mañana siguiente Arthur Kane tenía programada una operación de riñón. El jefe de cirugía informó a Paige:
—El doctor Kane quiere que lo asistas en el quirófano cuatro.
A Paige se le secó la boca de repente. Odiaba la sola idea de estar cerca de él.
—¿No podría buscar a otro médico...? —pidió Paige.
—La está esperando, doctora.
Paige suspiró.
—Está bien.
Para cuando Paige entró en el quirófano y se higienizó, la operación ya había comenzado.
—Dame una mano, querida —dijo Kane a Paige.
El abdomen del paciente había sido pintado con metilato y se había practicado una incisión en el cuadrante superior derecho del abdomen, justo debajo de la caja torácica. *"Hasta ahora toda va bien"*, pensó Paige.
—¡Escalpelo!
La instrumentista le alcanzó el escalpelo al doctor Kane.
Éste levantó la mirada.
—Pongan un poco de música.
Momentos más tarde se escuchaba la música proveniente de un CD.
El doctor Kane continuó cortando.
—Pongamos algo un poco más alegre. —Miró a Paige. —Comienza tu trabajo, amorcito.
Amorcito. Paige apretó los dientes y tomó un paño. Comenzó a cauterizar las arterias a fin de reducir la cantidad de sangre en el abdomen. La operación iba bien.
"Gracias a Dios", pensó.
—Esponja.
La instrumentista le entregó una esponja a Kane.
—Bien. Succionemos un poco. —Comenzó a cortar alrededor del riñón hasta que estuvo expuesto. —He ahí

al diablito —dijo Kane—. Más succión. —Alzó el riñón con fórceps. —Correcto. Volvamos a coserlo.

Por una vez todo había ido bien; sin embargo, había algo que molestaba a Paige. Miró más de cerca el riñón. Parecía sano. Frunció el entrecejo. ¿Acaso...?

Mientras el doctor Kane empezaba a coser al paciente, Paige corrió al monitor iluminado de rayos equis. Lo estudió por un momento y dijo en voz baja:

—¡Oh, mi Dios!

El monitor de rayos equis había sido puesto al revés. El doctor Kane había operado en el riñón equivocado.

Treinta minutos más tarde, Paige estaba en la oficina de Ben Wallace.

—¡Extirpó un riñón sano y dejó el enfermo! —A Paige le temblaba la voz. —¡Ese hombre debería estar en la cárcel!

Benjamin Wallace la tranquilizó:

—Paige, estoy de acuerdo en que fue algo lamentable. Pero no cabe duda de que no fue intencional. Fue un error, y...

—*¿Un error?* Ese paciente va a tener que vivir con diálisis por el resto de su vida. ¡Alguien debe pagar por eso!

—Créeme, vamos a hacer una evaluación.

Paige sabía lo que significaba: un grupo de médicos discutirían lo sucedido, pero en forma confidencial. No se daría a conocer la información al público ni al paciente.

—Doctor Wallace...

—Eres parte de nuestro equipo, Paige. Tienes que ser un jugador más.

—No puede estar trabajando en este hospital ni en ningún otro.

—Tienes que mirarlo desde otro ángulo. Si él fuera despedido, sería una mala publicidad y la reputación del hospital se vería afectada. Probablemente tendríamos que hacer frente a un sinnúmero de juicios por mala praxis.

—¿Y los pacientes?

—Vigilaremos de cerca al doctor Kane. —Se inclinó en su silla. —Te daré un consejo: cuando pongas tu propio consultorio, vas a necesitar de la buena voluntad de otros médicos para que te recomienden. Sin eso no irás a ninguna parte, y si te haces fama de rebelde y de que denuncias a tus colegas, no te va a recomendar nadie. Eso te lo aseguro.

Paige se puso de pie.

—¿Entonces no va a hacer nada?

—Ya te lo dije; vamos a hacer una evaluación.

—¿Eso es todo?

—Eso es todo.

—¡No es justo! —exclamó Paige—. Estaba en la cafetería almorzando con Kat y Honey.

Kat sacudió la cabeza.

—Nadie dijo que la vida tenía que ser justa.

Paige miró a su alrededor, las paredes de azulejos blancos y antisépticos.

—Todo este lugar me deprime. Todo el mundo está enfermo.

—De otro modo no estarían aquí —señaló Kat.

—¿Por qué no damos una fiesta? —sugirió Honey.

—¿Una fiesta? ¿De qué estás hablando?

La voz de Honey de repente se llenó de entusiasmo.

—¡Podríamos comprar comida buena y bebidas y celebrar! Creo que a todos nos vendría bien un poco de alegría.

Paige pensó un segundo.

—¿Saben? No es mala idea. ¡Hagámoslo! —dijo Paige.

—Es un trato. Organizaré todo —dijo Honey—. Lo haremos mañana después de recorrer salas.

Arthur Kane se acercó a Paige en el corredor. Su voz sonó helada.

—Te has comportado como una niña mala. ¡Alguien

debería enseñarte a mantener la boca cerrada! —Y se alejó.

Paige lo siguió con la mirada sin poder creerlo. Wallace le contó lo que le dije. No debió haberlo hecho. *"Si te haces fama de rebelde y de que denuncias a tus colegas..."* *¿Volvería a hacerlo?* se preguntó Paige. *¡Por supuesto que sí!*

La noticia de la fiesta corrió como reguero de pólvora. Todos los residentes aportaron su opinión al respecto. Se ordenó un menú espléndido a Ernie's y de una tienda cercana trajeron las bebidas. La fiesta fue fijada para las cinco de la tarde en el salón de médicos. La comida y las bebidas llegaron a las cuatro y media. Fue un festín: fuentes de mariscos con langostas y camarones, una variedad de patés, albóndigas suecas, pastas calientes, fruta y postres. Cuando Paige, Kat y Honey entraron en el salón a las cinco y cuarto, ya estaba repleto de residentes, internos y enfermeras ansiosos, comiendo y pasando un buen momento. Paige se volvió a Honey:

—¡Fue una gran idea!

Honey sonrió.

—Gracias.

Por el altoparlante se oyó un llamado.

—Doctores Finley y Ketler a la sala de emergencia. Stat. —Y los dos médicos, mientras comían camarones, se miraron uno a otro, suspiraron y partieron rápidamente.

Tom Chang se acercó a Paige.

—Deberíamos hacer esto todas las semanas —propuso.

—Sí. Es...

El altoparlante volvió a escucharse.

—Doctor Chang, habitación 310. Doctor Chang, habitación 310.

Y un minuto más tarde:

—Doctor Smythe, a la sala de emergencia 2. ...Doctor Smythe, a la sala de emergencia 2.

El altoparlante no cesó. A los treinta minutos, casi todos los médicos y las enfermeras habían sido llamados para atender emergencias. Honey oyó que la llamaban, después Paige y finalmente Kat.

—No puedo creer lo que está sucediendo —dijo Kat—. ¿Vieron cómo algunas personas dicen que tienen un ángel guardián? Bueno, creo que nosotras tres estamos bajo el hechizo de un "demonio guardián".

Sus palabras resultaron ser proféticas.

CAPÍTULO ONCE

Kat se despertó al oír sonar el teléfono. Sin abrir los ojos, tomó el auricular y lo apoyó en la oreja.

—¿Hola?

—¿Kat? Soy Mike.

Kat se sentó; el corazón comenzó a latirle con fuerza.

—Mike, ¿estás bien? —Lo oyó echarse a reír.

—Nunca estuve mejor, hermanita. Gracias a ti y a tu amigo.

—¿Qué amigo?

—El señor Dinetto.

—¿Quién? —Kat trató de concentrarse, todavía soñolienta.

—El señor Dinetto. Puede decirse que me salvó la vida.

Kat no tenía idea de lo que estaba hablando.

—Mike...

—¿Te acuerdas de esos hombres a los que debía dinero? El señor Dinetto me los quitó de encima. Es un verdadero caballero. Y tiene la mejor de las opiniones de ti, Kat.

Kat había olvidado el incidente con Dinetto, pero ahora le volvió de repente a la memoria: *Señorita, no sabe con quién está hablando. Será mejor que haga lo que el hombre dice. Es el señor Dinetto.*

Mike seguía hablando.

—Voy a mandarte un poco de efectivo, Kat. Tu amigo me consiguió trabajo. Se gana muy buen dinero.

Tu amigo. Kat se había puesto nerviosa.

—Mike, escúchame. Quiero que tengas cuidado.

Mike se echó a reír otra vez.

—No te preocupes por mí. ¿No te dije que todo iba a salir a pedir de boca? Bueno, tenía razón.

—Cuídate, Mike. No...

La comunicación se cortó.

Kat no pudo volver a conciliar el sueño. *¡Dinetto! ¿Cómo se había enterado de Mike, y por qué lo estaba ayudando?*

La noche siguiente, cuando Kat salió del hospital, una limusina negra la estaba esperando al borde de la acera. La Sombra y Rhino estaban de pie junto al coche.

Cuando Kat estaba pasando junto a ellos, Rhino dijo:

—Entre, doctora. El señor Dinetto quiere verla.

Kat estudió al hombre un momento. Rhino tenía aspecto ominoso, pero era La Sombra a quien Kat temía más. Su quietud parecía de muerte. En otras circunstancias, Kat nunca habría subido a la limusina, pero el llamado telefónico de Mike la había dejado confundida y preocupada.

La llevaron a un pequeño departamento en las afueras de la ciudad. Cuando llegó, Dinetto la estaba esperando.

—Gracias por venir, doctora Hunter —la saludó—. Aprecio su gesto. Un amigo mío tuvo un pequeño accidente. Quiero que lo atienda.

—¿Qué está haciendo con Mike? —exigió Kat.

—Nada —respondió inocentemente—. Me enteré de que tenía un problemita y se lo solucioné.

—¿Cómo... cómo lo descubrió? Quiero decir, que era mi hermano y...

Dinetto sonrió.

—En mi negocio todos somos amigos. Nos ayudamos unos a otros. Mike se mezcló con unos chicos malos, así que lo ayudé a deshacerse de ellos. Debería estar agradecida.

—Lo estoy —respondió Kat—. De veras.

—¡Bien! ¿Ya conoce el dicho: "Una mano lava a la otra"?

Kat sacudió la cabeza.

—No voy a hacer nada ilegal.

—¿Ilegal? —preguntó Dinetto. Parecía dolido. —No le pediría que hiciera cosa semejante. Este amigo mío tuvo un pequeño accidente y odia los hospitales. ¿Podría echarle una miradita?

¿En qué me estaré metiendo?, se preguntó Kat.

—Muy bien.

—Está en el dormitorio.

El amigo de Dinetto tenía las dos piernas rotas y tres costillas fracturadas. Yacía en la cama, inconsciente.

—¿Qué le pasó? —quiso saber Kat.

Dinetto la miró y respondió:

—Se cayó de una escalera.

—Debería estar en un hospital

—Ya le dije, no le gustan los hospitales. Quiero que lo atienda aquí. Le traeré todo el equipo de hospital que necesite.

Kat no deseaba otra cosa que salir corriendo de ese lugar e irse a su casa, y no volver a oír jamás el nombre de Dinetto. Sin embargo, nada en la vida era gratis. *Quid pro quo.* Se quitó la chaqueta y comenzó a trabajar.

CAPÍTULO DOCE

A comienzos de su cuarto año de residencia, Paige había asistido en cientos de operaciones. Con el tiempo se habían convertido en parte de sí misma. Conocía los procedimientos quirúrgicos de vesícula biliar, bazo, hígado, apéndice y, el más interesante, de corazón. Sin embargo Paige se sentía frustrada porque no estaba a cargo de las operaciones. *¿Qué habría sido de aquello de: "Observa el primero, haz el segundo, enseña el tercero"?*

Tuvo la respuesta cuando George Englund, el jefe de cirugía, la mandó llamar.

—Paige, tenemos una operación de hernia programada para mañana en el quirófano 3, a las 07:30.

Tomó nota.

—De acuerdo. ¿Quién hará la operación?

—Tú.

—Bien. Yo... —De repente cayó en la cuenta. —*¿Yo?*

—Sí. ¿Tienes algún inconveniente?

La sonrisa de Paige iluminó la habitación.

—¡No, señor! ¡Gr... gracias!

—Ya estás preparada. Creo que el paciente tiene suerte de que vayas a operarlo tú. Su nombre es Walter Herzog. Está en la habitación trescientos veinte.

—Herzog. Trescientos veinte. Bien.

Y Paige transpuso la puerta.

Paige nunca había estado tan emocionada. *¡Voy a hacer mi primera operación! Voy a tener en mis manos la vida* *de un ser humano. ¿Y si no estoy preparada? ¿Y si cometo un error? Algo puede salir mal. Es la Ley de Murphy.* Para cuando Paige terminó de discutir consigo misma, había empezado a sentir pánico.

Entró en la cafetería y se sentó para tomar una taza de café negro. *Todo va a salir bien*, se dijo. *Asistí en montones de operaciones de hernia. Nada es diferente. Tiene suerte de que sea yo quien lo opere.* Cuando terminó de tomar el café, estaba tranquila como para enfrentar a su primer paciente.

Walter Herzog rondaba los sesenta; era delgado, calvo y parecía muy nervioso. Estaba en la cama, con la mano en la ingle cuando Paige entró en la habitación, llevando un ramo de flores. Herzog alzó la mirada.

—Enfermera... quiero ver un médico.

Paige se acercó a la cama y le entregó las flores.

—Yo soy su médica. Voy a operarlo.

Walter miró las flores y miró a Paige.

—¿Usted es *qué*?

—No se preocupe —le aseguró Paige—. Está en buenas manos. —Tomó su cuadro al pie de la cama y lo estudió.

—¿Qué dice? —preguntó el hombre, ansioso. *¿Por qué me habrá traído flores?*

—Dice que todo va a salir bien.

Herzog tragó saliva.

—¿De veras usted va a operarme?

—Sí.

—Parece muy... muy joven.

Paige le palmeó el brazo.

—Todavía no se me murió ningún paciente. —Miró alrededor. —¿Está cómodo? ¿Quiere que le traiga algo para leer, un libro o una revista? ¿Caramelos?

El paciente la escuchaba, nervioso.

—No, estoy bien. —*¿Por qué era tan amable? ¿Acaso había algo que no le quería decir?*

—Entonces, lo veré por la mañana —dijo Paige alegremente. Escribió algo en un pedazo de papel y se lo entregó.

—Aquí tiene mi teléfono particular. Llámeme si me necesita esta noche. Estaré junto al teléfono.

Cuando Paige se marchó, Walter Herzog era una pila de nervios.

Pocos minutos más tarde, Jimmy encontró a Paige en el salón de los médicos. Se acercó a ella con su enorme sonrisa.

—¡Felicitaciones! Me enteré de que vas a hacer una operación.

Las noticias corren rápido, pensó Paige.

—Así es.

—Quienquiera que sea, es afortunado —dijo Jimmy—. Si alguna vez me pasara algo, serías la única por quien me dejaría operar.

—Gracias, Jimmy.

Y por supuesto, Jimmy siempre tenía un chiste.

—¿Escuchaste el del hombre que tenía un dolor extraño en los tobillos? Pero era tan miserable que no iba al médico, así que cuando su amigo le contó que tenía exactamente el mismo dolor le dijo: "Será mejor que vayas al médico de inmediato. Y cuéntame lo que te diga". Al día siguiente, se entera de que su amigo está muerto. Corre al hospital y se hace exámenes que le cuestan cinco mil dólares. No le encuentran nada malo. Llama a la viuda de su amigo y pregunta: "¿Chester sintió mucho dolor antes de morir?" "No", responde la viuda. "¡Ni siquiera vio venir al camión que lo atropelló!"

Y Jimmy desapareció.

Paige estaba demasiado nerviosa para cenar. Pasó la tarde practicando nudos quirúrgicos en las patas de la mesa y en las lámparas. *"Voy a dormir bien"*, decidió, *para estar fresca por la mañana.*

No durmió en toda la noche; repasó una y otra vez toda la operación.

Existen tres tipos de hernia: la hernia reductible, donde

es posible volver los testículos a su lugar original en el abdomen; la hernia irreductible, donde las adherencias impiden regresar el contenido al abdomen, y la más peligrosa, la hernia estrangulada, donde se corta el flujo de sangre hacia la hernia, lo cual perjudica los intestinos. La de Walter Herzog era una hernia reductible.

A las seis de la mañana Paige condujo hasta la playa de estacionamiento del hospital. Había una Ferrari roja nueva junto a su espacio. Paige se preguntó quién sería el dueño. Quienquiera que fuese, tenía que ser rico.

A las siete de la mañana Paige ayudaba a Walter Herzog a quitarse el pijama y a ponerse un camisolín de hospital. La enfermera ya le había administrado un sedante para calmarlo mientras esperaban la camilla que lo llevaría al quirófano.

—Esta es mi primera operación —dijo Walter Herzog.

"La mía también", pensó Paige.

Llegó la camilla y Walter Herzog partió camino al quirófano 3. Paige caminó junto a él por el pasillo; el corazón le latía con tanta fuerza que temía que Walter lo oyera.

El quirófano 3 era uno de los más grandes, con capacidad para un monitor cardíaco, un cardiopulmotor y una parafernalia de equipos técnicos. Cuando Paige entró en el quirófano el personal ya estaba dispuesto, preparando el equipo. Había un médico asistente, el anestesista, dos residentes, una instrumentista y dos enfermeras.

El personal la esperaba expectante, ansioso por verla en su primera operación.

Paige se dirigió a la mesa de operaciones. A Walter Herzog le habían afeitado la ingle y le habían aplicado una solución antiséptica. Habían dispuesto cortinas estériles alrededor del área de operación.

Herzog miró a Paige y dijo con voz soñolienta:

—No me dejará morir, ¿no es cierto?

Paige sonrió.

—¿Qué dice? ¿Y echar a perder mi marca perfecta?

Miró al anestesista, quien iba a administrar anestesia epidural al paciente. Paige respiró hondo y asintió.

La operación comenzó.

—Escalpelo.

Cuando Paige estaba a punto de hacer el primer corte, la enfermera dijo algo.

—¿Qué?

—¿Quiere que ponga un poco de música, doctora?

Era la primera vez que le hacían esa pregunta. Paige sonrió.

—Sí. Oigamos un poco a Jimmy Buffet.

Desde el momento en que Paige hizo la primera incisión, los nervios desaparecieron. Era como si hubiera operado toda su vida. Con habilidad, cortó las primeras capas de grasa y músculos, hasta el sitio de la hernia. En todo momento era consciente de la letanía familiar que hacía eco en todo el quirófano:

—Esponja...

—Denme un paño...

—Allí está...

—Parece que llegamos justo a tiempo...

—Abrazaderas...

—Succión, por favor...

La mente de Paige estaba completamente concentrada en lo que estaba haciendo. Localizar el saco hernial... liberarlo... devolver a la cavidad abdominal... cerrar la base del saco... cortar el resto... anillo inguinal... suturar...

Una hora y veinte minutos después de la primera incisión, la operación terminaba.

Paige debió haberse sentido exhausta; en cambio, se sintió muy emocionada.

Cuando Walter Herzog fue suturado, la enfermera se volvió a Paige.

—Doctora Taylor...

Paige levantó la mirada.

—¿Sí?
La enfermera sonrió.
—Fue una operación maravillosa, doctora.

Era domingo y las tres mujeres tenían el día libre.
—¿Qué podríamos hacer? —preguntó Kat.
Paige tuvo una idea.
—Es un día tan bello. ¿Por qué no vamos de picnic a Tree Park?
—¡Suena maravilloso! —exclamó Honey.
—¡Vamos! —coincidió Kat.
De repente sonó el teléfono. Las tres se quedaron mirándolo.
—¡Por Dios! Pensé que Lincoln nos había dejado libres. No contesten. Es nuestro día libre.
—No tenemos días libres —le recordó Paige.
Kat se acercó al teléfono y atendió.
—Habla la doctora Hunter. —Escuchó un momento y pasó el auricular a Paige. —Es para ti, doctora Taylor.
Paige dijo con resignación.
—Está bien. —Tomó el auricular. —Habla la doctora Taylor... Hola, Tom... ¿Qué? ...No, estaba a punto de salir... Entiendo... Está bien. Estaré allí dentro de quince minutos. —Colgó el auricular. *Chau picnic*, pensó.
—¿Es grave? —preguntó Honey.
—Sí, estamos a punto de perder a un paciente. Trataré de volver para la cena.

Cuando Paige llegó al hospital, entró al estacionamiento de los médicos y estacionó junto a la Ferrari roja nueva y brillante. *¿Cuántas operaciones habrá costado?*
Veinte minutos más tarde, Paige entraba en la sala de espera de las visitas. Un hombre de traje oscuro estaba sentado en una silla, mirando por la ventana.
—¿Señor Newton?
El hombre se puso de pie.
—Sí.

—Soy la doctora Taylor. Acabo de ver a su hijito.
—Peter, sí. Voy a llevármelo a casa.
—Me temo que no podrá. A Peter se le reventó el apéndice. Hay que darle de inmediato una transfusión y operarlo; de lo contrario, morirá.
El señor Newton sacudió la cabeza.
—Somos testigos de Jehová. El Señor no permitirá que muera, y no permitiré que lo contaminen con sangre de otra persona. Fue mi esposa quien lo trajo aquí. Será castigada por eso.
—Señor Newton, creo que no entiende lo grave de la situación. Si no lo operamos de inmediato, su hijo morirá.
El hombre la miró y sonrió.
—Usted no conoce los designios de Dios, ¿no es cierto?
Paige estaba enojada.
—Tal vez no conozca los designios de Dios, pero sé de un montón de apéndices reventados. —Extrajo un trozo de papel. —Su hijo es menor, así que tendrá que firmar este formulario de aceptación en su lugar. —Se lo extendió.
—¿Y si no lo firmo?
—Pues... no podremos operarlo.
El hombre asintió.
—¿Cree que sus poderes son más fuertes que los del Señor?
Paige lo estaba mirando.
—No va a firmar, ¿no es cierto?
—No. Un poder más fuerte que el suyo va a ayudar a mi hijo. Ya verá.
Cuando Paige regresó a la sala, Peter Newton, un niño de seis años, estaba inconsciente.
—No va a superarlo —dijo Chang—. Perdió mucha sangre. ¿Qué quieres hacer?
Paige tomó una decisión.
—Llévalo al quirófano 1. Stat.
Chang la miró sorprendido.
—¿Su padre cambió de opinión?
Paige asintió.
—Sí, cambió de opinión. Apurémonos.
—¡Bien por ti! Hablé con él durante una hora y ni se

inmutó. Dijo que Dios se iba a hacer cargo de él.

—Dios se está haciendo cargo —le aseguró Paige.

Dos horas y dos litros de sangre más tarde, la operación había terminado con éxito. Todos los signos vitales del niño eran fuertes.

Paige se escurrió la frente con suavidad.

—Va a estar bien.

Un ordenanza entró apurado en el quirófano.

—¿Doctora Taylor? El doctor Wallace quiere verla de inmediato.

Benjamin Wallace estaba tan furioso que hablaba con voz entrecortada.

—¿Cómo pudo cometer semejante disparate? ¡Le dio una transfusión de sangre y lo operó sin permiso! ¡Violó la ley!

—¡Salvé la vida a un niño!

Wallace respiró profundo.

—Debió haber conseguido una orden judicial.

—No había tiempo —explicó Paige—. Diez minutos más y se habría muerto. Dios estaba ocupado en alguna otra parte.

Wallace caminaba de un lado a otro.

—¿Qué vamos a hacer ahora?

—Conseguir una orden judicial.

—¿Para qué? Ya lo *operó*.

—Adelantaré un día la fecha de la orden judicial. Nadie notará la diferencia.

Wallace la miró y empezó a respirar profundo.

—¡Por Dios! —Se enjugó la frente. —Esto podría costarme el puesto.

Paige lo miró un rato largo. Después se dio vuelta y se dirigió a la puerta.

¿Paige...?

Se detuvo.

—¿Sí?

—No volverás a hacer nada semejante, ¿no es cierto?

—Sólo si me veo en la obligación —le aseguró.

CAPÍTULO TRECE

En todos los hospitales existe el hurto de drogas. Por ley, se debe firmar por cada narcótico que se extrae del dispensario. Sin embargo, no importa cuánto control exista, los drogadictos casi siempre encuentran una manera de evitarlo.

El Embarcadero County Hospital estaba teniendo un serio problema. Margaret Spencer fue a ver a Ben Wallace.

—No sé qué hacer, doctor. El Fentanyl sigue desapareciendo.

Fentanyl es un narcótico que produce una gran adicción y una droga anestésica.

—¿Cuánto falta?

—Muchísimo. Si sólo faltaran unos cuantos frascos, podría existir una explicación inocente, pero ahora ocurre en forma sistemática. Están desapareciendo más de doce frascos por semana.

—¿Tiene idea de quién podría estar hurtándola?

—No, señor. Ya hablé con Seguridad. No saben qué hacer.

—¿Quiénes tienen acceso al dispensario?

—Ese es el problema. La mayoría de los anestesistas tienen bastante acceso, y también algunas enfermeras y cirujanos.

Wallace pensaba.

—Gracias por haber recurrido a mí. Me ocuparé del problema.

—Gracias, doctor. —La enfermera Spencer partió.

No puede pasarme esto justo ahora, pensó Wallace, furioso. Se acercaba la reunión de directorio del hospital, y ya había suficientes problemas que solucionar. Ben Wallace conocía muy bien las estadísticas: más del diez por ciento de los médicos en los Estados Unidos, en algún momento u otro, se hacían drogadictos o alcohólicos. El fácil acceso a las drogas las convertían en una tentación. A un médico le resultaba fácil abrir un gabinete, sacar la droga que quisiera e inyectársela con un torniquete y una jeringa. Un adicto podía necesitar droga cada dos horas.

Y ahora estaba ocurriendo en su hospital. Tenía que hacer algo antes de la reunión de directorio. *"De lo contrario, sería una mancha en mi currículum."*

Ben Wallace no estaba seguro en quién podía confiar para que lo ayudara a encontrar al culpable. Tenía que ser cuidadoso. Estaba seguro de que ni la doctora Taylor ni la doctora Hunter estaban involucradas. Después de mucho pensarlo, decidió pedirles colaboración.

Mandó a llamar a las dos.

—Tengo que pedirles un favor —les dijo, y les contó sobre el Fentanyl hurtado—. Quiero que mantengan los ojos abiertos. Si alguno de los médicos que trabajan con ustedes tiene que salir del quirófano un momento, en medio de una operación, o muestra algún otro signo de adicción, quiero que me lo hagan saber. Presten atención a cualquier cambio de personalidad: depresión o cambios de humor, lentitud u olvidos. Les agradeceré que traten este asunto con la mayor confidencialidad.

Cuando salieron de la oficina, Kat dijo:

—Es un hospital muy grande. Vamos a necesitar a Sherlock Holmes.

—No será necesario —respondió Paige con tristeza—. Ya sé quién es.

Mitch Campbell era uno de los médicos favoritos de Paige. El doctor Campbell era un hombre agradable, canoso, de unos cincuenta años. Siempre estaba de buen humor y era uno de los mejores cirujanos del hospital.

Últimamente Paige había notado que siempre se retrasaba unos minutos para las operaciones, y que había adquirido un temblor conspicuo. Las veces que podía tenía a Paige de asistente, y por lo general le dejaba hacer gran parte de la cirugía. En medio de una operación, comenzaban a temblarle las manos y entregaba el escalpelo a Paige.

—No me siento bien —murmuraba—. ¿Puedes hacerte cargo?

Y abandonaba el quirófano.

Paige estaba preocupada por lo que pudiera ocurrirle. Ahora lo sabía. No sabía qué hacer. Sabía que si se lo informaba a Wallace, el doctor Campbell sería despedido, o algo peor, su carrera se vería destruida. Por otra parte, si no hacía nada estaría poniendo en peligro la vida de los pacientes. *"Tal vez, si hablo con él..."*, pensó. *"Voy a decirle lo que sé y a insistir en que haga tratamiento."* Habló con Kat.

—Es un problema —coincidió Kat—. Es un hombre agradable y un buen médico. Si lo denuncias estará acabado, pero si no haces nada, tienes que pensar en el daño que podría causar. ¿Qué crees que pasaría si lo confrontaras?

—Es probable que lo niegue, Kat. Es lo que suele pasar.

—Ajá. Qué asunto difícil.

Al día siguiente Paige tenía programada una operación con el doctor Campbell. *"Ojalá esté equivocada"*, rogó Paige. *"Que no llegue tarde, y que no se vaya durante la operación."*

Campbell llegó quince minutos tarde, y en mitad de la operación dijo:

—¿Puedes hacerte cargo, Paige? Ya vuelvo.

"Tengo que hablar con él", decidió Paige. *"No puedo destruir su carrera."*

A la mañana siguiente, cuando Paige y Honey llegaban a la playa de estacionamiento de los médicos, Harry Bowman estacionó junto a ellas en la Ferrari roja.

—¡Qué auto hermoso! —exclamó Honey—. ¿Cuánto cuesta uno de ésos?

Bowman se echó a reír.

—Si tienes que preguntarlo es porque no puedes pagarlo.

Pero Paige no escuchaba. Observaba el auto y pensaba en el amplio departamento, en las fantásticas fiestas y en el yate. *"Fui lo suficientemente listo para tener un padre inteligente. Me dejó todo su dinero."* Y sin embargo Bowman trabajaba en un hospital del condado. ¿Por qué?

Diez minutos más tarde, Paige estaba en la oficina de Personal, hablando con Karen, la secretaria a cargo de los registros.

—¿Me harías un favor, Karen? Que quede entre nosotras: Harry Bowman me invitó a salir y tengo el presentimiento de que es casado. ¿No me dejarías echar un vistazo a su registro personal?

—¡Claro! ¡Esos bastardos! Nunca tienen suficiente, ¿no? Haces bien; te dejaré mirar su registro. —Se acercó a un gabinete y encontró lo que buscaba. Entregó unos papeles a Paige.

Paige los miró rápidamente. La solicitud del doctor Harry Bowman indicaba que venía de una universidad pequeña en los Estados Centrales y, según el registro, había trabajado para pagarse los estudios en la facultad de medicina. Era anestesista.

Su padre era barbero.

Honey Taft era un enigma para la mayoría de los médicos del Embarcadero County Hospital. Durante el recorrido matutino, parecía insegura de sí misma. Sin embargo, en el recorrido de la tarde, era una persona diferente. Sus conocimientos de cada paciente eran sorprendentes, y sus diagnósticos eran precisos y consistentes.

Uno de los residentes principales hablaba de ella con un colega:

—No lo entiendo —decía—. A la mañana las quejas sobre la doctora Taft se multiplican. No hace otra cosa que cometer errores. ¿Conoces el chiste de la enfermera que entiende todo al revés? Un médico se queja con un colega de que le dio instrucciones de darle al paciente de la habitación cuatro tres píldoras, y la enfermera le dio al paciente de la habitación tres cuatro píldoras, y justo cuando está hablando de ella, ve a la enfermera corriendo por el pasillo a un paciente desnudo, llevando una aguja en la mano. El médico dice: "¡Mira eso! ¡Le dije que le pinchara el forúnculo!"

Su colega se echó a reír.

—Bueno, así es la doctora Taft. Sin embargo, a la tarde es absolutamente brillante. Sus diagnósticos son correctos, sus notas maravillosas, y es precisa como un reloj. Debe de tomar alguna píldora milagrosa que funciona sólo por la tarde. —Se rascó la cabeza. —¡No me lo explico!

El doctor Nathan Ritter era un pedante, un hombre que vivía y trabajaba según los libros. No era brillante, pero sí capaz y dedicado, y esperaba las mismas cualidades en quienes trabajaran con él.

Honey tuvo la mala suerte de ser asignada a su equipo. La primera parada fue en una sala que contenía doce pacientes, uno de los cuales acababa de desayunarse. Ritter miró el cuadro al pie de la cama.

—Doctora Taft, el cuadro dice que éste es su paciente.

Honey asintió.

—Sí.

—Tienen que hacerle una broncoscopía durante la mañana.

Honey asintió.

—Así es.

—¿Y le permite *comer*? —espetó el doctor Ritter—. ¿*Antes* de una broncoscopía?

Honey respondió:

—El pobre hombre no come nada desde...

Nathan Rither se volvió a su asistente.

—Pospongan el procedimiento. —Comenzó a decir algo a Honey, pero después se controló. —Vamos.

El siguiente era un paciente portorriqueño que tenía una

fea tos. El doctor Ritter lo examinó.

—¿De quién es este paciente?

—Mío —respondió Honey.

El doctor Ritter frunció el entrecejo.

—La infección debió haber sido controlada antes. —Echó un vistazo al cuadro. —¿Le está administrando cincuenta miligramos de ampicilina cuatro veces por día?

—Correcto.

—¡*No* es correcto! ¡Está *mal*! Deben administrarse quinientos miligramos cuatro veces por día. Se le escapó un cero.

—Lo siento, yo...

—¡Con razón el paciente no mejora! Que se le modifique la dosis de inmediato.

—Sí, doctor.

Cuando se acercaron a otro paciente de Honey, el doctor Ritter dijo con impaciencia:

—Este paciente tiene programada una colonoscopía. ¿Dónde está el informe radiológico?

—¿El informe radiológico? ¡Oh! Me temo que olvidé ordenarlo.

Ritter miró a Honey, pensativo.

A partir de ese momento la mañana fue de mal en peor.

El siguiente paciente que vieron lloraba del dolor.

—Me duele mucho. ¿Qué es lo que tengo?

—No sabemos —respondió Honey.

El doctor Ritter la fulminó con la mirada.

—Doctora Taft, ¿puedo verla afuera un momento?

En el pasillo le dijo:

—Nunca, *nunca* diga a un paciente que no sabe. ¡Los pacientes confían en que los médicos les brinden ayuda! Y si no conoce la respuesta, invéntela. *¿Entendió?*

No me parece correcto...

—No le pregunté si le parecía correcto. Sólo haga lo que le dicen.

Examinaron una hernia hiatal, a un paciente con hepatitis, a otro con enfermedad de Alzheimer y a decenas de otros pacientes.

En cuanto terminó el recorrido el doctor Ritter se dirigió a la oficina de Benjamin Wallace.

—Tenemos un problema —comenzó Ritter.

—¿Qué sucede, Nathan?

—Es una de nuestras residentes: Honey Taft.

¡Otra vez!

—¿Qué pasa con ella?

—Es un desastre.

—¡Pero trajo tan buenas recomendaciones!

—Ben, será mejor que te deshagas de ella antes de que el hospital se meta en serios problemas, antes de que mate a un paciente o dos.

Wallace lo pensó un momento; después tomó una decisión.

—Está bien. La despediré.

Paige estuvo ocupada toda la mañana operando. Apenas se desocupó, fue a ver al doctor Wallace, para contarle sus sospechas de Harry Bowman.

—¿Bowman? ¿Estás segura? Quiero decir... no he visto ningún signo de adicción.

—Es que no usa la droga —explicó Paige—. La vende. Vive como millonario con un sueldo de residente.

Ben Wallace asintió.

—Muy bien. Lo verificaré. Gracias, Paige.

Wallace mandó llamar a Bruce Anderson, jefe de seguridad.

—Es posible que hayamos identificado al ladrón de drogas —explicó Wallace—. Quiero que vigilen de cerca al doctor Harry Bowman.

—¿Bowman? —Anderson trató de ocultar su sorpresa. El doctor Bowman siempre regalaba cigarros cubanos y otras chucherías a los guardias. Todos lo querían.

—Si entra al dispensario, revísalo cuando salga.

—Sí, señor.

Harry Bowman se dirigió al dispensario. Tenía encargos que cumplir. *Muchísimos* encargos. Todo había empezado como un afortunado incidente. Harry trabajaba en un pequeño hospital en Ames, Iowa, y se esforzaba por sobrevivir con su salario de residente. Tenía gustos caros y un bolsillo escaso, hasta que el Destino le sonrió.

Uno de sus pacientes, que había sido dado de alta en el hospital, lo llamó por teléfono una mañana.

—Doctor, tengo un dolor terrible. Tiene que darme algo.

—¿Quiere que lo vuelva a internar?

—No quiero irme de mi casa. ¿No podría traerme algo?

Bowman lo pensó.

—Está bien. Pasaré de vuelta a casa.

Cuando visitó al paciente, trajo consigo un frasco de Fentanyl.

El paciente se lo arrebató.

—¡Fantástico! —dijo, mientras le daba un puñado de billetes—. Tome.

Bowman lo miró, sorprendido.

—No tiene que pagarme.

—¿Bromea? Esta droga vale oro. Tengo un montón de amigos que le pagarán una fortuna si les trae esta droga.

Así había empezado todo. A los dos meses Harry Bowman ganaba más dinero del que jamás hubiera soñado posible. Por desgracia el jefe del hospital se enteró. Como temía un escándalo público, dijo a Bowman que si se iba en silencio el incidente no aparecería en su currículum.

"Me alegro de haberme ido", pensó Bowman. *"En San Francisco hay un mercado mucho mayor."*

Llegó al dispensario. Bruce Anderson estaba de guardia. Bowman lo saludó.

—Hola, Bruce.

—Buenas tardes, doctor Bowman.

Cinco minutos más tarde, cuando Bowman salió del dispensario, Anderson dijo:

—Disculpe, pero voy a tener que revisarlo.

Harry Bowman lo miró, incrédulo.

—¿Revisarme? ¿De qué estás hablando, Bruce?

—Lo siento, doctor. Tenemos órdenes de revisar a todo el que use el dispensario —mintió Anderson.

Bowman estaba indignado.

—¡Nunca oí algo semejante! ¡Me rehúso por completo!

—Entonces tendré que pedirle que me acompañe a la oficina del doctor Wallace.

—¡Bien! Va a ponerse furioso cuando se entere.

Bowman irrumpió en la oficina de Wallace.

—¿Qué pasa, Ben? ¡Este hombre quiere revisarme, por el amor de Dios!

—¿Y no permitiste que lo hiciera?

—¡Por supuesto!

—De acuerdo. —Wallace tomó el teléfono. —Entonces lo hará la policía de San Francisco, si así lo prefieres. —Comenzó a discar.

Bowman se aterrorizó.

—¡Espera un minuto! No es necesario. —De repente su expresión cambió. —¡Ah! ¡Ya sé de qué se trata! —Metió la mano en el bolsillo y extrajo un frasco de Fentanyl. —La saqué para una operación, y...

Wallace dijo con calma:

—Vacía los bolsillos.

La expresión de Bowman fue de desesperación.

—No hay razón para...

—Vacía los bolsillos.

Dos horas más tarde la oficina de San Francisco de la DEA tenía una confesión firmada y los nombres de las personas a quienes Bowman había estado vendiendo drogas.

Cuando Paige se enteró, fue a ver a Mitch Campbell. Estaba sentado en un consultorio, descansando. Tenía las manos apoyadas sobre el escritorio cuando Paige entró: éstas temblaban.

Campbell quitó rápidamente las manos y las apoyó en el regazo.

—Hola, Paige. ¿Cómo estás?
—Bien, Mitch. Quería hablar contigo.
—Siéntate.
Paige se sentó enfrente.
—¿Cuánto hace que sufres de Parkinson?
Campbell empalideció.
—¿Qué?
—Es verdad, ¿no? Estuviste tratando de ocultarlo.
Hubo un pesado silencio.
—Yo... yo... sí. Pero... no puedo dejar de ser médico. Simplemente... no puedo. Es toda mi vida.
Paige se inclinó hacia adelante y dijo con seriedad:
—No tienes que dejar de ser médico, pero no deberías estar operando.
De repente pareció más viejo.
—Lo sé. Iba a renunciar el año pasado. —Sonrió lánguidamente. —Supongo que tendré que renunciar ahora, ¿no es cierto? Vas a contárselo al doctor Wallace.
—No —respondió con suavidad Paige—. *Eres tú* quien va a contárselo.

Paige almorzaba en la cafetería cuando Tom Chang se le acercó.
—Me enteré de lo que pasó —dijo—. ¡Bowman! ¡Es increíble! Buen trabajo.
Paige sacudió la cabeza.
—Casi denuncio al hombre equivocado.
Chang se quedó sentado, en silencio.
—¿Estás bien, Tom?
—¿Quieres que te responda: "Bien, gracias" o que te diga la verdad?
—Somos amigos. Quiero que me digas la verdad.
—Mi matrimonio se fue al demonio. —De repente los ojos se le llenaron de lágrimas. —Sye se fue. Volvió a casa.
—¡Lo lamento tanto!
—No es su culpa. Ya no era un matrimonio. Me dijo que estoy casado con el hospital, y tiene razón. Me paso la vida

aquí, cuidando a desconocidos, en lugar de estar con las personas que amo.

—Ella va a volver. Todo va a salir bien —lo calmó Paige.

—No. Esta vez no.

—¿Pensaste en ir a terapia, o...?

—Ella se rehúsa.

—Lo lamento, Tom. Si hay algo que pueda... —Oyó que la llamaban por el altoparlante.

—Doctora Taylor: habitación cuatrocientos diez...

Paige se alarmó.

—Tengo que irme —se excusó. Habitación cuatrocientos diez. Era la habitación de Sam Bernstein, uno de sus pacientes favoritos. Era un hombre amable de unos setenta años, que había ingresado con un cáncer estomacal incurable. Muchos de los pacientes del hospital se quejaban constantemente; Sam Bernstein era la excepción. Paige admiraba su valentía y dignidad. Tenía esposa y dos hijos grandes, quienes lo visitaban con frecuencia. Paige también se había encariñado con ellos.

Lo habían conectado a un respirador artificial con una nota: NR: No Resucitar, si su corazón dejaba de funcionar.

Cuando Paige entró en la habitación, había una enfermera junto a la cama. Levantó la mirada cuando Paige entró.

—Lo perdimos, doctora. No inicié el procedimiento de emergencia, porque... —su voz fue un murmullo.

—Hizo bien —respondió Paige con lentitud—. Gracias.

—¿Hay algo que...?

—No. Me ocuparé de todo. —Paige se quedó junto a la cama y observó el cuerpo de quien había sido un ser humano vivo, sonriente, un hombre que tenía familia y amigos, alguien que había pasado su vida trabajando duro, ocupándose de quienes amaba. Y ahora...

Se acercó al cajón donde guardaba sus pertenencias. Había un reloj barato, un juego de llaves, quince dólares en efectivo, una dentadura postiza y una carta para su esposa. Lo único que quedaba de la vida de un hombre.

Paige no podía deshacerse de la depresión que la agobiaba.

—¡Era un hombre tan bueno! ¿Por qué...?

Kat respondió:

—Paige, no puedes permitirte involucrarte emocionalmente con tus pacientes. Va a destrozarte.

—Lo sé. Tienes razón, Kat. Es sólo que... todo termina tan rápido... Esta mañana él y yo estábamos hablando. Mañana es el funeral.

—No estarás pensando en ir, ¿no?

—No.

El funeral se llevó a cabo en el cementerio Hills of Eternity.

En la religión judía, el entierro debe efectuarse lo más pronto posible después de la muerte, y por lo general el servicio se realiza al día siguiente.

El cuerpo de Sam Bernstein había sido vestido con un *takhrikhim*, una túnica blanca, y envuelto en un *taloit*. La familia estaba reunida alrededor de la tumba. El rabino entonaba: *"Hamakom y'nathaim etkhem b'tokh sh'ar availai tziyon veeyerushalayim"*.

Un hombre que estaba de pie junto a Paige vio la confusión en su rostro, y se lo tradujo: "Que el Señor te consuele junto con todos quienes guardan luto en Sión y Jerusalén".

Ante la sorpresa de Paige, los miembros de la familia comenzaron a rasgarse las ropas que llevaban puestas mientras cantaban: *"Barush ata adonai elohainu melech haolam dayan ha-emet"*.

—¿Qué...?

—Es para mostrar respeto —murmuró el hombre.

"Del polvo eres y al polvo has vuelto, pero el espíritu regresa a Dios, que lo creó.

La ceremonia había terminado.

A la mañana siguiente, Kat se tropezó con Honey en el pasillo. Honey se veía nerviosa.

—¿Pasa algo malo? —preguntó Kat.

—El doctor Wallace me mandó llamar. Me pidió que estuviera en su oficina a las dos de la tarde.

—¿Sabes para qué?

—Creo que el otro día hice lío en el recorrido de salas. El doctor Ritter es un monstruo.

—Suele serlo —coincidió Kat— pero estoy segura de que todo va a salir bien.

—Así lo espero. Es que tengo un mal presentimiento.

Justo a las dos de la tarde Honey llegó a la oficina de Benjamin Wallace; llevaba un frasquito de miel en el bolso. La recepcionista estaba almorzando. La puerta del doctor Wallace estaba abierta.

—Adelante, doctora Taft —la llamó.

Honey entró en su oficina.

—Cierre la puerta, por favor.

Honey obedeció.

—Tome asiento.

Honey se sentó frente a él. Casi temblaba.

Benjamin Wallace la miró y pensó: *"Es como echar a un cachorrito. Pero lo que debe hacerse, debe hacerse"*.

—Lamentablemente tengo malas noticias para usted —empezó.

Una hora más tarde Honey encontró a Kat en la solana. Honey se dejó caer en una silla junto a ella, sonriendo.

—¿Viste al doctor Wallace? —preguntó Kat.

—Sí. Tuvimos una larga conversación. ¿Sabías que su esposa lo abandonó este septiembre último? Estuvieron casados quince años. Tiene dos hijos grandes; apenas los ve. ¡El pobrecito está tan solo...!

LIBRO SEGUNDO

CAPÍTULO CATORCE

Otra vez era la víspera de Año Nuevo. Paige, Kat y Honey recibieron el 1993 en el Embarcadero County Hospital. Todas sentían que nada había cambiado en sus vidas excepto los nombres de los pacientes.

Mientras Paige caminaba por la playa de estacionamiento, recordó a Harry Bowman y su Ferrari roja. *"¿Cuántas vidas habían sido destruidas por el veneno que Harry Bowman les había vendido?"* ¡Las drogas eran tan seductoras! Y a la larga, ¡tan mortales!

Jimmy Ford apareció con un ramito de flores para Paige.

—¿Por qué, Jimmy?

El muchacho se sonrojó.

—Quería regalártelo. ¿Sabías que voy a casarme?

—¡No me digas! ¡Es maravilloso! ¿Y quién es la afortunada?

—Se llama Betsy. Trabaja en una tienda de ropa. Vamos a tener media docena de hijos. Nuestra primera hija se va a llamar Paige. Espero que no te moleste.

—¿Molestarme? ¡Me halaga!

Jimmy pareció avergonzarse.

—¿Sabes el del médico que le dio al paciente dos semanas de vida? "No puedo pagarle ahora", le dijo el paciente. "Bien, entonces le daré otras dos semanas".

Y Jimmy desapareció.

A Paige le preocupaba Tom Chang. Sufría cambios violentos de humor; pasaba de ataques de euforia a profundas depresiones.

Cierta mañana, durante una charla con Paige, le dijo:

—¿Te das cuenta de que la mayoría de la gente del hospital moriría sin nuestra ayuda? Tenemos el poder de curar sus cuerpos y volverlos sanos.

Y a la mañana siguiente:

—Nos estamos engañando, Paige. Nuestros pacientes mejorarían mejor y más rápido sin nosotros. Somos hipócritas, creemos tener todas las respuestas. Y no las tenemos.

Paige lo estudió un momento.

—¿Supiste algo de Sye?

—Ayer hablé con ella. No va a regresar. Va a seguir adelante con el divorcio.

Paige apoyó la mano en su brazo.

—Lo lamento tanto, Tom.

Tom se encogió de hombros.

—¿Por qué? Ya no me molesta más. Encontraré otra mujer. —Hizo una sonrisa forzada. —Y tendré otro hijo. Ya verás.

Había algo irreal en la conversación.

Esa noche Paige dijo a Kat:

—Estoy preocupada por Tom Chang. ¿Hablaste con él en este último tiempo?

—Sí.

—¿Te pareció normal?

—Ningún hombre me parece normal —respondió Kat.

Sin embargo, Paige siguió preocupada.

—Invitémoslo a cenar mañana a la noche.

—Está bien.

A la mañana siguiente, cuando Paige se presentó en el hospital, se encontró con la noticia de que un portero había encontrado el cuerpo de Tom Chang en un depósito del sótano. Había muerto de una sobredosis de somníferos.

Paige se puso casi histérica.

—¡Pude haberlo salvado! —lloró—. Todo este tiempo estaba pidiendo ayuda, y no lo escuché.

Kat respondió con firmeza:

—De ninguna manera podrías haberlo ayudado, Paige. Tú no eras el problema ni la solución. No quiso seguir viviendo sin su mujer y su hija. Es así de simple.

Paige se secó las lágrimas.

—¡Maldito sea este lugar! ¡Si no hubiese sido por la presión y por las horas que se pasaba aquí, su esposa nunca lo hubiera abandonado!

—Pero lo abandonó —respondió Kat con dulzura—. Ya pasó.

Paige nunca había estado en un funeral chino. Fue un espectáculo increíble. Comenzó en el Green Street Mortuary en Chinatown temprano en la mañana, donde se juntó una multitud afuera de la casa mortuoria. Hubo una procesión, con una enorme banda, y al frente de la procesión, los familiares llevaron una enorme fotografía ampliada de Tom Chang.

La marcha se inició cuando la banda comenzó a tocar ruidosamente y dio vueltas por las calles de San Francisco, con una carroza fúnebre al final de la procesión. La mayoría de las personas de luto iban de a pie, pero los más ancianos viajaban en automóviles.

A Paige le pareció que el desfile se movía por la ciudad sin rumbo fijo. Estaba confundida.

—¿Adónde van? —le preguntó a un hombre de luto.

Éste hizo una pequeña reverencia y explicó:

—Es nuestra costumbre pasear al difunto por los lugares que tuvieron importancia en su vida: los restaurantes donde comía, las tiendas donde hacía las compras, los sitios que visitaba...

—Entiendo.

La procesión terminó frente al Embarcadero County Hospital.

El hombre se volvió a Paige y dijo:

—Aquí es donde trabajaba Tom Chang. Aquí es donde encontró su felicidad.

"Está equivocado", pensó Paige. *"Aquí es donde la perdió."*

Cierto día, cuando iba caminando por Market Street, Paige vio a Alfred Turner. El corazón empezó a latirle con fuerza. No había podido sacárselo de la mente. Alfred estaba empezando a cruzar la calle al cambiar el semáforo. Cuando Paige llegó a la esquina, el semáforo cambió a rojo. Paige lo ignoró y cruzó la calle corriendo, sin importarle los coches que tocaban bocina ni los gritos enfurecidos de los automovilistas.

Paige llegó al otro lado de la calle y corrió para alcanzarlo. Lo agarró de la manga.

—Alfred...

El hombre se volvió.

—¿Cómo dijo?

Era un absoluto desconocido.

Ahora que Paige y Kat eran residentes de cuarto año, realizaban operaciones en forma regular.

Kat trabajaba con neurocirujanos; nunca dejaba de admirarse ante el milagro de los cien mil millones de complejas computadoras digitales llamadas neuronas, alojadas en el cráneo. Su trabajo era emocionante.

Kat sentía un enorme respeto por la mayoría de los médicos con los que trabajaba. Eran cirujanos brillantes y expertos. Sin embargo, había algunos que le hacían pasar malos ratos. Eran quienes intentaban invitarla a salir, y cuanto más se rehusaba Kat, mayor era el desafío.

En cierta oportunidad Kat oyó murmurar a uno de estos médicos:

—Aquí viene la del "cinturón de castidad"...

En cierta oportunidad Kat estaba asistiendo al doctor Kibler en una operación de cerebro. Se hizo una diminuta incisión en la corteza y el doctor Kibler introdujo la cánula de goma en el ventrículo lateral izquierdo, la cavidad central de la mitad izquierda del cerebro, mientras Kat mantenía abierta la incisión con un pequeño retractor. Toda su concentración estaba puesta en la operación.

El doctor Kibler la observó, y mientras seguía trabajando dijo:

—¿Sabes el chiste del borracho que entra al bar y dice: "¡Déme un trago, rápido!" "No puedo", respondió el cantinero. "Ya está ebrio".

El taladro cortaba a más profundidad.

—"Si no me das un trago, me mato".

A través de la sonda salió fluido cerebroespinal proveniente del ventrículo.

—"Le diré qué voy a hacer", dijo el cantinero. "Quiero que haga tres cosas. Si las cumple, le daré una botella".

Mientras seguía hablando, se inyectaron quince mililitros de aire en el ventrículo y se tomaron rayos equis de la vista anteroposterior y lateral.

—"¿Ves a ese futbolista sentado en el rincón? No puedo sacarlo de aquí. Quiero que lo eches. Después, tengo una mascota de cocodrilo en mi oficina con dolor de muela. Es tan malo que no puedo conseguir que ningún veterinario se acerque a él. Por último, hay una médica del Departamento de Salud que quiere clausurarme el bar. Si te acuestas con ella, te daré la botella."

Una enfermera empleaba succión para reducir la cantidad de sangre en la zona.

—El borracho echa al futbolista y entra en la oficina donde está el cocodrilo. Sale quince minutos más tarde, todo sangriento y con la ropa rota, y dice: "¿Dónde está la médica con dolor de muela?"

El doctor Kibler largó una carcajada.

—¿Lo entendiste? Cogió al cocodrilo en lugar de la médica. ¡Es probable que haya sido una experiencia más interesante!

Kat se enfureció; deseaba abofetearlo.

Cuando terminó la operación, Kat se dirigió a la habitación de guardia para tratar de calmar su furia. *"No voy a permitir que los bastardos me venzan. En absoluto."*

De vez en cuando Paige salía con médicos del hospital, pero se rehusaba a involucrarse sentimentalmente con ninguno. Alfred Turner la había herido mucho, y estaba decidida a no volver a pasar nunca por la misma experiencia.

La mayor parte de sus días y noches transcurrían en el hospital. El horario era agotador, pero Paige estaba haciendo cirugía general y le gustaba.

Cierta mañana George Englund, jefe de cirugía, la mandó llamar.

—Este año empiezas tu especialidad: cirugía cardiovascular.

Paige asintió.

—Así es.

—Bien, te tengo un regalo. ¿Oíste hablar del doctor Barker?

Paige lo miró sorprendida.

—¿El doctor *Lawrence* Barker?

—Sí.

—Por supuesto.

Todo el mundo conocía a Lawrence Barker. Era uno de los cirujanos cardiovasculares más famosos del mundo.

—La semana pasada regresó de Arabia Saudita, adonde fue a operar al Rey. El doctor Barker es un viejo amigo mío, y aceptó donar tres días por semana al hospital. *Pro bono*.

—¡Fantástico! —exclamó Paige.

—Voy a ponerte en su equipo.

Durante un rato Paige se quedó sin habla.

—No... no sé qué decir. Le estoy muy agradecida.

—Es una oportunidad maravillosa para ti. Puedes aprender muchísimo del doctor Barker.

—No lo dudo. Gracias, George. De veras lo aprecio.

—Comenzarás el recorrido de salas con el doctor Barker mañana a las seis de la mañana.

—Espero ansiosa ese momento.

Decir: "Espero ansiosa ese momento" fue poco. Paige siempre había soñado trabajar con alguien como el doctor Lawrence Barker. *"¿Pero qué estoy diciendo, 'alguien como el doctor Lawrence Barker?' Sólo existe un doctor Lawrence Barker."*

Nunca había visto una fotografía de él, pero podía imaginárselo: alto y buen mozo, con pelo plateado y manos esbeltas y sensibles. Un hombre cálido y gentil. *"Vamos a trabajar muy juntos"*, pensó Paige, *"y voy a convertirme en alguien indispensable. ¿Será casado?"*

Esa noche Paige tuvo un sueño erótico con el doctor Barker. Estaban operando desnudos. En mitad de la operación, el doctor Barker decía: "Te deseo". Una enfermera quitaba al paciente de la mesa de operaciones y el doctor Barker alzaba a Paige, la ponía sobre la mesa y le hacía el amor.

Cuando Paige se despertó se estaba cayendo de la cama.

A las seis de la mañana siguiente, Paige esperaba nerviosa en el pasillo del segundo piso junto con Joel Philips, el residente principal, y otros cinco residentes, cuando de repente un hombre bajo y de rostro avinagrado pasó junto a ellos. Caminaba inclinado hacia adelante, como si estuviera enfrentándose a un fuerte viento.

Se aproximó al grupo.

—¡Qué diablos hacen ahí parados! ¡Vamos!

Paige tardó unos mimutos en reaccionar. Se apresuró para alcanzar al resto del grupo. Mientras caminaban por el pasillo, el doctor Barker espetó:

Tendrán que cuidar de treinta a treinta y cinco pacientes por día. Tendrán que hacer notas detalladas de cada uno. ¿Entendido?

Hubo murmullos de "Sí, señor".

Habían llegado a la primera sala. El doctor Barker se

acercó a la cama de un paciente, un hombre de unos cuarenta años. La actitud áspera y amenazante desapareció por completo. Tocó con suavidad el hombro del paciente y sonrió.

—Buenos días. Soy el doctor Barker.

—Buenos días, doctor.

—¿Cómo se siente esta mañana?

—Me duele el pecho.

El doctor Barker estudió el cuadro al pie de la cama. Después se volvió al doctor Philips.

—¿Qué resultado dieron los rayos equis?

—No hay cambio. Se está curando bien.

—Hagámosle otro CBC.

El doctor Philips tomó nota.

El doctor Barker palmeó el brazo del joven y sonrió:

—Todo marcha sobre ruedas. Dentro de una semana te daremos de alta. —Se volvió a los residentes y ordenó: —¡Muévanse! ¡Tenemos muchos pacientes que atender!

"¡Mi Dios!", pensó Paige. *"¡Hablando del doctor Jekyll y el señor Hyde!"*

La siguiente era una paciente obesa a quien le habían puesto un marcapasos. El doctor Barker estudió su cuadro.

—Buenos días, señora Shelby. —Su voz era tranquilizadora. —Soy el doctor Barker.

—¿Cuánto tiempo más van a tenerme en este lugar?

—Bueno, es tan encantadora que quisiera tenerla siempre, pero soy casado.

La señora Shelby rió.

—Es una mujer afortunada.

Barker estaba examinando su cuadro otra vez.

—Le diría que ya está casi lista para volver a su casa.

—Maravilloso.

—Pasaré a verla esta tarde.

Lawrence Barker se volvió a los residentes.

—Muévanse.

Todos siguieron obedientes al médico hasta una habitación semiprivada, donde un niño guatemalteco yacía en la cama, rodeado por su ansiosa familia.

—Buenos días —saludó con calidez el doctor Barker. Examinó el cuadro del paciente. —¿Cómo te sientes esta mañana?

—Me siento bien, doctor.

El doctor Barker se volvió a Philips.

—¿Hubo algún cambio en los electrolitos?

—No, doctor.

—Es una buena noticia. —Palmeó el brazo del muchacho. —Espera aquí, Juan.

La madre preguntó, ansiosa:

—¿Va a mejorarse mi hijo?

El doctor Barker sonrió.

—Vamos a hacer todo lo que esté en nuestras manos por curarlo.

—Gracias, doctor.

El doctor Barker salió al pasillo, seguido por los residentes. Se detuvo.

—El paciente presenta miocardiopatía, picos febriles irregulares, dolor de cabeza y edema localizado. ¿Puede alguno de los genios decirme cuál es la causa más común de esta enfermedad?

Hubo un silencio. Paige respondió, vacilante:

—Creo que es congénito... hereditario.

El doctor Barker la miró y asintió, alentándola.

Satisfecha, Paige continuó:

—Salta... espere... —Se esforzó por recordar... —Salta una generación y se transmite a través de los genes de la madre. —Se detuvo, ruborizada, orgullosa de sí misma.

El doctor Barker la observó un momento.

—¡Qué disparate! Es el Mal de Chagas. Afecta a personas de países latinoamericanos. —Miró a Paige disgustado. —¡Por Dios! ¿Quién le dijo que era médica?

La cara de Paige ardía de rubor.

El resto del recorrido fue desastroso. Vieron a veinticuatro pacientes y a Paige le pareció que el doctor Barker se pasó la mañana tratando de humillarla. Siempre era Paige a quien el doctor Barker dirigía las preguntas: la probaba, la escudriñaba. Cuando respondía bien, nunca la felicitaba. Cuando se equivocaba, le gritaba. Hubo un momento en que Paige cometió un error y Barker aulló:

—¡No permitiría que operara ni a mi perro!

Cuando por fin terminaron el recorrido, el doctor Philips, el residente principal, informó:

—Volveremos a hacer el recorrido a las dos de la tarde. Tengan listos sus cuadernos, tomen notas de cada paciente y no se olviden de nada.

Miró a Paige con compasión y comenzó a decir algo, pero se dio vuelta y se unió al doctor Barker.

Paige pensó: *"No quiero volver a ver a ese bastardo"*.

La noche siguiente Paige estuvo de guardia. Corrió de una crisis a la otra, tratando con desesperación de contener la marea de desastres que inundaban las salas de emergencia.

Por fin a la una de la mañana quedó dormida. No oyó el sonido de la sirena de una ambulancia que se detuvo frente a la entrada de emergencia del hospital. Dos paramédicos abrieron la puerta de la ambulancia, transfirieron al paciente inconsciente de la parihuela a una camilla, e irrumpieron a través de las puertas de entrada a la sala de emergencia 1.

El personal había sido alertado por radio. Una enfermera corría junto al paciente, mientras una segunda enfermera esperaba en la parte superior de la rampa. Sesenta segundos más tarde, el paciente era transferido de la camilla a la mesa de examen.

Era un hombre joven, y estaba cubierto por tanta sangre que resultaba difícil adivinar cuál era su estado.

Una enfermera se puso a trabajar: cortó las ropas destrozadas con una enorme tijera.

—Parece tener todo roto.

—Sangra como un jabalí herido.

—No le encuentro el pulso.

—¿Quién está de guardia?

—La doctora Taylor.

—Llámala. Si se apura, tal vez sobreviva.

Paige se despertó al sonar el teléfono.

—Hola...

—Tenemos una emergencia en la sala de emergencia 1,

doctora. No creo que sobreviva.

Paige se sentó en la cama.

—Bien. Ya voy.

Consultó el reloj: era la una y media de la mañana. Se levantó de la cama a los tropezones y se dirigió al ascensor.

Un minuto más tarde ingresaba en la sala de emergencia 1. En mitad de la habitación, sobre la mesa de examen, se hallaba el paciente cubierto de sangre.

—¿Qué tenemos aquí? —preguntó Paige.

—Accidente de motocicleta. Fue atropellado por un autobús. No llevaba casco.

Paige se acercó a la figura inconsciente; incluso antes de verle la cara, de algún modo lo supo.

Paige se despertó de repente.

—¡Insértenle tres líneas de suero intravenoso! —ordenó Paige—. Pónganle oxígeno. Quiero que bajen del depósito más sangre, stat. Llamen a Registros para ver cuál es su tipo de sangre.

La enfermera la miró, sorprendida.

—¿Lo conoce?

—Sí. —Tuvo que hacer un esfuerzo para continuar. —Su nombre es Jimmy Ford.

Paige le recorrió el cuero cabelludo con los dedos.

—Tiene un gran edema. Quiero que le hagan una tomografía de cráneo y rayos equis. Vamos a poner todas las energías. ¡Lo quiero vivo!

—Sí, doctora.

Paige pasó las dos horas siguientes asegurándose de que se estuviese haciendo todo lo posible por Jimmy Ford. Los rayos equis revelaron que tenía el cráneo fracturado, contusión cerebral, húmero roto y laceraciones múltiples. Sin embargo, todo tendría que aguardar hasta tanto se estabilizara.

A las tres y media de la mañana, Paige decidió que no había más que hacer por el momento. Jimmy respiraba mejor y su pulso era más fuerte. Bajó la mirada a la figura inconsciente. *"Vamos a tener media docena de hijos. Nuestra primera hija se va a llamar Paige. Espero que no te moleste."*

—Llámenme si hay algún cambio —pidió Paige.
—No se preocupe, doctora —respondió una de las enfermeras—. Lo cuidaremos bien.

Paige regresó a la habitación de guardia. Estaba exhausta, pero demasiado preocupada por Jimmy para conciliar el sueño.
El teléfono volvió a sonar. Apenas tuvo fuerzas para levantar el auricular.
—Hola...
—Doctora, creo que debe subir al tercer piso. Stat. Creo que una de las pacientes del doctor Barker está teniendo un ataque cardíaco.
—Ya voy —respondió Paige. *Una de las pacientes del doctor Barker.* Paige respiró hondo, salió tambaleando de la cama, se lavó la cara con agua fría y corrió al tercer piso.
Una enfermera la estaba esperando afuera de una habitación privada.
—Es la señora Hearns. Parece que sufre otro ataque cardíaco.
Paige entró en la habitación.
La señora Hearns rondaba los cincuenta años. Su rostro aún conservaba la belleza de otras épocas, pero tenía el cuerpo obeso e hinchado. Se apretaba el pecho y gemía:
—Me muero —dijo—. Me muero; no puedo respirar.
—Todo va a salir bien —la confortó Paige. Se volvió a la enfermera. —¿Le hizo un electrocardiograma?
—No deja que la toque. Dice que es demasiado nerviosa.
—Tenemos que hacerle un electrocardiograma —Paige informó a la paciente.
—¡No! ¡No quiero morir! ¡Por favor no me deje morir...!
Paige dijo a la enfermera:
—Llame al doctor Barker. Pídale que venga de inmediato.
La enfermera se apresuró a cumplir las órdenes.

Paige apoyó el estetoscopio en el pecho de la señora Hearns. Escuchó. El latido cardíaco parecía normal, pero Paige no podía arriesgarse.

—El doctor Barker estará aquí en unos minutos —dijo a la señora Hearns—. Trate de calmarse.

—Nunca me sentí tan mal. ¡Me duele tanto el pecho! Por favor, no me deje.

—No voy a dejarla —le prometió Paige.

Mientras esperaba que llegara el doctor Barker, Paige telefoneó a terapia intensiva: el estado de Jimmy Ford no había cambiado: seguía en coma.

Treinta minutos más tarde apareció el doctor Barker. Era evidente que se había vestido apresuradamente.

—¿Qué sucede? —preguntó.

Paige respondió:

—Creo que la señora Hearns va a tener otro ataque cardíaco.

El doctor Barker se acercó a la cama.

—¿Hizo un electrocardiograma?

—La paciente no lo permitió.

—¿Pulso?

—Normal. No tiene fiebre.

El doctor Barker apoyó el estetoscopio sobre la espalda de la señora Hearns.

—Respire hondo.

La paciente obedeció.

—Otra vez.

La señora Hearns eructó con fuerza.

—Disculpe. —Sonrió. —¡Ah! Así está mejor.

El doctor Barker la estudió un momento.

—¿Qué comió en la cena, señora Hearns?

—Una hamburguesa.

—¿Sólo una hamburguesa? ¿Eso es todo? ¿Una sola?

—Bueno... dos.

—¿Algo más?

—Bueno... con cebollas y papas fritas.

—¿Y para beber?

—Una leche malteada de chocolate.

El doctor Barker miró a la paciente.

—Su corazón está en perfectas condiciones. Es su estómago el que debe preocuparnos. —Se volvió a Paige. —Es un caso de acidez estomacal. Quisiera verla afuera, doctora.

Cuando estuvieron en el pasillo, gritó:

—¿Qué diablos le enseñaron en la facultad de medicina? ¿Ni siquiera conoce la diferencia entre acidez estomacal y un ataque cardíaco?

—Pensé que...

—¡El problema es que *no pensó*! Si vuelve a despertarme en mitad de la noche por un caso de acidez estomacal, le daré una patada donde no le da el sol. ¿Entendió?

Paige se quedó dura, con expresión torva.

—Déle un antiácido, *doctora* —ordenó Lawrence Barker con sarcasmo— y descubrirá que se cura. La veré a las seis de la mañana para el recorrido de salas.

Paige lo miró salir como una tromba.

Cuando Paige volvió a tirarse en la cama de la habitación de guardia, pensó: "*Voy a asesinar a Lawrence Barker, pero lo haré de a poco. Va a estar muy enfermo. Va a tener media docena de tubos metidos en el cuerpo. Me implorará que ponga fin a su dolor, pero no lo haré. Lo haré sufrir... y después, cuando se sienta mejor... entonces lo voy a matar.*

CAPÍTULO QUINCE

Paige hacía el recorrido matutino de salas con la Bestia, como apodaba en secreto al doctor Barker. Lo había asistido en tres cirugías cardiotorácicas, y a pesar de la antipatía que le tenía, no podía dejar de admirar su increíble capacidad. Lo observaba admirada mientras abría un paciente, con destreza reemplazaba el corazón viejo con el de un donante, y lo cosía. La operación le llevaba menos de cinco horas.

Dentro de pocas semanas, pensaba Paige, *ese paciente podrá volver a su vida normal. No es de sorprender que los cirujanos se crean dioses: resucitan a los muertos.*

Una vez tras otra, Paige observaba cómo un corazón déjaba de latir y se convertía en un pedazo de carne inerte. Entonces ocurría el milagro: un órgano sin vida volvía a latir y a enviar sangre a través de un cuerpo que se había estado muriendo.

Cierta mañana, a un paciente debían insertarle un globo intraaórtico. Paige estaba en el quirófano asistiendo al doctor Barker. Cuando estaban por empezar, el doctor Barker ordenó:

—¡Hágalo!

Paige se quedó mirándolo.

—¿Cómo dijo?

Es un procedimiento sencillo. ¿Cree que podrá con él? —Había desprecio en su voz.

—Sí —respondió Paige con voz seca.

—Pues entonces, ¡comience!

Lawrence Barker era exasperante.

Barker observó cómo Paige, con manos expertas, insertaba un tubo hueco en la arteria del paciente y lo hacía llegar hasta el corazón. El procedimiento fue impecable. Barker la observó sin decir una sola palabra.

"Al diablo con él", pensó Paige. *"Nada de lo que haga va a complacerlo."*

Paige inyectó líquido radiopaco en el tubo. Ambos observaron el monitor mientras el líquido fluía en las arterias coronarias. Aparecieron imágenes sobre una pantalla fluoroscópica, que reflejó el grado de bloqueo y su situación en la arteria, mientras una cámara automática registraba los rayos equis para un registro permanente.

El residente principal miró a Paige y sonrió.

—Buen trabajo.

—Gracias. —Paige se volvió al doctor Barker.

—Demasiado lento —gruñó.

Y salió del quirófano.

Paige era feliz los días que el doctor Barker no iba al hospital y se quedaba en su consultorio privado. Le comentó a Kat:

—Un día lejos de él es como una semana de vacaciones en el campo.

—Lo odias con toda tu alma, ¿no es verdad?

—Como médico es brillante, pero como ser humano es despreciable. ¿Notaste cómo a algunas personas les queda bien el nombre? Si el doctor Barker no deja de ladrar[1] a la gente, va a sufrir un infarto.

—Deberías ver algunas de las bellezas que tengo que aguantar —dijo Kat, riéndose—. Todos creen ser superdotados. ¿No sería grandioso que no hubiese hombres en el mundo?

Paige se quedó mirándola, pero no respondió.

[1] Juego de palabras: "bark" en inglés significa "ladrar". Por extensión, "barker": ladrador. (*N. de la T.*)

Paige y Kat fueron a ver cómo seguía Jimmy Ford. Todavía estaba en coma; no había nada que pudieran hacer.

Kat suspiró.

—¡Maldita sea! ¿Por qué tiene que pasarles a los hombres buenos?

—¡Ojalá lo supiera!

—¿Crees que sobrevivirá?

Paige vaciló.

—Hicimos todo lo posible. Ahora le toca a Dios.

—¡Qué gracioso! Creí que *nosotros* éramos Dios.

Al día siguiente Paige estaba a cargo del recorrido de salas de la tarde. Kaplan, uno de los residentes principales, la detuvo en el pasillo.

—Hoy es tu día de suerte —sonrió—. Vas a tener a un nuevo estudiante de medicina para llevar a pasear.

—¿De veras?

—Ajá, el SI.

—¿SI?

—Sobrino idiota. La esposa del doctor Wallace tiene un sobrino que quiere ser médico. Lo expulsaron de las dos últimas facultades a las que asistió. Todos tuvimos que soportarlo. Hoy te toca a ti.

Paige gruñó.

—¡No tengo tiempo! Tengo suficiente con...

—No es una opción. Sé una buena niña y el doctor Wallace te otorgará puntos extras. —Kaplan se alejó.

Paige suspiró y se acercó hacia donde esperaban los nuevos residentes para iniciar el recorrido. *"¿Dónde está el SI?"* Consultó su reloj. Ya llegaba tres minutos tarde. *"Le daré un minuto más"*, decidió Paige, *"y después, ¡al diablo con él!"* Entonces lo vio: era un hombre alto y delgado, que venía corriendo por el pasillo.

Se acercó a Paige, sin aliento, y dijo:

—Discúlpeme. El doctor Wallace me pidió que...

—Llega tarde —dijo Paige con voz áspera.

Lo sé. Lo siento. Me retuvieron en...

—No importa. ¿Cuál es su nombre?

—Jason. Jason Curtis. —Llevaba puesta una chaqueta informal.

—¿Dónde está su chaqueta blanca?

—¿Mi chaqueta blanca?

—¿Acaso nadie le explicó que debe ponerse una chaqueta blanca para el recorrido?

El muchacho pareció confundido.

—No. Me temo que...

Paige replicó, irritada:

—Regrese a la oficina de la enfermera principal y pídale una chaqueta blanca. Además, no tiene cuaderno de apuntes.

—No.

" 'Sobrino idiota' le queda chico."

—Lo esperamos en la sala uno.

—¿Está segura? Yo...

—¡Obedezca! —Paige y los demás empezaron a caminar. Jason Curtis se quedó mirándolos.

Estaban examinando al tercer paciente cuando apareció Jason Curtis, apresurado. Llevaba puesta una chaqueta blanca. Paige estaba hablando:

—...los tumores del corazón pueden ser primarios, que son excepcionales, o secundarios, que son mucho más comunes.

Se volvió a Curtis.

—¿Puede nombrar los tres tipos de tumores?

Curtis se quedó mirándola.

—Me temo... que no.

"¡Por supuesto que no!"

—Epicárdicos, miocárdicos y endocárdicos.

Miró a Paige y sonrió.

—¡Es de veras interesante!

"¡Dios mío!", pensó Paige. *"Doctor Wallace o no, voy a deshacerme rápido de este idiota."*

Pasaron al siguiente enfermo. Cuando Paige terminó de revisarlo, llevó al grupo al pasillo, de modo que el paciente no oyera.

—En este caso estamos tratando una "tormenta tiroidea", con fiebre y taquicardia excesiva. Se produjo después de que fuera sometido a cirugía. —Se volvió a Jason Curtis. —¿Cuál sería su tratamiento en este caso?

Jason permaneció pensativo por un momento. Luego respondió:

—¿Amable?

Paige luchó por conservar la calma.

—¡No es su madre sino su médico! Necesita fluidos continuos por vía endovenosa a fin de combatir la deshidratación, junto con drogas con contenido de yodo y antitiroideas y sedantes para las convulsiones, también por vía endovenosa.

Jason asintió.

—Suena correcto.

El resto del recorrido no mejoró. Cuando terminaron, Paige llamó aparte a Jason Curtis.

—¿Le molestaría que fuera franca con usted?

—No, en absoluto —respondió con amabilidad—. Se lo agradecería.

—Dedíquese a otra profesión.

Jason permaneció pensativo, con el entrecejo fruncido.

—¿No cree que sirva para esto?

—Si debo ser honesta, no. No disfruta este trabajo, ¿no es verdad?

—En realidad, no.

—¿Entonces por qué lo eligió?

—En realidad, fui obligado.

—Bueno, dígale al doctor Wallace que está cometiendo un error. Creo que debería buscarse alguna otra cosa que hacer en su vida.

—Realmente le agradezco que me lo diga —respondió Jason Curtis con seriedad—. Tal vez podríamos conversar un poco más de esto. ¿Tiene algo que hacer esta noche...?

—No tenemos más nada que conversar —respondió Paige con sequedad—. Puede decirle a su tío...

En ese momento apareció el doctor Wallace.

—¡Jason! —llamó—. ¡Te estuve buscando por todas partes! —Se volvió a Paige. —Veo que ya se han presentado.

—Sí, ya nos presentamos —dijo Paige con severidad.
—Bien. Jason es el arquitecto que se encargará de diseñar la nueva ala que estamos construyendo.
Paige se quedó dura, sin poder moverse.
—¿Es... *qué*?
—Así es. ¿No te lo dijo?
Sintió que la cara se le enrojecía. *"¿Acaso nadie le explicó que debe ponerse una chaqueta blanca para el recorrido? ¿Entonces por qué lo eligió? En realidad, fui obligado."*
¡Por mí!
Paige quiso que la tragara la tierra. Jason la había hecho quedar como una verdadera tonta. Le preguntó:
—¿Por qué no me dijo quién era?
Jason la estaba mirando, divertido.
—Bueno, la verdad es que no me dio mucha oportunidad.
—¿No te dio mucha oportunidad para qué? —preguntó el doctor Wallace.
—Si me disculpan... —interrumpió Paige.
—¿Y la cena de esta noche?
—No ceno. Además estoy ocupada. —Y Paige desapareció.
Jason la siguió con la mirada, admirado.
—¡Qué mujer!
—Sí, ¿no? ¿Vamos a mi oficina a hablar de los nuevos diseños?
—Bueno. —Pero sus pensamientos estaban en Paige.

Era julio, el ritual que se llevaba a cabo cada doce meses en los hospitales de todos los Estados Unidos; los nuevos residentes iniciaban el camino para convertirse en verdaderos médicos.

Las enfermeras habían estado esperando la nueva camada de residentes; reclamaban entre ellas a quienes creían serían buenos amantes o maridos. En este día en particular, cuando aparecieron los nuevos médicos, casi todas clavaron la mirada en Ken Mallory.

Nadie sabía por qué Ken Mallory había sido transferido de un exclusivo hospital privado de Washington, DC al Embarcadero County Hospital de San Francisco. Era un residente de cuarto año y su especialidad, la cirugía ortopédica. Se corrían rumores de que había tenido que irse de Washington rápidamente por haber tenido una aventura amorosa con la esposa de un diputado. Según otro rumor, una enfermera se había suicidado por su culpa y le habían pedido que se fuera. Lo único que las enfermeras sabían con seguridad era que Ken Mallory era el más buen mozo que jamás hubieran visto. Era alto y de cuerpo atlético, con pelo rubio y ondeado, y un rostro de actor de películas.

Mallory se unió a la rutina del hospital como si siempre hubiera trabajado allí. Era un seductor y, casi desde el principio, las enfermeras se peleaban por su atención. Noche tras noche, los demás médicos veían a Mallory desaparecer en una habitación de guardia vacía con diferentes enfermeras. Su reputación de gran virilidad se estaba haciendo legendaria en todo el hospital.

Paige, Kat y Honey hablaban de él.

—¿Pueden creer que todas las enfermeras se le tiran encima? —se rió Kat—. ¡Se pelean por ser la elegida de la semana!

—Tienes que admitir que *es* atractivo —señaló Honey.

Kat sacudió la cabeza.

—No, no lo creo.

Cierta mañana, media docena de residentes se hallaban en el vestuario cuando entró Ken Mallory.

—Justo hablábamos de ti —dijo uno de ellos—. Debes de estar exhausto.

Mallory sonrió.

—No fue una mala noche. —Había pasado la noche con dos enfermeras.

Grundy, uno de los residentes, comentó:

—Nos estás haciendo quedar como eunucos, Ken. ¿Hay alguien en este hospital que no puedas llevar a la cama?

Mallory rió.

—Lo dudo.
Grundy quedó pensativo un momento.
—Te apuesto a que puedo nombrarte a alguien.
—¿De veras? ¿A quién?
—A una de las residentes. Su nombre es Kat Hunter.
Mallory asintió.
—La muñeca negra. La conozco. Es muy atractiva. ¿Qué te hace pensar que no puedo llevarla a la cama?
—Porque a todos nos rechazó. No creo que le gusten los hombres.
—O tal vez no haya encontrado al hombre apropiado —sugirió Mallory.
Grundy sacudió la cabeza.
—No. No tienes posibilidad.
Era un desafío.
—Te apuesto a que te equivocas.
Otro de los residentes preguntó:
—¿Quiere decir que estás dispuesto a apostar?
Mallory sonrió.
—¡Claro! ¿Por qué no?
—De acuerdo. —El grupo comenzó a arremolinarse alrededor de Mallory. —Te apuesto quinientos dólares a que no puedes.
—Acepto.
—Y yo apuesto trescientos.
Otro residente gritó:
—Déjenme participar. Apuesto seiscientos.
En total se apostaron cinco mil dólares.
—¿Cuánto tiempo me dan?
Grundy pensó un momento.
—Digamos treinta días. ¿Te parece justo?
—Más que justo. No voy a necesitar tanto.
Grundy agregó:
—Pero tendrás que probarlo. Ella tiene que admitir que se acostó contigo.
—No hay problema. —Mallory miró al grupo a su alrededor y sonrió. —¡Incautos!

Quince minutos más tarde, Grundy estaba en la cafetería, donde Kat, Paige y Honey tomaban el desayuno. Se acercó a su mesa.

—¿Puedo sentarme con ustedes, señoritas... digo doctoras, un momento?

Paige levantó la mirada.

—Claro.

Grundy se sentó. Miró a Kat y dijo con tono de disculpa:

—Odio decirte esto, pero estoy furioso y creo que es justo que lo sepas...

Kat lo miró confundida.

—¿Que sepa qué?

Grundy suspiró.

—Ese nuevo médico... Ken Mallory.

—Sí. ¿Qué hay con él?

Grundy dijo:

—Bueno... ¡Dios, me cuesta decirlo! Apostó a algunos médicos cinco mil dólares que se acostaría contigo durante los próximos treinta días.

Kat empalideció.

—Ah, ¿sí?

Grundy continuó, compasivo:

—No te culpo por enojarte. Me dieron ganas de vomitar cuando me enteré. Bueno, sólo quise advertirte. Va a pedirte que salgas con él, y creí que era justo que supieras por qué va a hacerlo.

—Gracias —dijo Kat—. Te agradezco que me lo hayas dicho.

—Era lo menos que podía hacer.

Las tres observaron partir a Grundy.

En el pasillo, afuera de la cafetería, los demás residentes lo estaban esperando.

—¿Cómo te fue? —preguntaron.

Grundy se echó a reír.

—Perfecto. Está enojadísima. ¡El hijo de perra es carne muerta!

En la mesa, Honey decía:
—¡Es terrible!
Kat asintió.
—Alguien debería extirparle el pene. Cuando haya patinaje sobre hielo en el infierno voy a salir con ese bastardo.
Paige quedó pensativa. Momentos después dijo:
—¿Sabes algo, Kat? Sería interesante que *salieras* con él.
Kat la miró sorprendida.
—*¿Qué?*
Los ojos de Paige brillaron.
—¿Por qué no? Si quiere jugar, que juegue... sólo que jugará *nuestro* partido.
Kat se inclinó hacia adelante.
—Continúa.
—Tiene treinta días, ¿no es verdad? Cuando te invite a salir, trátalo con cariño y afecto. Quiero decir, demuéstrale que estás completamente *loca* por él. Lo enloquecerás. Lo único que *no* harás, Dios no lo permita, es acostarte con él. Le daremos una lección de cinco mil dólares.
Kat pensó en su padrastro. Era una manera de vengarse.
—Me gusta la idea —dijo.
—¿Quiere decir que lo harás? —preguntó Honey.
—Sí.
Kat no sabía que con esas palabras, había firmado su sentencia de muerte.

CAPÍTULO DIECISÉIS

Jason Curtis no había podido sacarse a Paige Taylor de la cabeza. Telefoneó a la secretaria de Ben Wallace.

—Hola. Habla Jason Curtis. Necesito el teléfono de la doctora Paige Taylor.

—Claro, señor Curtis. Un momento. —Le dio el número.

Honey respondió el teléfono.

—Habla la doctora Taft.

—Soy Jason Curtis. ¿Está la doctora Taylor?

—No. Está de guardia en el hospital.

—¡Ah, qué lástima!

Honey percibió la desilusión en su voz.

—Si es por alguna emergencia, puedo...

—No, no.

—Podría pasarle el mensaje y hacer que ella lo llamara.

—Está bien. —Jason le dio su número telefónico.

—Le daré el mensaje.

—Gracias.

—Te llamó Jason Curtis —dijo Honey cuando Paige volvió al departamento—. Me pareció simpático. Aquí tienes su teléfono.

—Quémalo.

—¿No vas a llamarlo?

—No, nunca.

—No seguirás pensando en Alfred, ¿no?

—Por supuesto que no.
Y eso fue todo lo que Honey pudo sacarle.

Jason esperó dos días antes de volver a llamar.
Esta vez Paige respondió el teléfono.
—Habla la doctora Taylor.
—¡Hola! —saludó Jason—. Habla el doctor Curtis.
—¿El doctor...?
—Tal vez no me recuerdes —dijo Jason en tono de broma—. El otro día hice el recorrido de salas contigo, y te invité a cenar. Dijiste...
—Dije que estaba ocupada, y todavía lo estoy. Adiós, señor Curtis. —Colgó el auricular con violencia.
—¿De qué se trata? —preguntó Honey.
—De nada.

A las seis de la mañana siguiente, cuando los residentes se reunieron con Paige para el recorrido matutino, apareció Jason Curtis. Llevaba puesta una chaqueta blanca.
—Espero no llegar tarde —dijo alegremente—. Tuve que conseguir una chaqueta blanca. Sé qué mal te cae que no la lleve puesta.
Paige respiró profundo, enojada.
—Ven aquí —pidió. Llevó a Jason al vestuario de médicos, que estaba desierto. —¿Qué estás haciendo aquí?
—En realidad, estoy preocupado por algunos de los pacientes que vimos el otro día —explicó con seriedad—. Vine a ver cómo seguían.
Jason la exasperaba.
—¿Por qué no estás en alguna parte construyendo algo?
Jason la miró y dijo, con calma:
—Eso trato. —Extrajo del bolsillo un puñado de entradas. —Mira, no sé cuáles son tus gustos, así que compré entradas para el partido de los Giants, para el teatro, para la ópera y para un concierto. Elige; son sin devolución.
—¿Siempre tiras a la basura tu dinero?
—Sólo cuando estoy enamorado —explicó Jason.

—Espera un min...
Jason extendió las entradas.
—Elige.
Paige las tomó.
—Gracias —dijo con dulzura—. Se las voy a regalar a mis pacientes externos. La mayoría no tiene la posibilidad de ir al teatro o a la ópera.
Jason sonrió.
—¡Fenómeno! Espero que lo disfruten. ¿Vamos a cenar?
—No.
—De todos modos tienes que comer. ¿No vas a cambiar de opinión?
Paige sintió un poco de culpa por las entradas.
—Creo que no sería buena compañía. Anoche estuve de guardia y...
—Saldremos temprano. Te doy mi palabra de honor.
Paige suspiró.
—De acuerdo, pero...
—¡Maravilloso! ¿Por dónde te paso a buscar?
—Termino de trabajar a las siete.
—Entonces te paso a buscar por aquí. —Bostezó. —Ahora vuelvo a casa a dormir un poco. ¡Qué hora nefasta para estar levantado! ¿Por qué lo haces?
Paige lo miró alejarse y no pudo evitar sonreír.

A las siete de la tarde, cuando Jason llegó al hospital a buscar a Paige, la enfermera supervisora le dijo:
—Creo que encontrará a la doctora Taylor en la habitación de guardia.
—Gracias. —Jason caminó por el pasillo hasta la habitación de guardia. La puerta estaba cerrada. Golpeó. No hubo respuesta. Volvió a golpear; después abrió la puerta y miró adentro. Paige estaba acostada, durmiendo profundamente. Jason se acercó y permaneció un largo rato observándola. *"Voy a casarme contigo, señorita"*, pensó. Salió en puntas de pie y cerró despacio la puerta.

A la mañana siguiente Jason estaba en una reunión cuando su secretaria entró con un ramito de flores. La tarjeta decía: *"Lo siento. Rip."* Jason se echó a reír. Llamó por teléfono a Paige al hospital.

—Habla tu compañero.

—De veras siento lo de anoche —se disculpó Paige—. Estoy avergonzada.

—No tienes por qué. Pero tengo una pregunta.

—¿Cuál?

—¿RIP quiere decir "Que en paz descanse" o "Rip Van Winkle"?

Paige se echó a reír.

—Tú eliges.

—Elijo salir a cenar esta noche. ¿Podemos volver a intentarlo?

Paige vaciló. *"No quiero comprometerme con nadie. No seguirás pensando en Alfred, ¿no?"*

—Hola, ¿estás ahí?

—Sí. —*"Una noche no me hará ningún daño."* Paige se decidió. —Sí. Podemos salir a cenar.

—Maravilloso.

Mientras Paige se vestía, Kat observó:

—Parece que tienes una cita importante. ¿Quién es?

—Un médico-arquitecto —explicó Paige.

—¿Un *qué*?

Paige le contó la historia.

—Suena divertido. ¿Te interesa?

—No mucho.

La noche transcurrió agradablemente. Paige se sintió cómoda con Jason. Hablaron de todo y de nada, y el tiempo pareció irse volando.

—Cuéntame de ti —pidió Jason—. ¿Dónde te criaste?

—No me vas a creer.

—Te prometo que sí.

—Está bien: en el Congo, en la India, en Burma, en Nigeria, en Kenya...

—No te creo.

—Es verdad. Mi padre trabajaba para la OMS.

—¿Quién? Me doy por vencido. ¿Es una historia de Abbott y Costello?

—La Organización Mundial de la Salud. Mi padre era médico; pasé mi infancia viajando con él por la mayor parte de los países del Tercer Mundo.

—Debe de haber sido difícil para ti.

—Fue fascinante. Lo más difícil era no poder quedarme nunca el tiempo suficiente para hacer amistades.—*"No necesitamos a nadie más, Paige. Siempre nos tendremos el uno al otro... Te presento a mi esposa, Karen."* Se quitó de encima el recuerdo. —Aprendí un montón de idiomas raros y de costumbres exóticas.

—¿Como por ejemplo?

—Bueno, por ejemplo... —Pensó un momento. —En India creen en la vida después de la muerte, y en que la próxima vida depende de la conducta de una persona en esta vida. Si fuiste malo, vuelves en forma de animal. Recuerdo que en una aldea teníamos un perro, y siempre me preguntaba quién habría sido y qué habría hecho de malo.

Jason acotó:

—Probablemente ladraba al árbol equivocado.

Paige sonrió.

—Y después estaba el *gherao*.

—¿El *gherao*?

—Es una forma de castigo muy poderosa. Una multitud rodea a un hombre. —Se detuvo.

—¿Y?

—Eso es todo.

—¿Eso es todo?

—No hacen ni dicen nada. Pero no puede moverse, y no puede escaparse. Queda atrapado hasta que acepte hacer lo que quieran. Puede durar muchas, muchas horas. Permanece dentro del círculo, pero la multitud se turna. Una vez vi a un hombre tratando de escaparse del *gherao*. Lo golpearon hasta morir.

El recuerdo dio un escalofrío a Paige. La gente, que por lo general era amistosa, se había convertido en una multitud enloquecida. *"Vayámonos de aquí, gritó Alfred, mientras la tomaba del brazo y la llevaba a una calle lateral más tranquila."*

—¡Qué terrible! —dijo Jason.

—Mi padre decidió mudarnos al día siguiente.

—Ojalá hubiera conocido a tu padre.

—Era un médico maravilloso. Habría tenido un gran éxito en Park Avenue, pero no estaba interesado en el dinero. Su único interés era ayudar a la gente. —*"Como Alfred"*, pensó.

—¿Y qué le pasó?

—Murió en una guerra entre tribus.

—Lo lamento.

—Amaba lo que hacía. Al principio los nativos lo peleaban; eran muy supersticiosos. En las aldeas remotas de la India, todo el mundo tiene un *jatak*, un horóscopo hecho por el astrólogo de la aldea, y los nativos viven conforme a él. —Paige sonrió.—Me encantaba que me hicieran mi horóscopo.

—¿Y tu horóscopo decía que ibas a casarte con un arquitecto joven y bien parecido?

Paige lo miró y respondió con firmeza:

—No. —La conversación se estaba poniendo demasiado personal. —Eres arquitecto, así que apreciarás esto: crecí en chozas hechas de juncos, con pisos de tierra y techos de paja, donde anidaban los ratones y los murciélagos. Viví en *tukuls* con techos de pasto y sin ventanas. Mi sueño era vivir algún día en una cómoda casa de dos plantas con galería y una cerca con estacas puntiagudas, y... —Paige se detuvo. —Lo siento. No quise decirlo, pero fuiste *tú* quien preguntó.

—Me alegro de haberlo hecho —respondió Jason.

Paige consultó el reloj.

—¡No tenía idea de que fuera tan tarde!

—¿Podemos volver a salir?

"No quiero alentarlo", pensó Paige. *"Nada va a surgir*

de esta relación" Pensó en lo que Kat le había dicho una vez: *"Te estás aferrando a un fantasma. Deshazte de él."* Miró a Jason y respondió:

—Sí.

Temprano a la mañana siguiente, un mensajero llegó con un paquete. Paige le abrió la puerta.

—Traigo algo para el doctor Taylor.

—Soy yo.

El mensajero la miró sorprendido.

—¿Usted es doctora?

—Sí —respondió Paige con paciencia—. Soy médica. ¿Le molesta?

El mensajero se encogió de hombros.

—No, señorita, en absoluto. ¿Podría firmar aquí, por favor?

El paquete era sorprendentemente pesado. Llena de curiosidad, Paige lo llevó a la mesa de la sala y lo desenvolvió. Era un modelo en miniatura de una hermosa casa de dos plantas, blanca y con galería. Frente a la casa había un jardincito, rodeado por una cerca de estacas puntiagudas. *"Debe de haber estado toda la noche haciéndola."* Había una tarjeta que decía:

Mía( )

Nuestra( )

Por favor señala una.

Se quedó mirando la tarjeta largo tiempo. Era la casa correcta, pero el hombre equivocado.

"¿Qué diablos pasa conmigo?", se preguntó Paige. *"Es inteligente, atractivo y encantador."* Pero sabía qué tenía de malo: no era Alfred.

De repente sonó el teléfono. Era Jason.

—¿Recibiste tu casa? —preguntó.

—¡Es hermosa! —respondió Paige—. Muchísimas gracias.

—Me gustaría construirte una verdadera. ¿Completaste la tarjeta?

—No.

—Soy paciente. ¿Tienes la noche libre para ir a cenar?

—Sí, pero debo advertirte: voy a operar todo el día, y para esta noche voy a estar exhausta.

—Cenaremos temprano. Dicho sea de paso, va a ser en casa de mis padres.

Paige vaciló un momento.

—¿Ah, sí?

—Les conté todo sobre ti.

—Está bien —respondió Paige—. *"Está yendo demasiado rápido."* Se puso nerviosa.

Cuando colgó, pensó: *"No debería haber aceptado. Esta noche voy a estar tan cansada que no voy a servir para otra cosa que no sea dormir."* Tenía ganas de llamar por teléfono a Jason para cancelar la cita. *"Ahora es demasiado tarde. Cenaremos temprano."*

Esa noche, cuando Paige se estaba vistiendo, Kat advirtió:

—Se te ve exhausta.

—Lo estoy.

—¿Por qué sales? Deberías ir a la cama. ¿O es una redundancia?

—No, esta noche no.

—¿Otra vez Jason?

—Sí. Voy a conocer a sus padres.

—¡Ah! —Kat sacudió la cabeza.

—No es lo que piensas —dijo Paige—. *"De verdad que no."*

Los padres de Jason vivían en una casa antigua y encantadora en el distrito Pacific Heights. El padre de Jason era un hombre de aspecto aristocrático de unos setenta años, y la madre una mujer cálida y realista. De inmediato hicieron sentir a Paige como en su casa.

—Jason nos contó tanto sobre ti —dijo la señora Curtis—. Pero no nos había dicho lo hermosa que eres.

—Gracias.

Fueron a la biblioteca, llena de modelos en miniatura de edificios que Jason y su padre habían diseñado.

—Creo que entre Jason, su bisabuelo y yo hicimos gran parte de la vista de San Francisco —explicó el padre de Jason—. Mi hijo es un genio.

—Es lo que siempre le repito a Paige —dijo Jason.

Paige se echó a reír.

—Lo creo. —Sentía que se le cerraban los ojos; luchaba por permanecer despierta.

Jason la estaba observando, preocupado.

—Vayamos a cenar —sugirió.

Entraron en el enorme comedor. Estaba revestido de roble, amoblado con hermosas antigüedades y retratos sobre las paredes. La criada comenzó a servir.

El padre de Jason explicó:

—Ese retrato es el bisabuelo de Jason. Todos los edificios que diseñó fueron destruidos por el terremoto de 1906. Es una lástima; eran inestimables. Le mostraré algunas fotografías después de cenar si quie...

La cabeza de Paige había caído sobre la mesa. Estaba profundamente dormida.

—Me alegro de no haber servido la sopa —comentó la madre de Jason.

Ken Mallory tenía un problema. Cuando la noticia de la apuesta corrió por el hospital, las apuestas aumentaron a diez mil dólares. Mallory tenía tanta confianza en su éxito que había apostado mucho más de lo que podía pagar.

Si pierdo, estaré en serios problemas. Pero no voy a perder. Es hora de que el maestro se ponga a trabajar.

Kat estaba almorzando en la cafetería con Paige y Honey cuando Mallory se acercó a su mesa.

¿Les molesta si las acompaño, doctoras?

"Ni señoritas, ni chicas. Doctoras. Es del tipo sensible", pensó Kat con cinismo.

—En absoluto. Siéntate —ofreció Kat.

Paige y Honey intercambiaron una mirada.

—Bueno, tengo que irme —dijo Paige.

—Yo también. Te veré más tarde.

Mallory observó irse a Paige y a Honey.

—¿Tienes una mañana muy ocupada? —preguntó Mallory, como si realmente le importara.

—¿No son todas iguales? —Kat sonrió con expresión cálida y prometedora.

Mallory había planeado su estrategia con mucho cuidado. *"Le haré saber que me interesa como persona, no sólo como mujer. Las mujeres como ella odian ser tratadas como un objeto sexual. Hablaré de medicina. Iré con calma y lentitud. Tengo un mes entero para hacerla caer."*

—¿Te enteraste de la autopsia que le hicieron a la señora Turnball? —comenzó Mallory—. ¡Tenía una botella de Coca-Cola en el estómago! ¿Puedes imaginarte cómo...?

Kat se inclinó hacia adelante.

—¿Tienes ocupado el sábado por la noche, Ken?

Lo tomó completamente desprevenido.

—¿Qué?

—Pensé que tal vez te gustaría llevarme a cenar.

Mallory sintió que casi se sonrojaba.

"¡Por Dios!", pensó. *"¡Quién dijo que esta mujer era lesbiana! Los muchachos dijeron eso porque no lograron excitarla. Bueno, yo voy a hacerlo. ¡En realidad, ella me lo está pidiendo a mí!"* Trató de recordar con quién tenía cita el sábado. *"Sally, la enfermera del quirófano. Puede esperar."*

—Nada importante —respondió Mallory—. Me encantaría llevarte a cenar.

Kat apoyó su mano sobre la de él.

—Maravilloso —dijo con voz suave—. Voy a estar esperando que llegue el sábado.

Mallory sonrió.

—Yo también. —*"No tienes idea de cuánto, nena. ¡Diez mil dólares de ganas!"*

Esa tarde Kat contó lo sucedido a Paige y a Honey.

—¡Se quedó con la boca abierta! —se rió Kat—. ¡Debieran haber visto su cara! Parecía el gato que se tragó al canario.

Paige aconsejó:

—Recuerda que tú eres el gato. Él es el canario.

—¿Y qué vas a hacer el sábado a la noche? —quiso saber Honey.
—¿Alguna sugerencia?
—Yo tengo una —respondió Paige—. Este es el plan.

El sábado a la noche Kat y Ken Mallory cenaron en Emilio, un restaurante sobre la bahía. Kat se había esmerado para vestirse; tenía puesto un vestido blanco de algodón sin hombros.
—¡Estás sensacional! —la admiró Mallory. Tuvo cuidado en emplear el tono adecuado. *De aprecio, pero sin presionarla. De admiración, pero sin sugerir nada.* Mallory estaba dispuesto a desplegar todos sus recursos de seducción, pero no fue necesario. En seguida fue evidente que era Kat quien estaba decidida a seducirlo *a él.*
Mientras bebían un trago, Kat comentó:
—Todo el mundo habla de lo maravilloso que eres como médico, Ken.
—Bueno —respondió Mallory con modestia—, tuve un buen entrenamiento, y presto mucha atención a mis pacientes. Para mí son muy importantes. —Su voz rebosaba sinceridad.
Kat apoyó su mano sobre la de él.
—Estoy segura de que así es. ¿De dónde eres? Quiero saber todo sobre ti. *La verdadera historia.*
"*¡Dios mío!*" pensó Mallory. "*Esa es la línea que yo uso.*" No podía entender lo fácil que iba a resultar ganar la apuesta. Era un experto en cuestión de mujeres, su radar reconocía todas las señales que éstas daban. Podían decir que "sí" con una mirada, una sonrisa, un tono de voz. Las señales de Kat confundían su radar.
Kat se había inclinado cerca de él, y su voz era ronca.
—Quiero saberlo todo.
Mallory habló de su vida durante la cena, pero cada vez que intentaba cambiar de tema y hablar de Kat, ésta decía:
—No, no. Quiero oír más. ¡Tu vida es tan fascinante!
"*Está loca por mí*", decidió Mallory. En ese momento deseó haber tomado más apuestas. "*Podría ganar esta*

misma noche", pensó. Y no le quedaron dudas cuando Kat dijo, mientras tomaban el café:

—¿Te gustaría subir a mi departamento para tomar una última copa?

"¡Bingo!" Mallory le acarició el brazo y respondió con voz suave:

—Me encantaría. —*"Los muchachos están locos"*, decidió Mallory. *"Es la mujer más sensual que jamás haya conocido."* Tuvo la sensación de que estaba a punto de ser violado.

Treinta minutos más tarde estaban conversando en el departamento de Kat.

—Muy bonito —dijo Mallory, mientras miraba a su alrededor—. Muy bonito. ¿Vives sola?

—No; vivo con la doctora Taylor y la doctora Taft.

—¡Ah! —Kat percibió la nota de desilusión en su voz. Kat le ofreció una sonrisa seductora.

—Pero no llegarán a casa sino hasta mucho más tarde.

Mallory sonrió.

—Bien.

—¿Quieres un trago?

—Me encantaría. —Observó a Kat mientras se acercaba al bar y mezclaba dos bebidas. *"Tiene buen trasero"*, pensó Mallory. *"Y es endiabladamente hermosa. Además, me van a pagar diez mil dólares por acostarme con ella."* Se rió en voz alta.

Kat se volvió.

—¿De qué te ríes?

—De nada. Pensaba en lo afortunado que soy al estar a solas contigo.

—Soy yo la afortunada —respondió Kat con voz cálida. Le entregó su bebida.

Mallory alzó el vaso y comenzó a decir:

—Brindemos por...

Kat chocó su vaso.

—¡Por nosotros! —brindó.

Mallory asintió.

—Brindo por eso. —Estaba por decir: —¿Qué tal un poco de música? —cuando Kat se le adelantó:

—¿Te gustaría escuchar un poco de música?
—Eres adivina.
Kat puso un viejo tema de Cole Porter. Consultó su reloj a hurtadillas. Luego se volvió a Mallory.
—¿Te gusta bailar?
Mallory se le acercó.
—Depende de con quién sea. Me encantaría bailar contigo.
Kat se acercó a sus brazos y comenzaron a bailar al ritmo de la música lenta y ensoñadora. Mallory sintió el cuerpo de Kat apretándose contra el suyo; él también sentía que se excitaba. La apretó aún más contra sí. Kat alzó la mirada y sonrió.
"Ahora es el momento de arremeter."
—Eres adorable, ¿lo sabías? —dijo Mallory con voz ronca—. Te deseé desde el primer momento en que te vi.
Kat lo miró a los ojos.
—Yo también sentí lo mismo por ti, Ken. —Mallory acercó su boca a la de Kat y le dio un beso cálido y apasionado.
—Vayamos al dormitorio —propuso Mallory con repentina urgencia.
—¡Oh, sí!
La tomó del brazo y comenzó a conducirla hacia el dormitorio. En ese momento se abrió la puerta principal y entraron Paige y Honey.
—¡Hola a todos! —saludó Paige. Miró sorprendida a Ken Mallory. —¡Ah, doctor Mallory! No esperaba verlo por aquí.
—Bueno, yo... yo...
—Salimos a cenar —explicó Kat.
Mallory sintió una enorme furia. Luchó por controlarla. Se volvió a Kat.
—Tengo que irme. Es tarde y mañana tengo un día muy ocupado.
—¡Oh, lamento que tengas que irte! —dijo Kat. Sus ojos reflejaban un mundo de promesas.
Mallory propuso:
—¿Qué te parece mañana por la noche?

—Me encantaría...
—¡Grandioso!
—Pero no puedo.
—Bueno, ¿y el viernes?
Kat frunció el entrecejo.
—¡Ay, querido! Creo que tampoco el viernes voy a poder.
Mallory se estaba desesperando.
—¿Y el sábado?
Kat sonrió.
—El sábado está bien.
Mallory asintió, aliviado.
—Bien. El sábado, entonces.
Se volvió a Paige y a Honey.
—Buenas noches.
—Buenas noches.
Kat acompañó a Mallory hasta la puerta.
—Dulces sueños —le deseó con voz suave—. Voy a soñar contigo.
Mallory le apretó la mano.
—Creo que hay que convertir los sueños en realidad. El sábado a la noche compensaremos lo de hoy.
—Apenas puedo esperar hasta el sábado.

Esa noche Kat se acostó en su cama; pensaba en Mallory. Lo odiaba. Y para su asombro, había disfrutado la velada. Estaba segura de que Mallory también la había disfrutado, a pesar del hecho de que estaba jugando una apuesta. *"Ojalá fuera verdad en lugar de un juego"*, pensó Kat. No tenía idea de lo peligroso que era el juego.

CAPÍTULO DIECISIETE

"Debe de ser el clima", pensó Paige, desganada. El día era frío y monótono y caía una constante lluvia gris que deprimía el espíritu. Su día había empezado a las seis de la mañana, y estaba lleno de problemas. El hospital parecía haberse llenado de fusus, y todos se quejaban al mismo tiempo. Las enfermeras estaban hoscas y descuidadas. Extraían sangre a los pacientes equivocados, perdían exámenes de rayos equis que se necesitaban con urgencia y trataban mal a los pacientes. Como si fuera poco, había escasez de personal debido a una epidemia de fiebre. Era esa clase de día.

El único momento feliz fue el llamado telefónico de Jason Curtis.

—¡Hola! —saludó alegremente—. Se me ocurrió llamar para ver cómo andan todos nuestros pacientes.

—Sobreviven.

—¿Hay alguna posibilidad de almorzar contigo?

Paige se echó a reír.

—¿Qué significa almorzar? Si tengo suerte, podré comer un sándwich rancio cerca de las cuatro de la tarde. Hay mucho movimiento por aquí.

—Está bien. No te entretengo más. ¿Puedo llamarte mañana?

De acuerdo. —"No tiene nada de malo."

—Adiós.

Paige trabajó hasta la medianoche sin un momento de respiro; cuando por fin se desocupó, estaba demasiado cansada para moverse. Durante un momento pensó en quedarse a dormir en el hospital, en la camilla del cuarto de guardia; sin embargo, la sola idea de su cama cálida y cómoda era demasiado tentadora. Se cambió de ropa y se arrastró hasta el ascensor.

El doctor Peterson se le acercó.

—¡Dios mío! —exclamó—. ¿Dónde está el gato que te atrapó?

Paige sonrió con cansancio.

—¿Tan mal estoy?

—Peor —sonrió Peterson—. ¿Vas a tu casa?

Paige asintió.

—Tienes suerte. Yo recién empiezo.

Llegó el ascensor. Paige se quedó de pie, medio dormida.

Peterson la llamó con voz suave:

—¿Paige?

Paige sacudió la cabeza hasta despertarse.

—¿Sí?

—¿Vas a poder conducir hasta tu casa?

—Seguro —murmuró Paige—. Y cuando llegue, voy a dormir veinticuatro horas seguidas.

Caminó hasta la playa de estacionamiento y se metió en su auto. Permaneció sentada, demasiado cansada siquiera para encender el motor. "No debo dormirme aquí. Lo haré en casa."

Paige salió de la playa de estacionamiento y se dirigió al departamento. No era consciente de lo mal que estaba conduciendo hasta que un conductor le gritó:

—¡Eh, vete a dormir, ebria!

Se esforzó por concentrarse. "No debo dormirme... No debo dormirme." Encendió la radio y la puso a todo volumen. Cuando llegó a su edificio, permaneció sentada largo tiempo hasta que pudo juntar las fuerzas necesarias para subir las escaleras.

Kat y Honey dormían en sus camas. Paige miró el reloj en su mesa de noche. "La una de la mañana." Entró a los tropezones en su cuarto y comenzó a desvestirse, pero el esfuerzo fue excesivo. Cayó en la cama con la ropa puesta, y en un instante se quedó profundamente dormida.

La despertó el sonido estridente de un teléfono, que parecía provenir de algún distante planeta. Paige luchó por seguir durmiendo, pero el ruido era como agujas que penetraban su cerebro. Se sentó y alcanzó el teléfono.

—¿Hola?

—¿Doctora Taylor?

—Sí. —Su voz era un murmullo ronco.

—El doctor Barker la necesita en el quirófano cuatro para que lo asista. Stat.

Paige se aclaró la garganta.

—Debe de haber algún error —murmuró—. Acabo de salir de guardia.

—Quirófano cuatro. La está esperando. —La línea quedó muda.

Paige se sentó en el borde de la cama, atontada, con la mente nublada por el sueño. Miró el reloj sobre la mesa de noche. Cuatro y cuarto. ¿Por qué el doctor Barker estaba reclamando su presencia en medio de la noche? Había una sola respuesta. Le había ocurrido algo a uno de los pacientes de ella. Se tambaleó hasta el cuarto de baño y se lavó la cara con agua fría. Se miró en el espejo y pensó: "¡Por Dios! Parezco mi madre. No, mi madre nunca tuvo tan mal aspecto".

Diez minutos después Paige iba en camino de regreso al hospital. Todavía estaba medio dormida cuando tomó el ascensor hasta el cuarto piso, hacia el quirófano cuatro. Fue hasta el vestuario y se cambió, luego se lavó y se dirigió a la sala de operaciones.

Había tres enfermeras y un residente asistiendo al doctor Barker, que levantó la vista cuando Paige entró y gritó:

—¡Por Dios, se ha puesto una bata de hospital! ¿Nunca le informó nadie que en la sala de operaciones debe usar un camisolín estéril descartable?

Paige, atónita, se despertó por completo; los ojos le ardían.

—Escuche —dijo Paige, furiosa—. Se supone que terminé la guardia. Vine para hacerle un favor. No...

—No discuta conmigo —respondió con voz seca el doctor Barker—. Acérquese aquí y sostenga este retractor.

Paige se acercó a la mesa de operaciones y miró. No era su paciente, sino un extraño. "Barker no tenía motivo para llamarme. Está tratando de obligarme a renunciar al hospital. ¡Eso nunca!" Lo miró con malicia, tomó el retractor y comenzó a trabajar.

La operación era una cirugía de by-pass de arteria coronaria con injerto. Ya estaba hecha la incisión en el centro del pecho hasta la altura de la clavícula, que había sido abierta con una sierra eléctrica. El corazón y las arterias principales estaban expuestos.

Paige insertó el retractor metálico entre los bordes de la clavícula, y los separó con fuerza. Observó cómo el doctor Barker hábilmente abría la membrana que recubría el saco pericárdico y exponía el corazón.

El doctor Barker señaló las tres arterias coronarias.

—He aquí el problema —dijo Barker—. Vamos a hacer un injerto.

Hizo una incisión en la pantorrilla de una pierna, extrajo una larga franja de vena y la cosió en la arteria principal que salía del corazón. El otro extremo fue unido a la arteria coronaria, pasando el área obstruida, enviando la sangre a través de la vena implantada, pasando por alto la obstrucción.

Paige observaba trabajar al maestro. "¡Si no fuera tan desgraciado!"

La operación llevó tres horas. Cuando terminó, Paige estaba semiinconsciente. Cuando la incisión fue cerrada, el doctor Barker se dirigió a su equipo y dijo:

—Deseo agradecerles a todos. —No miró a Paige.

Paige salió a los tumbos de la habitación sin decir palabra, y subió a la oficina del doctor Benjamin Wallace. Wallace recién llegaba.

—Estás exhausta. Deberías descansar.

Paige respiró profundo para controlar la ira.

—Quiero ser transferida a otro equipo de cirugía.

Wallace la estudió un momento.

—Estás asignada al doctor Barker, ¿no es así?

—Sí.

—¿Cuál es el problema?

—Pregúntale a *él*. Me odia. Se alegrará de deshacerse de mí. Iré con cualquier otro médico; cualquiera.

—Hablaré con él —aseguró Wallace.

—Gracias.

Paige se dio vuelta y salió de la oficina. "Será mejor que me alejen de él. Si vuelvo a verlo, voy a matarlo."

Paige volvió a su casa y durmió doce horas. Se despertó con la sensación de que algo maravilloso había sucedido. Entonces recordó. "¡No tengo que ver más a la Bestia!" Condujo hasta el hospital mientras silbaba.

Cuando Paige caminaba por el pasillo, un ordenanza se le acercó.

—Doctora Taylor...

—¿Sí?

—El doctor Wallace quiere verla en su oficina.

—Gracias —dijo Paige. ¿Quién sería el jefe del nuevo equipo de cirugía? "Cualquiera será mejor", pensó Paige. Entró en la oficina de Benjamin Wallace.

—Hoy se te ve mucho mejor, Paige.

—Gracias. Me siento mucho mejor. —Y era cierto. Se sentía fantástica, llena de un inmenso alivio.

—Hablé con el doctor Barker.

Paige sonrió.

—Se lo agradezco. De veras.

—No va a dejarte ir.

La sonrisa de Paige desapareció.

—*¿Qué?*

—Dijo que estás asignada a su equipo y que allí te quedarás.

Paige no podía creer lo que estaba escuchando.

—¿Pero *por qué?* —Ella sabía por qué. El sádico desgraciado necesitaba a alguien con quien descargarse, alguien a quien humillar. —No voy a soportarlo.

El doctor Wallace respondió apenado:

—Creo que no te queda otra posibilidad. A menos que

quieras renunciar al hospital. ¿Te gustaría pensarlo?
Paige no tenía que pensarlo.
—No. —No iba a permitir que Barker la obligara a renunciar. Ese era su plan. —No —repitió lentamente—. Me quedaré.
—Bien. Entonces todo está arreglado.
"No por mucho tiempo", pensó Paige. "Ya voy a encontrar una manera de vengarme."

En el vestuario de médicos, Ken Mallory se preparaba para hacer su recorrido de salas. El doctor Grundy y otros tres médicos entraron.
—¡He ahí nuestro hombre! —exclamó Grundy—. ¿Qué tal, Ken?
—Bien —respondió Mallory.
Grundy se dirigió a los otros.
—No tiene aspecto de haber estado haciendo el amor, ¿no es cierto? —Volviéndose a Mallory. —Espero que tengas preparado nuestro dinero. Tengo planeado comprarme un cochecito al contado.
Otro médico agregó:
—Y yo voy a cambiar todo mi vestuario.
Mallory sacudió la cabeza apenado.
—Si fuera ustedes no contaría con ese dinero. ¡Prepárense para pagarme a mí!
Grundy lo estaba estudiando.
—¿Qué quieres decir?
—Si ella es lesbiana, yo soy eunuco. Es la mujer más ardiente que jamás conocí. ¡La otra noche prácticamente tuve que detenerla!
Los hombres se miraban unos a otros, preocupados.
—¿Pero no te acostaste con ella?
—La única razón por la que no lo hice, amigos, es porque nos interrumpieron camino al dormitorio. Tengo una cita el sábado a la noche; entonces todo terminará excepto los alaridos. —Mallory se terminó de vestir. —Ahora, si me disculpan, caballeros...

Una hora más tarde Grundy detuvo a Kat en el pasillo.
—Te estuve buscando —dijo. Parecía enojado.
—¿Pasa algo malo?
—Es ese maldito Mallory. Está tan seguro de sí mismo que elevó la apuesta a diez mil dólares. ¡No lo puedo creer!
—No te preocupes —lo tranquilizó Kat, con voz triste—. Va a perder.

Cuando Ken Mallory pasó a buscar a Kat el sábado a la noche, ésta tenía puesto un vestido corto que acentuaba su voluptuosa figura.
—Se te ve fantástica —la admiró.
Kat lo rodeó con los brazos.
—Quiero verme bien para ti —dijo colgándose de él.
"¡Ya lo creo que lo desea!" Cuando Mallory habló, lo hizo con voz ronca.
—Tengo una idea, Kat. Antes de salir a cenar, por qué no vamos al dormitorio y...
Kat le acariciaba el rostro.
—¡Ay, querido, ojalá pudiéramos! Paige está en casa.
—Paige estaba trabajando en el hospital.
—¡Ah!
—Pero después de cenar... —Kat dejó la sugerencia en el aire.
—¿Sí?
—Podríamos ir a tu departamento.
Mallory la abrazó y la besó.
—¡Es una idea maravillosa!
Mallory la llevó al Iron Horse Restaurant, y comieron una deliciosa cena. A pesar de sí misma, Kat estaba pasando una velada fantástica. Ken era agradable y divertido, además de increíblemente atractivo. Parecía de veras interesado en conocer todo sobre ella. Pero Kat sabía que los cumplidos sólo eran para complacerla.
"Si no supiera la verdad..."
Mallory apenas había probado la cena. Lo único que podía pensar era: "Dentro de dos horas voy a ganar diez

mil dólares... Dentro de una hora voy a ganar diez mil dólares... Dentro de media hora...”

Cuando terminaron de tomar el café, Mallory preguntó:

—¿Estás preparada?

Kat apoyó su mano sobre la de Ken.

—No tienes idea de cuánto, querido. Vamos.

Tomaron un taxi hasta el departamento de Mallory.

—Estoy completamente loco por ti —murmuró Mallory—. Nunca conocí a nadie como tú.

Kat recordaba la voz de Grundy. “Está tan seguro de sí mismo que elevó la apuesta a diez mil dólares.” Cuando llegaron al edificio, Mallory pagó al taxista y condujo a Kat hasta el ascensor. Le pareció que pasaban siglos hasta que llegaron al departamento. Mallory abrió la puerta y dijo, ansioso:

—Llegamos.

Kat entró.

Era un departamentito común de soltero que necesitaba con desesperación la mano de una mujer.

—¡Es precioso! —suspiró Kat. Se volvió a Mallory. —Eres *tú.*

Mallory sonrió.

—Déjame mostrarte *nuestra* habitación. Pondré un poco de música.

Cuando Ken se dirigió al equipo de música, Kat echó un vistazo a su reloj. La voz de Barbra Streisand llenó la habitación.

Mallory la tomó de la mano.

—Vamos, querida.

—Espera un minuto —pidió Kat con voz suave.

Mallory la miró, confundido.

—¿Para qué?

—Es que quiero disfrutar este momento contigo... antes de que...

—¿Por qué no lo disfrutamos en el dormitorio?

—Me encantaría tomar una copa.

—¿Una copa? —Trató de ocultar su impaciencia. —

Bueno. ¿Qué te gustaría tomar?

—Vodka y tónica, por favor.

Ken sonrió.

—Creo que podré hacerlo. —Fue al barcito y con prisa mezcló dos bebidas.

Kat volvió a mirar el reloj.

Mallory regresó con las bebidas y entregó una a Kat.

—Aquí tienes, nena. —Alzó su vaso. —Por nuestra unión.

—Por nuestra unión —hizo eco Kat. Tomó un sorbo de la bebida. —¡Oh, Dios mío!

Ken la miró, sorprendido.

—¿Qué pasa?

—¡Es vodka!

—Es lo que me pediste.

—¿De veras? Lo siento, ¡odio el vodka! —Kat acarició el rostro de Mallory. —¿Puedo tomar whisky y soda?

—Seguro. —Tragó su impaciencia y volvió al bar para mezclar otra bebida.

Kat volvió a mirar su reloj.

Ken Mallory regresó.

—Aquí tienes.

—Gracias, querido.

Tomó dos sorbos. Mallory tomó su vaso y lo apoyó sobre la mesa. Abrazó a Kat y la estrechó contra sí; Kat sintió que estaba excitado.

—Ahora —dijo Ken con voz suave— ¡hagamos historia!

—¡Oh, sí! ¡Claro que sí!

Kat lo dejó conducirla hasta el dormitorio.

"¡Lo hice!", pensó Mallory, emocionado. "¡Lo hice! ¡Aquí van las paredes de Jericó!" Se volvió a Kat y le dijo:

—Desvístete, nena.

—Primero tú, querido. Quiero ver cómo te desvistes. Me excita.

—¿Sí? Está bien.

Mientras Kat se le quedaba mirando, Mallory se quitó lentamente la ropa. Primero la chaqueta, después la camisa y la corbata, después los zapatos y las medias y por último los pantalones. Tenía la figura firme de un atleta.

—¿Esto te excita, nena?

—¡Oh, sí! Ahora quítate los calzoncillos.

Con lentitud Mallory dejó caer al piso los calzoncillos. Su pene estaba erecto.

—¡Es hermoso! —admiró Kat.

—Ahora es tu turno.

—Bien.

Y en ese momento, el radiollamado de Kat se encendió.

Mallory se sobresaltó.

—¿Qué diablos...?

—Me están llamando —explicó Kat—. ¿Puedo usar tu teléfono?

—*¿Ahora?*

—Sí. Debe de ser una emergencia.

—*¿Ahora?* ¿No puede esperar?

—Querido, conoces las reglas.

—Pero...

Mientras Mallory la observaba, Kat se acercó al teléfono y marcó un número.

—Habla la doctora Hunter. —Escuchó. —¿Es cierto? Por supuesto. En seguida voy.

Mallory la seguía mirando, estupefacto.

—¿Qué está pasando?

—Tengo que volver al hospital, mi amor.

—*¿Ahora?*

—Sí. Uno de mis pacientes se está muriendo.

—¿No puede esperar hasta que...?

—Lo siento. Lo haremos otra noche.

Ken Mallory se quedó ahí, desnudo por completo, mirando a Kat salir del departamento; cuando la puerta se cerró, tomó la bebida de Kat y la arrojó contra la pared. "Perra... perra... perra..."

Cuando Kat regresó al departamento, Paige y Honey la estaban esperando ansiosas.

—¿Cómo te fue? —preguntó Paige—. ¿Llamé a tiempo?
Kat se echó a reír.
—No pudiste haber llamado más a tiempo.
Kat empezó a contarles la velada. Cuando llegó a la parte en que Mallory se había desnudado en el dormitorio, con el pene erecto, lloraron de risa.
Kat estaba tentada de decirles que en realidad Ken Mallory le parecía muy agradable, pero se sintió como una tonta. Después de todo, él sólo la veía para poder ganar la apuesta.
De algún modo Paige pareció percibir lo que sentía su amiga.
—Cuídate de él, Kat.
Kat sonrió.
—No te preocupes. Pero debo admitir que si no supiera lo de esa apuesta... Es una serpiente, pero da buen aceite de serpiente.
—¿Cuando lo vuelves a ver? —quiso saber Honey.
—Le voy a dar una semana para que se calme.
Paige la estaba observando.
—¿Él o tú?

La limusina negra de Dinetto estaba esperando a Kat en la puerta del hospital. En esta oportunidad la Sombra estaba solo. Kat deseó que Rhino estuviera presente. La Sombra tenía algo que la petrificaba. Nunca sonreía y rara vez hablaba, pero toda su persona emanaba amenaza.
—Entre —dijo cuando Kat se acercó al coche.
—Mire —respondió Kat, indignada—. Dígale al señor Dinetto que no puede pasárselo dándome órdenes. No trabajo para él. Sólo porque una vez le hice un favor...
—Entre. Puede decírselo en persona.
Kat vaciló. Era fácil dar media vuelta y dejar de involucrarse, pero, ¿cómo le afectaría a Mike? Kat entró en el coche.

Esta vez la víctima había sido muy golpeada, azotada con una cadena. Lou Dinetto estaba con él.

Kat echó un vistazo al paciente y dijo:

—Tiene que llevarlo a un hospital de inmediato.

—Kat —respondió Dinetto—. Tienes que atenderlo aquí.

—¿Por qué? —reclamó Kat. Pero conocía la respuesta, y sintió terror.

CAPÍTULO DIECIOCHO

Era uno de esos días claros en San Francisco en que el aire tenía cierta magia. El viento nocturno había barrido las nubes de lluvia, y el domingo había amanecido soleado y fresco.

Jason había quedado en pasar a buscar a Paige por el departamento. Cuando llegó, ésta se sorprendió por lo feliz que se sentía de verlo.

—Buenos días —saludó Jason—. Estás hermosa.

—Gracias.

—¿Qué te gustaría hacer hoy?

Paige dijo:

—Es tu ciudad. Tú mandas, yo sigo.

—Es justo.

—Si no te molesta, me gustaría parar un momento en el hospital.

—Pensé que era tu día libre.

—Así es, pero hay un paciente que me preocupa.

—No hay problema. —Jason la llevó hasta el hospital.

—No tardaré —prometió Paige al bajarse.

—Te espero aquí.

Paige subió al tercer piso, a la habitación de Jimmy Ford. Todavía estaba en coma, conectado a una serie de tubos que lo alimentaban por vía endovenosa.

Había una enfermera en el cuarto, que levantó la mirada cuando Paige entró.

—Buenos días, doctora Taylor.

—Buenos días. —Paige se acercó junto a la cama del muchacho. —¿Hubo algún cambio?

—Me temo que no.

Paige tomó el pulso de Jimmy y escuchó el latido de su corazón.

—Ya pasaron dos semanas —comentó la enfermera—. No se lo ve bien, ¿no?

—Va a salir de esto —respondió Paige con firmeza. Miró la figura inconsciente que yacía sobre la cama y alzó la voz. —¿Me oíste? ¡Te vas a poner bien! —No hubo reacción. Paige cerró los ojos un momento y oró en silencio. —Que se comuniquen de inmediato conmigo si hay algún cambio.

—Sí, doctora.

"No va a morir", pensó Paige. "No voy a dejarlo morir..."

Jason salió del auto cuando se acercaba Paige.

—¿Todo bien?

No tenía sentido cargarlo con sus problemas.

—Todo bien —respondió Paige.

—Hagamos de turistas —propuso Jason—. Existe una ley estatal que ordena que todas las excursiones deben empezar en Fisherman's Wharf.

Paige sonrió.

—No debemos violar la ley.

Fisherman's Wharf parecía un carnaval al aire libre. Los artistas callejeros desplegaban todo su arte. Había mimos, payasos, bailarines y músicos. Los buhoneros vendían de calderos hirvientes cangrejos frescos de Dungeness y sopa de almejas con pan casero recién hecho.

—¡No existe ningún lugar en el mundo como éste! —exclamó Jason.

A Paige le conmovió su entusiasmo. Conocía Fisherman's Wharf, así como la mayor parte de los demás sitios turísticos de San Francisco, pero no quería echar a perder la alegría de Jason.

—¿Alguna vez anduviste en funicular? —preguntó Jason.

—No. —"No desde la semana pasada."

—¡No sabes lo que es vivir! Ven.

Caminaron hasta Powell Street y se subieron a un funicular. Cuando comenzaron a ascender la empinada cuesta, Jason explicó:

—Esto se conocía como Hallidie's Folly. Lo construyó en 1873.

—¡Y te apuesto a que dijeron que no duraría!

Jason se echó a reír.

—Así es. Cuando iba a la escuela secundaria, trabajaba los fines de semana como guía turístico.

—Estoy segura de que eras bueno.

—El mejor. ¿Te gustaría escuchar parte de mi repertorio?

—¡Me encantaría!

Jason adoptó el tono nasal de un guía turístico:

—Damas y caballeros, para vuestra información, la calle más antigua de San Francisco es Grant Avenue y la más larga es Mission Street, con doce kilómetros de longitud; la más ancha es Van Ness Avenue, con treinta y ocho metros, y se sorprenderán al saber que la más angosta, DeForest Street, cuenta con sólo un metro y medio de ancho. Así es, damas y caballeros, un metro y medio. La calle más empinada con que contamos es Filbert Street, con treinta y un grados de declive. —Miró a Paige y sonrió. —Me sorprende que todavía lo recuerde.

Cuando descendieron del funicular, Paige miró a Jason y sonrió.

—¿Qué sigue?

—Vamos a dar un paseo en carruaje.

Diez minutos más tarde estaban sentados en un carruaje tirado por caballos, que los llevó por Fisherman's Wharf, Ghirardelli Square y North Beach. Jason señaló los sitios de interés a lo largo del camino, y a Paige le sorprendió cuánto se estaba divirtiendo. "No te engañes..."

Subieron a Coit Tower para tener una vista panorámica de la ciudad. Mientras ascendían, Jason le preguntó:

—¿Tienes hambre?

El aire fresco le había abierto el apetito a Paige.

—Sí.

—Bien. Te voy a llevar a uno de los mejores restaurantes chinos del mundo: Tommy Toy's.

Paige había oído al personal del hospital hablar sobre él.

La comida resultó ser un banquete. Empezaron con patas de langosta con salsa de ajíes, y sopa agria caliente con mariscos. A continuación comieron filete de pollo con arvejas y pacanas, filete de ternera con salsa Szechwan y arroz frito aromatizado. Como postre tomaron crema de durazno. La cena fue exquisita.

—¿Vienes aquí con frecuencia? —preguntó Paige.

—Tanto como puedo.

Jason tenía cierto aire infantil que a Paige le parecía muy atractivo.

—Dime, ¿siempre quisiste ser arquitecto?

—No tuve opción. —Jason sonrió. —Mis primeros juguetes fueron juegos de ladrillos para armar. Es emocionante soñar con algo y después ver cómo ese sueño se convierte en cemento, ladrillos y piedra, y sube al cielo y se convierte en parte de la ciudad en la que vives.

"Voy a construirte un Taj Mahal. No me importa cuánto tiempo me lleve."

—Soy uno de los pocos afortunados, Paige, al pasarme la vida haciendo lo que adoro. ¿Quién fue que dijo: "La mayoría de las personas vive vidas de callada desesperación"?

"Suena como muchos de mis pacientes", pensó Paige.

—No existe otra cosa que me gustaría hacer, ni otro lugar donde me gustaría vivir. San Francisco es una ciudad fabulosa. —Su voz estaba llena de emoción. —Tiene todo lo que cualquier persona pueda desear. Nunca me canso de ella.

Paige lo observó un momento, disfrutando su entusiasmo.
—¿Nunca te casaste?
Jason se encogió de hombros.
—Una vez. Éramos demasiado jóvenes; no funcionó.
—Lo siento.
—No es necesario; ella se casó con un mayorista de carne muy acaudalado. ¿Y tú, estuviste casada?
"Cuando sea grande yo también voy a ser médico. Nos casaremos y trabajaremos juntos. ¿Vas a esperarme?"
—No.

Tomaron un crucero por la bahía, por debajo del Golden Gate y por Bay Bridges. Jason volvió a emular la voz del guía turístico:
—¡Y allí, damas y caballeros, se encuentra la histórica Alcatraz, antiguo hogar de algunos de los criminales más infames del mundo: Ametralladora Kelly, Al Capone y Robert Stroud, conocido como "el Hombre Pájaro"! Alcatraz significa pelícano. Originalmente se llamaba Isla de los Alcatraces, debido a los pájaros que eran sus únicos habitantes. ¿Sabes por qué a los prisioneros les hacían dar duchas de agua caliente todos los días?
—No.
—Para que no pudieran acostumbrarse al agua fría de la bahía cuando intentaran escapar.
—¿Es verdad? —preguntó Paige.
—¿Alguna vez te mentí?

Caía la tarde cuando Jason preguntó:
—¿Alguna vez visitaste Noe Valley?
Paige sacudió la cabeza.
—No.
—Me gustaría llevarte. Antes eran todas granjas y arroyos. Ahora está lleno de casas victorianas y de jardines con colores brillantes. Las casas son muy antiguas porque fue la única zona que se salvó del terremoto de 1906.
—Suena fantástico.

Jason vaciló.
—Mi casa está allí. ¿Te gustaría verla? —Vio la reacción de Paige y dijo: —Paige, estoy enamorado de ti.
—Apenas nos conocemos. ¿Cómo pudiste...?
—Lo supe desde el momento en que me dijiste: "¿Acaso nadie le explicó que debe ponerse una chaqueta blanca para el recorrido?" En ese momento me enamoré de ti.
—Jason...
—Soy un firme creyente en el amor a primera vista. Mi abuelo vio a mi abuela dando un paseo en bicicleta por el parque, la siguió y se casaron tres meses más tarde. Vivieron juntos cincuenta años, hasta que mi abuelo murió. Mi padre vio a mi madre cuando cruzaba la calle, y supo que ésa iba a ser su esposa. Hace cuarenta y cinco años que están casados. Ya ves, es hereditario. Quiero casarme contigo.
Era el momento de la verdad.
Paige miró a Jason y pensó: "He aquí el primer hombre que me atrae desde Alfred. Es adorable, inteligente y genuino. Es todo lo que una mujer podría desear en un hombre. ¿Qué es lo que me pasa? Estás pendiente de un fantasma." Sin embargo, en lo más profundo de su ser, seguía teniendo la abrumadora sensación de que algún día Alfred volvería a buscarla.
Miró a Jason y tomó una decisión.
—Jason...
Y en ese momento sonó el radiollamado de Paige. Sonaba urgente, ominoso.
—Paige...
—Tengo que conseguir un teléfono. —Dos minutos después hablaba con el hospital.
Jason vio que Paige empalidecía.
Paige estaba gritando en el teléfono:
—¡No! ¡Definitivamente no! Dígales que llegaré de inmediato. —Colgó el auricular con violencia.
—¿Qué sucede? —preguntó Jason.
Paige miró a Jason y los ojos se le llenaron de lágrimas.
—Es Jimmy Ford, mi paciente. Van a desconectarlo del respirador. Van a dejarlo morir.

Cuando Paige llegó a la habitación de Jimmy Ford había tres personas junto a la figura en coma que yacía sobre la cama: George Englund, Benjamin Wallace y un abogado, Silvester Damone.

—¿Qué está pasando aquí? —interrogó Paige.

Benjamin Wallace respondió:

—Esta mañana, en el Comité de Ética del hospital se decidió que la condición de Jimmy Ford es irreversible. Hemos decidido quitar...

—¡No! —exclamó Paige—. ¡No pueden! ¡Yo soy su médica, y digo que tiene posibilidades de salir adelante! ¡No *vamos* a dejarlo morir!

Silvester Damone interpuso:

—No es usted quien debe tomar la decisión, doctora.

Paige lo miró, desafiante.

—¿Quién es usted?

—Soy el abogado de la familia. —Extrajo un documento y se lo entregó a Paige. —Este es el testamento en vida de Jimmy Ford. Especifica que si padece de algún trauma que ponga en peligro su vida, no deberá ser mantenido vivo por medios mecánicos.

—Pero he estado monitoreando su condición —rogó Paige . Hace dos semanas que está estabilizado. Puede mejorar en cualquier momento.

—¿Puede garantizarlo? —preguntó Damone.

—No, pero...

—Entonces tendrá que hacer lo que se le ordena, doctora.

Paige bajó la mirada a la figura de Jimmy:

—¡No! ¡Tienen que esperar un poco más!

El abogado respondió con voz suave:

—Doctora, estoy seguro de que, cuanto más tiempo permanecen los pacientes en el hospital, es mejor para el hospital, pero la familia ya no está en condiciones de sufragar los gastos médicos. Ahora le ordeno que lo desconecte del respirador.

—Sólo uno o dos días más... pidió Paige con desesperación— ...estoy segura de que...

—No —respondió Damone con firmeza—. Hoy.

George Englund se volvió a Paige.

—Lo siento, pero me temo que no nos queda otra opción.

—Gracias, doctor —dijo el abogado—. Dejaré que lo maneje según su criterio. Notificaré a la familia que se realizará de inmediato, para que puedan empezar con los arreglos fúnebres. —Se volvió a Benjamin Wallace. —Gracias por su cooperación. Buenas tardes.

Lo observaron salir de la habitación.

—¡No podemos hacerle esto a Jimmy! —suplicó Paige.

El doctor Wallace se aclaró la garganta.

—Paige...

—¿Y si lo sacáramos de aquí y lo escondiéramos en otra habitación? Debe de haber alguna solución en la que no pensamos. Algo...

Benjamin Wallace la interrumpió:

—No se trata de un pedido, sino de una orden. —Se volvió a George Englund. —¿Quieres...?

—¡No! —exclamó Paige—. Yo... yo lo haré.

—Muy bien.

—Si no les importa, me gustaría quedar a solas con él.

George Englund le apretó el brazo.

—Lo siento, Paige.

—Lo sé.

Paige observó a los dos hombres salir de la habitación. Quedó a solas con el muchacho inconsciente. Miró el respirador que lo mantenía con vida y el suero intravenoso que alimentaba su cuerpo. ¡Era tan sencillo desconectar el respirador, eliminar una vida...! Pero Jimmy había tenido tantos sueños maravillosos, tantas esperanzas...

"Voy a ser médico, y ¿sabes algo? ¡Voy a ser médico como tú!"

"¿Sabías que voy a casarme? Mi novia se llama Betsy. Vamos a tener media docena de hijos. La primera niña se llamará Paige."

¡Tenía tantos motivos para vivir!

Paige se quedó mirándolo; las lágrimas borroneaban la habitación.

—¡Maldito seas! —dijo—. ¡Eres un perdedor! —Estaba sollozando. —¿Qué pasó con todos tus sueños? ¡Pensé que querías ser médico! ¡Contéstame! ¿Me escuchas? ¡Abre los ojos! —Miró la pálida figura. No hubo reacción. —Lo lamento. ¡Lo lamento tanto! —Se inclinó para besarlo en la mejilla, y cuando se enderezó, Jimmy tenía los ojos abiertos.

—¡Jimmy! *¡Jimmy!*

El muchacho pestañeó y volvió a cerrar los ojos. Paige le apretó la mano. Se inclinó hacia adelante y dijo, en medio de sollozos:

—Jimmy, ¿oíste el chiste del paciente que era alimentado por vía endovenosa? Le pidió al médico otra botella de suero porque tenía un invitado para almorzar.

CAPÍTULO DIECINUEVE

Honey era más feliz de lo que jamás había sido en toda su vida. Tenía una relación cálida con sus pacientes, de la que podían jactarse pocos de los demás médicos. Trabajaba en geriatría, pediatría y en otras salas. El doctor Wallace se ocupaba de que le dieran tareas en las que no constituyera un peligro; quería asegurarse de que Honey permaneciera en el hospital para tenerla a su alcance.

Honey envidiaba a las enfermeras. Éstas podían cuidar a sus pacientes sin tener que tomar decisiones médicas importantes. "Nunca quise ser médica", pensaba Honey. "Siempre quise ser enfermera."

"No hay enfermeras en la familia Taft."

Cuando Honey salía del hospital por la tarde, iba de compras a Bay Company y a Streetlight Records, y compraba regalos para los niños de la sala de pediatría.

—Adoro los niños —le contó a Kat.

—¿Tienes planeada una familia grande?

—Algún día —respondió Honey con añoranza—. Primero tengo que encontrar al padre.

Uno de los pacientes favoritos de Honey en la sala de geriatría era Daniel McGuire, un hombre alegre que rondaba los noventa años. Sufría del hígado. En su juventud había sido apostador, y le gustaba jugar apuestas con Honey.

—Te apuesto cincuenta centavos a que el ordenanza llegará tarde con mi desayuno...

—Te apuesto un dólar a que esta tarde va a llover...

—Te apuesto a que los Giants van a ganar...

Honey siempre aceptaba las apuestas.

—Te apuesto diez a uno a que voy a ganarle a esta maldita enfermedad.

—Esta vez no voy a aceptar la apuesta —respondió Honey— porque estoy de su lado.

El señor McGuire tomó su mano.

—Lo sé. —Sonrió. —Si fuera algunos meses más joven...

Honey se echó a reír.

—No importa. Me gustan los hombres maduros.

Una mañana llegó al hospital una carta dirigida a Daniel McGuire. Honey se la llevó a su habitación.

—¿Me la puedes leer? —Su vista no era buena.

—Por supuesto —accedió Honey. Abrió el sobre, lo leyó por un momento y gritó: —¡Ganó la lotería! ¡Cincuenta mil dólares! ¡Lo felicito!

—¿Qué te parece? —gritó—. ¡Siempre supe que algún día ganaría la lotería! ¡Dame un abrazo!

Honey se inclinó y lo abrazó.

—¿Sabes algo, Honey? Soy el hombre más afortunado del mundo.

Cuando Honey regresó a visitarlo esa tarde, había fallecido.

Honey estaba en el salón de los médicos cuando entró el doctor Stevens.

—¿Hay alguien de Virgo?

Uno de los médicos se echó a reír.

—Si lo que buscas es una persona virgen, lo dudo.

—De *Virgo* —repitió Stevens—. Necesito a alguien de virgo.

—Yo soy de Virgo —respondió Honey—. ¿Cuál es el problema?

Stevens se acercó a ella.

—El problema es que tengo una maldita maníaca a mi cargo. No quiere que se le acerque nadie que no sea de Virgo.
Honey se puso de pie.
—Iré a verla.
—Gracias. Su nombre es Frances Gordon.

Frances Gordon acababa de ser sometida a una operación de reemplazo de cadera. En cuanto Honey entró en la habitación, la mujer alzó la mirada y dijo:
—Eres de Virgo. Naciste en la cúspide, ¿no es así?
Honey sonrió.
—Es verdad.
—Esos acuarianos y leoninos que no saben qué diablos hacen. Tratan a los pacientes como si fueran un pedazo de carne.
—Los médicos de aquí son muy buenos —protestó Honey—. Ellos...
—¡Bah! La mayoría está aquí por el dinero. —Miró a Honey con mayor atención. —Tú eres diferente.
Honey observó el cuadro de la paciente al pie de la cama y pareció sorprendida.
—¿Qué pasa? ¿Qué estás mirando?
Honey pestañeó.
—Aquí dice que su ocupación es... que usted es psíquica.
Frances Gordon asintió.
—Así es. ¿No crees en la psiquis?
Honey sacudió la cabeza.
—Me temo que no.
—¡Qué lástima! Siéntate un minuto.
Honey tomó una silla.
—Déjame verte la mano.
Honey sacudió la cabeza.
—De veras no...
—Vamos, dame la mano.
Con desgano Honey dejó que le tomara la mano.
Frances Gordon la sostuvo un momento y cerró los ojos. Cuando volvió a abrirlos dijo:

—Has tenido una vida difícil, ¿no es así?

"Todo el mundo tuvo una vida difícil", pensó Honey. "Ahora me va a decir que voy a hacer un viaje por mar."

—Usaste a muchos hombres, ¿no es verdad?

Honey sintió que se ponía tensa. Empezó a retirar la mano.

—Vas a enamorarte.

Honey dijo:

—Creo que de verdad tengo que...

—Es artista.

—No conozco a ningún artista.

—Lo conocerás. —Frances Gordon le soltó la mano. —Vuelve a verme —ordenó.

—Claro.

Honey salió corriendo.

Honey se detuvo a visitar a la señora Owens, una nueva paciente, una mujer delgada que aparentaba tener casi cincuenta años. Sin embargo, la edad registrada en su cuadro era veintiocho. Tenía la nariz rota, los dos ojos negros y la cara hinchada y amoratada.

Honey se acercó a su cama.

—Soy la doctora Taft.

La mujer la miró con ojos apagados e inexpresivos. Permaneció en silencio.

—¿Qué le sucedió?

—Me caí de unas escaleras. —Cuando abrió la boca, Honey vio que le faltaban dos dientes delanteros.

Honey echó un vistazo a su cuadro.

—Aquí dice que tiene dos costillas rotas y la pelvis fracturada.

—Sí, fue una caída terrible.

—¿Y cómo es que tiene los ojos amoratados?

—Cuando me caí.

—¿Está casada?

—Sí.

—¿Tiene hijos?

—Dos.

—¿A qué se dedica su marido?

—Dejemos fuera a mi marido, ¿está bien?
—Me temo que no está bien —respondió Honey—. ¿Es él quien la golpea?
—Nadie me golpeó.
—Voy a tener que enviar un informe a la policía.
De repente la señora Owens entró en pánico.
—¡No! ¡Por favor no!
—¿Por qué no?
—¡Él me va a matar! ¡Usted no lo conoce!
—¿La había golpeado antes?
—Sí, pero él... no es que quiera golpearme. Se emborracha y se pone de mal humor.
—¿Por qué no lo abandonó?
La señora Owens se encogió de hombros; el movimiento le causó dolor.
—Los niños y yo no tenemos adónde ir.
Honey la escuchaba, furiosa.
—No tiene por qué soportar esto. Existen refugios y organismos que se ocuparán de usted y la protegerán a usted y a sus hijos.
La mujer sacudió la cabeza, desesperada.
—No tengo dinero. Perdí mi empleo de secretaria cuando él empezó... —No pudo continuar.
Honey le apretó la mano.
—Todo va a salir bien. Me encargaré de que se resuelva su situación.
Cinco minutos más tarde Honey entró en la oficina del doctor Wallace. Éste quedó encantado al verla. ¿Qué traería hoy? En diversas oportunidades había utilizado miel tibia, agua caliente, chocolate derretido y, su favorita, miel de arce. El ingenio de Honey no tenía límites.
—Cierra la puerta, nena.
—No puedo quedarme, Ben. Tengo que volver.
Le contó el caso de su paciente.
—Tendrás que enviar un informe a la policía —respondió Wallace—. Es la ley.
—La ley no la protegió antes. Mira, lo único que desea es alejarse de su marido. Trabajó como secretaria. ¿No dijiste que necesitabas una secretaria en el archivo?

—Pues, sí, pero... ¡espera un minuto!
—Gracias —respondió Honey—. La ayudaremos a que vuelva a ponerse de pie y le encontraremos un sitio donde vivir, y tendrá un nuevo trabajo.
Wallace suspiró.
—Veré qué puedo hacer.
—Sabía que lo harías —dijo Honey.

A la mañana siguiente, Honey volvió para ver a la señora Owens.
—¿Cómo se siente hoy? —preguntó Honey.
—Mejor, gracias. ¿Cuándo puedo volver a mi casa? A mi esposo no le gusta que...
—Su esposo no va a molestarla más —respondió Honey con firmeza—. Se quedará aquí hasta que encontremos un lugar para usted y para sus hijos. Cuando se sienta lo suficientemente bien, va a tener un empleo aquí, en el hospital.
La señora Owens la miró, incrédula.
—¿Lo dice... lo dice de veras?
—Por supuesto. Vivirá en su propio departamento con sus hijos. No tendrá que seguir soportando esa clase de horror, y tendrá un empleo respetable y bien remunerado.
La señora Owens tomó la mano de Honey.
—No sé cómo agradecerle —dijo entre sollozos—. No sabe lo que he sufrido.
—Puedo imaginarlo. Todo va a salir bien.
La mujer asintió, demasiado emocionada para hablar.

Al día siguiente, cuando Honey volvió para visitar a la señora Owens, encontró la habitación vacía.
—¿Dónde está? —preguntó.
—¡Ah! Se fue esta mañana con su marido —respondió la enfermera.

Por el altoparlante volvían a repetir su nombre: "Doctora Taft... habitación 215... Doctora Taft... habitación 215.

En el pasillo Honey se cruzó con Kat.

—¿Cómo va tu día? —preguntó Kat.

—¡No lo creerías! —respondió Honey.

El doctor Ritter la estaba esperando en la 215. En la cama había un muchacho indio de unos treinta años.

El doctor Ritter preguntó:

—¿Es su paciente?

—Sí.

—Aquí dice que no habla inglés ¿no es verdad?

—Sí.

Le mostró el cuadro.

—¿Y ésta es su letra?: vómitos, calambres, sed, deshidratación...

—Así es —respondió Honey.

—...ausencia de pulso periférico...

—Sí.

—¿Y cuál fue su diagnóstico?

—Fiebre estomacal.

—¿Pidió un análisis de materia fecal?

—No, ¿para qué?

—¡Porque su paciente sufre de cólera, para eso es! —El doctor Ritter estaba gritando. —¡Vamos a tener que clausurar el maldito hospital!

CAPÍTULO VEINTE

—*¡Cólera!* ¿Me estás diciendo que este hospital tiene un paciente con *cólera*? —aulló Benjamin Wallace.

—Me temo que sí.

—¿Estás absolutamente *seguro*?

—No existen dudas —respondió el doctor Ritter—. Tiene baja presión arterial, hipotensión, taquicardia y cianosis.

Por ley, todos los casos de cólera y otras enfermedades infecciosas deben ser informados de inmediato al Consejo Sanitario del Estado y al Centro para el Control de Enfermedades en Atlanta.

—Vamos a tener que informarlo, Ben.

—¡Nos van a clausurar! —Wallace se puso de pie y comenzó a caminar. —No podemos darnos ese lujo. Prefiero morirme antes que poner en cuarentena a todos los pacientes de este hospital. —Dejó de caminar por un momento. —¿El paciente sabe qué enfermedad padece?

—No, no habla inglés. Es de la India.

—¿Quién tiene contacto con él?

—Dos enfermeras y la doctora Taft.

—¿Y la doctora Taft diagnosticó fiebre estomacal?

—Así es. Supongo que vas a despedirla.

—Pues, no —respondió Wallace—. Cualquiera puede cometer un error. Actuemos con calma. ¿En el cuadro del paciente figura fiebre estomacal?

—Sí.

Wallace tomó una decisión.

—Entonces dejemos las cosas así. Quiero que hagas lo

siguiente: comienza a rehidratarlo por vía endovenosa, utiliza solución láctea de Ringer. También adminístrale tetraciclina. Si podemos recuperar el volumen sanguíneo y la hidratación de inmediato, podría volver casi a la normalidad en pocas horas.

—¿No vamos a informarlo? —quiso saber el doctor Ritter.

Wallace lo miró con ironía.

—¿Informar un caso de fiebre estomacal?

—¿Y las enfermeras y la doctora Taft?

—También dales tetraciclina. ¿Cómo se llama el paciente?

—Pandit Jawah.

—Ponlo en cuarentena durante cuarenta y ocho horas. Para entonces estará recuperado o muerto.

Honey estaba aterrorizada, y fue a buscar a Paige.

—Necesito tu ayuda.

—¿Cuál es el problema?

Honey le contó.

—Quisiera que hablaras con él. No habla inglés y tú hablas indio.

—Hindi.

—Como se llame. ¿Puedes hablar con él?

—Por supuesto.

Diez minutos más tarde, Paige hablaba con Pandit Jawah.

—*Aap ki tabyat kaisi hai?*

—*Karabhai.*

—*Aap jald acha ko hum kardenge.*

—*Bhagwan aap ki soney ga.*

—*Aap ka ilaj hum jalb shuroo kardenge.*

—*Shukria.*

—*Dost kiss liay hain?*

Paige condujo a Honey al pasillo, fuera de la habitación.

—¿Qué dijo?

—Dijo que se siente muy mal. Le dije que se iba a mejorar. Dijo que se lo contara a Dios. Le contesté que vamos a iniciar el tratamiento de inmediato. Dijo que se siente agradecido.

—También yo.

—¿Para qué son los amigos?

El cólera es una enfermedad donde puede sobrevenir la muerte dentro de las veinticuatro horas por deshidratación, o puede curarse en pocas horas.

Cinco horas después del inicio del tratamiento, Pandit Jawah había vuelto casi a la normalidad.

Paige pasó a ver a Jimmy Ford.

A éste se le encendió el rostro al verla.

—Hola. —Tenía la voz débil, pero había mejorado como por un milagro.

¿Cómo te sientes? —preguntó Paige.

—Fantástico. ¿Sabes el del médico que dijo a su paciente: "Lo mejor que puede hacer es dejar de fumar, abandonar la bebida y reducir su vida sexual"? El paciente contesta: "No merezco lo mejor. ¿Qué otra cosa puedo hacer?"

Y Paige supo que Jimmy Ford iba a recuperarse.

Ken Mallory estaba saliendo de la guardia para encontrarse con Kat cuando oyó su nombre por el altoparlante. Vaciló, sin saber si responder o simplemente escaparse. Volvieron a llamarlo. Con desgano, tomó un teléfono.

—Doctor Mallory.

—Doctor, ¿podría venir a la sala de emergencia 2, por favor? Tenemos un paciente que...

—Lo siento —respondió Mallory—. Acabo de salir de guardia. Busquen a otro médico.

No hay otro médico que pueda tratarlo. Tiene una

úlcera sangrante, y la condición del paciente es crítica. Creo que vamos a perderlo si...

"¡Maldita sea!"

—De acuerdo. En seguida voy. "Voy a tener que llamar a Kat y decirle que voy a llegar tarde."

El paciente en la sala de emergencia era un hombre de unos sesenta años. Estaba semiconsciente, pálido como un fantasma, y transpiraba. Respiraba con dificultad y era evidente que sufría un terrible dolor. Mallory le echó un vistazo y ordenó:

—Llévenlo a un quirófano. ¡Stat!

Quince minutos después, Mallory tenía al paciente sobre la mesa de operaciones. El anestesista supervisaba la presión sanguínea.

—Está bajando rápido.

—Bombeen más sangre.

Ken Mallory comenzó a operar, luchando contra el tiempo. Sólo le llevó un instante cortar la piel, y después, la capa de grasa, el músculo y finalmente el peritoneo, suave y transparente, el revestimiento del abdomen. La sangre entraba a borbotones en el estómago.

—¡Succión! —ordenó Mallory—. Consigan diez unidades de sangre del banco. —Comenzó a cauterizar los vasos sangrantes.

La operación duró cuatro horas; cuando terminó, Mallory estaba exhausto. Miró al paciente y dijo:

—Va a vivir.

Una de las enfermeras le sonrió con calidez.

—¡Qué bueno que estuviera aquí, doctor Mallory!

Mallory la miró. La enfermera era joven y bonita; evidentemente aceptaría una proposición. "Ya llegará tu turno, nena", pensó. Se volvió a un residente menor:

—Ciérrenlo y llévenlo a Recuperación. Pasaré a verlo por la mañana.

Mallory no sabía si telefonear o no a Kat, pero ya era medianoche. Le envió dos docenas de rosas.

Cuando ingresó al hospital a las seis de la mañana, Mallory pasó por Recuperación para ver a su nuevo paciente.

—Está despierto —informó la enfermera.

Mallory se acercó a la cama.

—Soy el doctor Mallory. ¿Cómo se siente?

—Cuando pienso en la alternativa, me siento bien —respondió el paciente débilmente—. Me contaron que usted me salvó la vida. Fue de lo peor. Iba en mi auto camino a una cena, y de repente sentí un dolor terrible; creo que me desmayé. Por suerte estábamos a sólo una cuadra del hospital y me trajeron a la guardia.

—Fue afortunado. Perdió mucha sangre.

—Me dijeron que, si hubieran pasado diez minutos más, habría muerto. Quiero agradecérselo, doctor.

Mallory se encogió de hombros.

—Sólo estaba haciendo mi trabajo.

El paciente lo observaba minuciosamente.

—Soy Alex Harrison.

El nombre no significaba nada para Mallory.

—Encantado de conocerlo, señor Harrison. —Revisó el pulso de Harrison. —¿Ahora le duele?

—Un poco, pero creo que me tienen bastante sedado.

—La anestesia desaparecerá y también el dolor —le aseguró Mallory—. Va a ponerse bien.

—¿Cuánto tiempo tendré que permanecer en el hospital?

—Saldrá dentro de pocos días.

Un empleado de la administración entró en la habitación con algunos formularios del hospital.

—Señor Harrison, para nuestros archivos necesitamos saber si posee cobertura médica.

—Quiere decir que quieren saber si puedo pagar mis cuentas.

—Bueno, no lo diría de ese modo, señor.

—Puede consultar con el San Francisco Fidelity Bank —respondió con voz áspera—. Es mío.

A la tarde, cuando Mallory pasó a visitar a Alex Harrison, una mujer atractiva lo acompañaba. Rondaba los treinta años, era rubia y delgada y vestía con elegancia. Llevaba puesto un vestido Adolfo que Mallory imaginó que debió de haberle costado más que su salario mensual.

—¡Ah! ¡Aquí llega nuestro héroe! —exclamó Alex Harrison—. Doctor Mallory, ¿no es cierto?

—Así es. Ken Mallory.

—Doctor Mallory, le presento a mi hija Lauren.

Ésta extendió una mano delgada y cuidada.

—Papá me cuenta que le salvó la vida.

Mallory sonrió.

—Para eso están los médicos.

Lauren lo miraba con aprobación.

—No todos los médicos.

A Mallory le quedó claro que estas dos personas no encajaban en un hospital de condado. Dijo a Alex Harrison:

—Se está reponiendo, pero tal vez se sentiría más cómodo si llamara a su médico.

Alex Harrison sacudió la cabeza.

—No será necesario. Él no me salvó la vida, sino usted. ¿A usted le gusta trabajar aquí?

Era una pregunta extraña.

—Sí... es interesante. ¿Por qué?

Harrison se incorporó en la cama.

—Bueno, sólo pensaba. Un muchacho bien parecido y tan capaz podría tener un futuro muy brillante. No creo que tenga mucho futuro en un sitio como éste.

—Bueno, yo...

—Tal vez fue el Destino quien me trajo hasta aquí.

Lauren interrumpió.

—Creo que lo que trata de decir mi padre es que le gustaría demostrarle su agradecimiento.

—Lauren tiene razón. Es preciso que usted y yo tengamos una conversación seria cuando salga de aquí. Me gustaría que viniera a casa a cenar.

Mallory miró a Lauren y respondió con voz pausada:

—Me encantaría.

Y en ese momento su vida cambió.

A Ken Mallory le estaba resultando muy difícil salir con Kat.

—¿Qué te parece el lunes por la noche, Kat?

—Maravilloso.

—Bien. Te pasaré a buscar a las...

—¡Espera! Acabo de recordar: va a venir un primo mío de Nueva York a pasar la noche.

—Bueno, ¿y el martes?

—El martes estoy de guardia.

—¿El miércoles?

—Les prometí a Paige y a Honey que haríamos algo juntas el miércoles.

Mallory se estaba desesperando. El tiempo se le terminaba demasiado rápido.

—¿Y el jueves?

—El jueves está bien.

—Fantástico. ¿Te paso a buscar?

—No. ¿Por qué no nos encontramos en Chez Panisse?

—Muy bien. ¿A las ocho?

—Perfecto.

Mallory esperó en el restaurante hasta las nueve de la noche y después decidió telefonear a Kat. No hubo respuesta. Esperó otra media hora. "Quizás entendió mal", pensó. "Kat no me dejaría plantado a propósito."

A la mañana siguiente vio a Kat en el hospital. Ésta se acercó corriendo.

—¡Ay, Ken, lo siento tanto! Fue por una tontería. Decidí dormir una siestita antes de salir. Me quedé dormida y cuando me desperté era medianoche. ¡Pobrecito! ¿Me esperaste mucho tiempo?

—No, no, está bien. —"¡Qué mujer estúpida!" Se acercó a Kat. —Quiero terminar lo que empezamos, nena, me vuelvo loco cuando pienso en ti.

—Yo también. Apenas puedo esperar.

—Tal vez el próximo fin de semana podamos

—¡Ay, querido, estoy ocupada el fin de semana!
Y así una y otra vez.
Y el reloj seguía corriendo.

Kat le estaba contando a Paige las últimas novedades cuando sonó su radiollamado.
—Discúlpame. —Kat tomó un teléfono. —Habla la doctora Hunter. —Escuchó un momento. —Gracias. Voy de inmediato. —Colgó el receptor. —Tengo que irme. Una emergencia.
Paige suspiró.
—¿Qué otra novedad hay?
Kat recorrió el pasillo y bajó con el ascensor hasta la sala de emergencia. En su interior había dos docenas de camillas, todas ocupadas. A Kat se le ocurrió que era el cuarto de los que sufrían, lleno de noche y de día de víctimas de accidentes automovilísticos, disparos de arma, heridas de arma blanca y extremidades torcidas; un caleidoscopio de vidas destrozadas. Para Kat era un rinconcito del infierno
Un ordenanza se le acercó corriendo.
—Doctora Hunter...
—¿Qué tenemos? —preguntó Kat. Se estaban acercando a una camilla en el extremo más alejado de la habitación.
—Está inconsciente. Parece que alguien lo molió a golpes. Tiene la cara y la cabeza golpeada, la nariz rota, un omóplato roto, por lo menos dos fracturas diferentes en el brazo derecho, y...
—¿Por qué me llamaron a mí?
—Los paramédicos creen que tiene la cabeza dañada. Podría haber lesión cerebral.
Habían llegado a la camilla donde yacía la víctima. Tenía la cara cubierta con sangre, hinchada y lastimada. Llevaba puestos zapatos de lagarto y... el corazón de Kat dio un vuelco. Se inclinó hacia adelante y miró a la víctima más de cerca. Era Lou Dinetto.
Kat recorrió con dedos diestros el cuero cabelludo y

le examinó los ojos. No cabía duda de que había conmoción.

Se apresuró a llegar al teléfono y discó.

—Habla la doctora Hunter. Quiero que saquen una tomografía de cabeza. El nombre del paciente es Dinetto, Lou Dinetto. También bajen una camilla rodante, stat.

Kat colgó el receptor y concentró la atención en Dinetto. Dijo al ordenanza:

—Quédese con él. Cuando llegue la camilla, llévelo al tercer piso. Estaré esperando.

Treinta minutos más tarde en el tercer piso, Kat estudiaba la tomografía que había ordenado.

—Tiene un poco de hemorragia cerebral, fiebre alta y está en estado de shock. Lo quiero estabilizado durante veinticuatro horas. Al cabo de ese tiempo decidiré cuándo vamos a operar.

Kat se preguntó si lo que le había pasado a Dinetto podría afectar a Mike, y de qué manera.

Kat pasó a ver a Jimmy. Éste se sentía mucho mejor.

—¿Sabes el del exhibicionista en el departamento de prendas de vestir? Se acerca a una ancianita y se abre el piloto. La anciana lo mira un momento y le dice: "¿A *eso* llama usted una buena terminación?"

Kat cenaba con Mallory en un restaurante íntimo cerca de la bahía. Sentada frente a Mallory, mientras lo observaba, Kat se sentía culpable. "Nunca debí haber comenzado esto", pensó. "Sé la clase de hombre que es, y sin embargo lo estoy pasando fantástico. ¡Maldito sea! Pero ahora no puedo echar a perder nuestro plan."

Habían terminado el café.

Kat se inclinó hacia adelante.

—¿Podemos ir a tu departamento, Ken?

—¡Claro que sí! —"¡Por fin!", pensó Mallory.

Kat se movió en la silla, incómoda, y frunció el entrecejo.

—¡Mm, oh!

—¿Estás bien? —preguntó Mallory.

—No lo sé. ¿Me disculpas un momento?

—Por supuesto. —La observó ponerse de pie y dirigirse al Cuarto de Baño de Damas.

Cuando regresó, dijo:

—Es mal momento, querido. ¡Lo lamento tanto! Será mejor que me lleves a casa.

Mallory se quedó mirándola, tratando de ocultar la frustración. El maldito destino conspiraba contra él.

—Bien —respondió con voz agria. Estaba a punto de explotar.

Iba a perder cinco días preciosos.

Cinco minutos después de que Kat volviera al departamento, sonó el timbre de la puerta principal. Kat se sonrió. Mallory habría encontrado una excusa para volver, y se odió a sí misma por estar tan complacida. Se acercó a la puerta y la abrió.

—Ken...

En la puerta estaban Rhino y La Sombra. Kat sintió un miedo repentino. Los dos hombres la empujaron al entrar en el departamento.

Rhino habló.

—¿Vas a operar al señor Dinetto?

Kat tenía la garganta seca.

—Sí.

—No queremos que le pase nada.

—Tampoco yo —dijo Kat—. Ahora, si me disculpan, estoy cansada y...

—¿Existe alguna posibilidad de que muera? —preguntó La Sombra.

Kat vaciló.

—En cirugía cerebral siempre existe el riesgo de...

—Será mejor que no permita que eso suceda.

—Créame, yo...

—No permita que suceda. —Miró a Rhino. —Vámonos.

Kat los vio empezar a irse.

En la puerta, La Sombra se volvió y dijo:

—Saluda a Mike de nuestra parte.

De repente Kat se quedó muy quieta.

—¿Es... es una amenaza?

—No amenazamos a la gente, doc. Se lo estamos diciendo: si el señor Dinetto muere, vamos a borrarla del mapa a usted y a su maldita familia.

Capítulo Veintiuno

En el vestuario de los médicos, media docena de médicos esperaban que apareciera Ken Mallory.

Cuando entró, Grundy dijo:

—¡Salve el héroe conquistador! Queremos escuchar hasta el más mínimo detalle. —Sonrió. —Pero el problema, compañero, cs que queremos escucharlo de *ella.*

—Tuve un poco de mala suerte —sonrió Mallory—. Pero será mejor que empiecen a tener listo mi dinero.

Kat y Paige se estaban poniendo los guantes.

—¿Alguna vez operaste a un médico? —preguntó Kat.

—No.

—Tienes suerte. Son los peores pacientes del mundo. Saben demasiado.

—¿A quién vas a operar?

—Al doctor Mervyn "No me Lastimes" Franklin.

—Buena suerte.

—La voy a necesitar.

El doctor Mervyn Franklin era un hombre de unos sesenta años, delgado, calvo e irascible.

Cuando Kat entró en su habitación, gritó:

—¡Era hora de que llegara! ¿Ya volvió el maldito informe de electrolitos?

—Sí —respondió Kat—. Es normal.

—¿Quién lo asegura? No confío en el maldito laboratorio. La mitad del tiempo no saben lo que hacen. Y asegúrese de que no haya mezclas en la transfusión de sangre.

—Lo haré —respondió Kat con paciencia.
—¿Quién me va a operar?
—El doctor Jurgenson y yo. Doctor Franklin, le aseguro que no tiene de qué preocuparse.
—¿El cerebro de quién van a operar, el suyo o el mío? Todas las operaciones son riesgosas. ¿Y sabe por qué? Porque la mayoría de los malditos cirujanos se equivocaron de profesión. Deberían haber sido carniceros.
—El doctor Jurgenson es muy capaz.
—Sé que lo es, o no le permitiría que me pusiera un dedo encima. ¿Quién es el anestesista?
—Creo que es el doctor Miller.
—¿Ese medicucho? No lo quiero. Búsquenme otro.
—Doctor Franklin...
—Consígame otro. Vea si está disponible Haliburton.
—De acuerdo.
—Y consígame los nombres de las enfermeras del quirófano. Quiero estudiarlas.
Kat lo miró a los ojos.
—¿Preferiría hacer usted la operación?
—¿Qué? —La miró un momento, y después sonrió avergonzado. —Supongo que no.
Kat dijo con suavidad:
—¿Entonces por qué no nos permite hacernos cargo?
—De acuerdo. ¿Sabe una cosa? Usted me gusta.
—Usted también me gusta. ¿La enfermera le dio un sedante?
—Sí.
—De acuerdo. Dentro de pocos minutos estaremos listos. ¿Puedo hacer algo por usted?
—Sí. Enséñele a la estúpida de mi enfermera dónde tengo las venas.

En el quirófano cuatro, la cirugía cerebral del doctor Mervyn Franklin era todo un éxito. Se había quejado desde su habitación hasta la mesa de operaciones.
—Ahora preste atención: anestesia mínima. El cerebro es insensible, así que una vez abierto, no necesitarán mucha.

—Me doy cuenta —respondió Kat con paciencia.

—Y vea que la temperatura sea mantenida en cuarenta grados. Es lo máximo.

—Bien.

—Pongan música rápida durante la operación, así están bien despiertos.

—Correcto.

—Y asegúrese de que esté la mejor instrumentista.

—Sí.

Y así una y otra vez.

Cuando el cráneo del doctor Franklin fue abierto, Kat comentó:

—Veo el coágulo. No parece muy grave. —Y se puso a trabajar.

Tres horas más tarde, cuando comenzaban a cerrar la incisión, George Englund, jefe de cirugía, entró en el quirófano y se acercó a Kat.

—Kat, ¿ya casi terminas aquí?

—Estamos cerrando.

—Deja que se haga cargo el doctor Jurgenson. Te necesitamos rápido. Hay una emergencia.

Kat asintió.

—Ya voy. —Se volvió a Jurgenson. —¿Puedes terminar aquí?

—No hay problema.

Kat salió del quirófano con George Englund.

—¿Qué pasa?

—Tenías previsto realizar una operación más adelante, pero tu paciente empezó a tener hemorragia. En este momento lo están llevando al quirófano tres. No creo que salga vivo. Tendrás que operar de inmediato.

—¿Quién...?

—Un tal Dinetto.

Kat lo miró, estupefacta. "Si él muere, vamos a borrarla del mapa a usted y a su maldita familia."

Kat corrió por el pasillo que conducía al quirófano tres. Rhino y La Sombra se le acercaron.

—¿Qué está pasando? —exigió Rhino.

Kat tenía la boca tan seca que le resultaba difícil hablar.

—El señor Dinetto comenzó a tener hemorragias. Debemos operarlo de inmediato.

La Sombra la tomó del brazo.

—¡Entonces opérelo! Pero recuerde lo que le dijimos. Manténgalo vivo.

Kat se soltó y corrió hacia el quirófano.

Debido al cambio de programa, el doctor Vance iba a operar con Kat; era un buen cirujano. Kat comenzó la higiene ritual: primero medio minuto en cada brazo, después medio minuto en cada mano. Repitió el procedimiento y después se limpió las uñas.

El doctor Vance se paró junto a ella y comenzó su higiene.

—¿Cómo te sientes?

—Bien —mintió Kat.

Lou Dinetto fue llevado al quirófano en una camilla rodante, semiinconsciente, y trasladado con cuidado a la mesa de operaciones. Su cráneo había sido afeitado y pintado con antiséptico, y brillaba bajo las luces del quirófano. Dinetto estaba pálido como la muerte.

El equipo estaba en su sitio: el doctor Vance, otro residente, un anestesista, dos instrumentistas y una enfermera. Kat se aseguró de contar con todos los elementos que pudieran requerirse. Echó un vistazo a los monitores sobre la pared: saturación de oxígeno, dióxido de carbono, temperatura, estimuladores musculares, estetoscopio precordial, electrocardiograma, presión sanguínea automática y alarmas desconectoras: todo estaba en su sitio.

El anestesista sujetó un puño para la presión sanguínea en el brazo derecho de Dinetto; después colocó una máscara de goma sobre el rostro del paciente.

—Bien. Ahora respire profundo tres veces.

Dinetto quedó inconsciente antes de la tercera aspiración.

La operación comenzó.

Kat informaba en voz alta:

—Hay una zona de daño en el medio del cerebro producida por un coágulo que se desprendió de la válvula aórtica. Está bloqueando un pequeño vaso sanguíneo del lado derecho del cerebro y se está extendiendo a la mitad izquierda. —Sondeó a mayor profundidad. —Se encuentra en el borde inferior del acueducto de Silvio. Escalpelo.

Con una sierra eléctrica se realizó un pequeño orificio del tamaño de una moneda, a fin de exponer la duramadre. A continuación Kat abrió la duramadre a fin de exponer un segmento de la corteza cerebral.

—¡Fórceps!

La instrumentista le alcanzó el fórceps eléctrico.

Un pequeño retractor mantuvo la incisión abierta y en su sitio.

—Está sangrando muchísimo —comentó Vance.

Kat tomó el succionador y comenzó a cauterizar los vasos sangrantes.

—Vamos a controlarlo.

El doctor Vance comenzó a succionar en los suaves trozos de algodón colocados sobre la duramadre. Las venas sangrantes sobre la superficie de la duramadre fueron identificadas y coaguladas.

—Tiene buen aspecto —dijo Vance—. Va a sobrevivir.

Kat suspiró de alivio.

Y en ese instante, Lou Dinetto se puso rígido y comenzó a sufrir espasmos. El anestesista exclamó:

—¡La presión sanguínea está cayendo!

Kat ordenó:

—¡Denle más sangre!

Todos miraban el monitor. La curva se achataba con rapidez. Hubo dos rápidos latidos seguidos por fibrilación ventricular.

—¡Denle electrochoque! —gritó Kat. Rápidamente colocó las almohadillas eléctricas sobre su cuerpo y encendió la máquina. El pecho de Dinetto se sacudió una vez y luego cayó.

—¡Inyéctenle epinefrina! ¡Rápido!

—¡No hay latido cardíaco! —informó el anestesista un momento después.

Kat volvió a intentar, aumentando la potencia.

Una vez más, hubo una rápida convulsión.

—¡No hay latido! —gritó el anestesista—. Asístole. No hay ritmo.

Con desesperación Kat intentó por última vez. Esta vez el cuerpo se elevó más alto y volvió a caer. Nada.

—Está muerto —sentenció el doctor Vance.

CAPÍTULO VEINTIDÓS

El código rojo es un alerta que de inmediato convoca a toda la asistencia médica fuera de servicio para intentar salvar la vida de un paciente. Cuando el corazón de Lou Dinetto se detuvo en medio de la operación, el Código Rojo del quirófano comenzó el procedimiento.

Kat podía oír por el altoparlante: "Código Rojo, quirófano 3... Código Rojo..." "Roja era la sangre".

Kat estaba aterrorizada. Volvió a aplicar el electrochoque. No era únicamente la vida de Dinetto la que estaba tratando de salvar; también la de Mike y la propia. El cuerpo de Dinetto se elevó en el aire y volvió a caer, inerte.

—¡Intente una vez más! —instó Vance.

"No amenazamos a la gente, doc. Se lo estamos diciendo: si el señor Dinetto muere, vamos a borrarla del mapa a usted y a su maldita familia."

Kat giró el interruptor y volvió a aplicar electrochoque en el pecho de Dinetto. Una vez más el cuerpo se elevó unos centímetros en el aire y volvió a caer.

—¡Otra vez!

"No va a dar resultado", pensó Kat con desesperación. "Voy a morir junto con él."

De repente el quirófano se llenó de médicos y enfermeras.

—¿Qué está esperando? —preguntó alguien.

Kat respiró profundamente y volvió a intentar por última vez. Durante un instante no sucedió nada. Entonces apareció una tenue cresta en el monitor. Desapareció un momento, volvió a aparecer y desapareció; después comenzó a hacerse más y más fuerte, hasta que se convirtió en un ritmo constante y estabilizado.

Kat lo observó sin poder creerlo.

Hubo un aplauso en la habitación atestada.

—¡Va a sobrevivir! —gritó alguien.

—¡Por Dios, estuvo cerca!

"¡No tienen idea de qué cerca!", pensó Kat.

Dos horas más tarde Lou Dinetto era trasladado a una camilla rodante, de regreso a terapia intensiva. Kat iba a su lado. Rhino y La Sombra esperaban en el pasillo.

—La operación fue un éxito —informó Kat—. Va a salir adelante.

Ken Mallory estaba en graves problemas. Era el último día de la apuesta. El problema había crecido en forma tan gradual que no había tomado conciencia de su existencia. Desde casi la primera noche había estado seguro de que no tendría problemas en acostarse con Kat. "¿Problemas? ¡Estaba ansiosa!" Pero se le terminaba el tiempo, y se enfrentaba al desastre.

Mallory empezó a pensar en cómo se habían sucedido los hechos... las amigas de Kat que habían llegado justo cuando estaba a punto de llevarla a la cama, lo difícil que había resultado salir juntos, el radiollamado de Kat, gracias al cual había quedado desnudo mientras ella salía para atender una emergencia, el primo de Kat que había llegado a la ciudad, el día en que Kat se había quedado dormida, el período de Kat. De repente pensó: "¡Espera un minuto! ¡No pudieron haber sido todas coincidencias! ¡La conducta de Kat era deliberada! De algún modo se había enterado de la apuesta, y había decidido hacerlo quedar como un tonto, gastarle una broma, broma que iba a costarle diez mil dólares que no tenía. ¡La muy perra!" No estaba más cerca de ganar que al principio. Kat lo había alentado a propósito. "¿Cómo diablos permití que me pasara?" Sabía que no había manera de ganar la apuesta.

Cuando Mallory entró en el vestuario de médicos lo estaban esperando.

—¡Día de pago! —cantó Grundy.

Mallory forzó una sonrisa.

—Tengo tiempo hasta la medianoche, ¿no? Créanme, está lista, amigos.

Hubo una risita.

—¡Seguro! Vamos a creerte cuando lo escuchemos de la propia boca de la señorita. Ten listo el dinero por la mañana.

Mallory se echó a reír.

—¡Será mejor que *ustedes* lo tengan!

Tenía que haber una manera. Y de repente tuvo la respuesta.

Ken Mallory encontró a Kat en el salón. Se sentó frente a ella.

—Me enteré de que le salvaste la vida a un paciente.

—Y la mía.

—¿Cómo?

—Nada.

—¿Te gustaría salvar la mía?

Kat lo miró con curiosidad.

—Cena conmigo esta noche.

—Estoy demasiado cansada, Ken. —Estaba cansada del jueguito. "Ya tuve suficiente", pensó Kat. "Ya es hora de dejarlo todo. Se terminó. Caí en mi propia trampa." Deseó que Mallory fuera otra clase de hombre. Si sólo hubiese sido honesto con ella. "De verdad podría haberme interesado", pensó.

Mallory no iba a permitir que Kat se le escapara.

—Saldremos temprano —instó—. En algún lado tienes que cenar.

Renuente, Kat asintió. Sabía que sería la última vez. Iba a decirle que sabía lo de la apuesta. Iba a ponerle fin al jueguito.

—Está bien.

Honey terminó su turno a las cuatro de la tarde. Echó un vistazo al reloj y decidió que le alcanzaba el tiempo justo para hacer algunas compras. Fue a Candelier a comprar velas para el departamento, después a la Compañía de Té y Café de San Francisco para comprar un poco de café aceptable para el desayuno, y a Chris Kelly para comprar lencería.

Cargada de paquetes, Honey fue al departamento. "Me haré algo para cenar", decidió Honey. Sabía que Kat tenía una cita con Mallory y que Paige estaba de guardia.

Luchando con los paquetes, Honey entró en el departamento y cerró la puerta. Encendió la luz. Un hombre negro enorme salía del baño, chorreando sangre en la alfombra blanca. Le apuntaba con un arma.

—¡Si haces un ruido, te vuelo la cabeza!

Honey gritó.

Capítulo veintitrés

Mallory estaba sentado frente a Kat en el restaurante Schroeder's, en Front Street.

"Está por terminar el partido", pensó, "y hasta ahora voy perdiendo". "¿Qué pasaría cuando no pudiera pagar los diez mil dólares? El rumor correría por el hospital como reguero de pólvora, y se haría la fama de estafador, una broma de mal gusto."

Kat estaba hablando de uno de sus pacientes y Mallory la miraba a los ojos, sin escuchar una palabra de lo que decía. Tenía cosas más importantes en qué pensar.

Casi habían terminado de cenar; el camarero estaba sirviendo el café. Kat miró el reloj.

—Tengo que levantarme temprano, Ken. Creo que es mejor que nos vayamos.

Mallory permaneció sentado, mirando la mesa.

—Kat... —Alzó la mirada. —Tengo que decirte algo.

—¿Sí?

—Tengo que confesarte algo. —Respiró hondo. —No me resulta fácil.

Kat lo miró, confundida.

—¿Qué es?

—Me da vergüenza decírtelo. —Trataba de encontrar las palabras. —Hice una estúpida apuesta con algunos médicos... de que lograría que te acostaras conmigo.

Kat lo estaba mirando.

—Tú...

—Por favor, no digas nada todavía. Estoy tan avergonzado por lo que hice... Todo empezó como una especie de broma, pero al final salí perdiendo. Pasó algo que no estaba en mis planes: me enamoré de ti.

—Ken...

—Nunca me había enamorado, Kat. Conocí a un montón de mujeres, pero nunca sentí algo parecido. No puedo dejar de pensar en ti. —Respiró con dificultad. —Quiero casarme contigo.

A Kat la cabeza le daba vueltas. Todo se había puesto cabeza abajo.

—No... no sé qué...

—Eres la única mujer a la que se lo propuse. Por favor, di que sí. ¿Te casarás conmigo, Kat?

¡Así que todas las cosas hermosas que le había dicho eran ciertas! El corazón le latía con fuerza. Era como si un hermoso sueño de repente se hubiese convertido en realidad. Lo único que quería de Ken era que fuera honesto, y ahora lo estaba siendo. No era como los demás hombres; era genuino y sensible.

Cuando Kat lo miró, los ojos le brillaban.

—Sí, Ken. ¡Oh, sí!

La sonrisa de Ken iluminó el restaurante.

—Kat... —Se inclinó y la besó. —Lamento tanto esa estúpida apuesta... —Sacudió la cabeza, riéndose de sí mismo. —Diez mil dólares. Podríamos haber usado el dinero para nuestra luna de miel. Pero vale la pena perderlos si te tengo a ti.

Kat estaba pensando. "Diez mil dólares."

—Fui un tonto.

—¿Cuánto tiempo te queda?

—Hoy a medianoche, pero eso ya no importa. Lo importante somos nosotros, que vamos a casarnos, que...

—¿Ken?

—¿Sí, querida?

—Vayamos a tu departamento. —Había una brillo travieso en los ojos de Kat. —Todavía tienes tiempo de ganar tu apuesta.

Kat era una tigresa en la cama.

"¡Dios mío! Valió la pena esperar", pensó Mallory. Todos los sentimientos que Kat había tenido reprimidos todos estos años habían explotado de repente. Era la mujer más apasionada que Ken Mallory jamás hubiera conocido. Al cabo de dos horas, estaba exhausto. Tomó a Kat en sus brazos.

—Eres increíble —dijo.

Kat se apoyó en los codos y lo miró.

—También tú, querido. ¡Soy tan feliz!

Mallory sonrió.

—Eso dicen. —"¡Una felicidad de diez mil dólares!", pensó. "Y además pasé una noche espectacular".

—Prométeme que siempre será así, Ken.

—Lo prometo —sentenció Mallory con su tono más sincero.

Kat miró el reloj.

—Será mejor que me vista.

—¿No puedes pasar la noche aquí?

—No, a la mañana voy a ir al hospital con Paige. —Le dio un cálido beso. —No te preocupes. Tendremos toda la vida para estar juntos.

Mallory la observó vestirse.

—Estoy ansioso por cobrar esa apuesta. Pagará una luna de miel espectacular. —Frunció el entrecejo. —¿Pero y si no me creen? No van a confiar en mi palabra.

Kat pensó un momento. Por fin respondió:

—No te preocupes. Se lo haré saber.

Mallory sonrió.

—Vuelve a la cama.

CAPÍTULO VEINTICUATRO

El hombre negro con el arma apuntada a Honey gritó:

—¡Te dije que te callaras!

—Lo... lo siento —balbuceó Honey. Estaba temblando. —¿Qu... qué quiere?

El hombre tenía la mano apretada contra un costado, tratando de detener la sangre.

—Quiero a mi hermana.

Honey lo miró, confundida. Era evidente que estaba demente.

—¿Su hermana?

—Kat... —La voz era cada vez más tenue.

—¡Dios mío! ¡Eres Mike!

—Sí.

El arma cayó y el hombre se deslizó al piso. Honey corrió hacia él. La sangre le salía a borbotones por lo que parecía una herida de bala.

—Quédate quieto —ordenó Honey. Corrió al baño y tomó un poco de agua oxigenada y un enorme toallón. Regresó a Mike. —Esto va a doler —le advirtió.

Mike permaneció quieto, demasiado débil para moverse.

Honey volcó agua oxigenada en la herida y presionó la toalla contra el costado del muchacho. Éste se mordió la mano para no gritar.

—Voy a llamar una ambulancia y a llevarte al hospital —dijo Honey.

Mike la asió del brazo.

¡No! ¡Nada de hospitales! ¡Nada de policía! —Su voz

era cada vez más débil. —¿Dónde está Kat?

—No lo sé —respondió Honey, impotente. Sabía que Kat había salido con Mallory pero no tenía idea adónde. —Déjame llamar a una amiga mía.

—¿Paige? —preguntó.

Honey asintió.

—Sí. —"Así que Kat le habló de nosotras."

En el hospital tardaron diez minutos en localizar a Paige.

—Será mejor que vengas a casa —dijo Honey.

—Estoy de guardia, Honey, en medio de...

—El hermano de Kat está aquí.

—Bueno, dile que...

—Está herido de bala.

—*¿Qué?*

—¡Está herido de bala!

—Enviaré a los paramédicos y...

—Dice que no quiere hospitales ni a la policía. No sé qué hacer.

—¿Está muy grave?

—Bastante.

Hubo una pausa.

—Voy a necesitar que alguien me cubra. Estaré allí dentro de media hora.

Honey colgó el auricular y se volvió a Mike.

—Ya viene Paige.

Dos horas más tarde, de vuelta al departamento, a Kat la embargaba una gloriosa sensación de bienestar. Se había puesto nerviosa ante la perspectiva de hacer el amor; tenía miedo de que le resultara abominable después de la terrible experiencia que había tenido; en cambio, Ken Mallory lo había convertido en algo maravilloso; había dejado en libertad las emociones que Kat tenía en su interior y que ésta nunca había sabido que existían.

Sonrió al recordar cómo se habían burlado de los médicos a último momento y que habían ganado la apuesta. Kat abrió la puerta del departamento y quedó de pie en el umbral, estupefacta. Paige y Honey estaban arrodilladas junto a Mike. Éste yacía sobre el piso, con una almohada bajo la cabeza, una toalla apretada contra un costado y la ropa bañada en sangre.

Paige y Honey levantaron la mirada cuando entró Kat.

—¡Mike, por Dios! —Corrió hacia su hermano y se arrodilló junto a él. —¿Qué pasó?

—Hola, hermanita. —Su voz era apenas un susurro.

—Está herido de bala —explicó Paige—. Tiene una hemorragia.

—Llevémoslo al hospital —dijo Kat.

Mike sacudió la cabeza.

—No —susurró—. Eres médica; cúrame.

Kat miró a Paige.

—Detuve la hemorragia tanto como pude, pero la bala todavía está dentro. No tenemos instrumental para...

—Sigue perdiendo sangre —observó Kat. Acunó la cabeza de Mike entre sus brazos. —Escúchame, Mike. Si no dejas que te ayuden, vas a morirte.

—No... puedes... informar... esto... No quiero... policía.

Kat le preguntó con calma:

—¿En qué estás involucrado, Mike?

—En nada... fue sólo un negocio... y no se dio... y este tipo se enojó y me disparó.

Era la clase de explicaciones que Kat había estado escuchando durante años. Mentiras, todas mentiras. Desde siempre lo había sabido, y lo sabía ahora, pero había tratado de ocultarse la verdad.

Mike se aferró al brazo de su hermana.

—¿Me ayudarás, hermanita?

—Sí, voy a ayudarte, Mike. —Kat se inclinó y lo besó en la mejilla. Después se puso de pie y fue hasta el teléfono. Tomó el auricular y discó el número de la sala de emergencia del hospital.

—Habla la doctora Hunter —dijo con voz débil—. Necesito una ambulancia de inmediato...

En el hospital, Kat pidió a Paige que se ocupara de la operación para quitar la bala.

—Perdió mucha sangre —dijo Paige. Se volvió al cirujano asistente. —Denle otra unidad de sangre.

La operación terminó al amanecer. La intervención fue un éxito.

Cuando todo terminó, Paige llamó aparte a Kat.

—¿Cómo quieres que informe la operación? —preguntó—. Podría decir que fue un accidente, o...

—No —respondió Kat. Su voz estaba llena de dolor. —Debí haberlo hecho hace mucho tiempo. Quiero que lo informes como herida de bala.

Mallory estaba esperando a Kat afuera del teatro de operaciones.

—¡Kat! Me enteré del accidente de tu hermano y...

Kat asintió, cansada.

—Lo siento mucho. ¿Va a estar bien?

Kat miró a Mallory y respondió:

—Sí, por primera vez en su vida Mike va a estar bien.

Mallory apretó la mano de Kat.

—Sólo quiero que sepas que anoche fue maravilloso. Fuiste un milagro. ¡Ah! Eso me recuerda que los médicos con los que aposté están esperando en el salón, pero supongo que con todo lo que pasó, no debes de querer ir a...

—¿Por qué no?

Kat lo tomó del brazo y juntos entraron en el salón. Los médicos los miraron.

Grundy dijo:

—Hola, Kat. Necesitamos que nos confirmes algo. El doctor Mallory dice que tú y él pasaron la noche juntos, y que fue maravilloso.

—Fue mejor que maravilloso —respondió Kat—. ¡Fue *fantástico*! —Besó a Mallory en la mejilla. —Te veré más tarde, amante.

Los médicos se quedaron boquiabiertos, mirando a Kat alejarse.

En el vestuario, Kat dijo a Paige y a Honey:
—En medio de tantas emociones, no tuve oportunidad de contarles las noticias.
—¿Qué noticias? —preguntó Paige.
—Ken me pidió que me casara con él.
Paige y Honey no podían creerlo.
—¡Estás bromeando! —dijo Paige.
—No. Me lo propuso anoche, y acepté.
—¡Pero no puedes casarte con él! —exclamó Honey—. Sabes qué clase de persona es. Es decir, ¡trató de llevarte a la cama para ganar una apuesta!
—Y la ganó —sonrió Kat.
Paige se quedó mirándola.
—No te entiendo.
—Nos equivocamos por completo con Ken. Él mismo me contó lo de la apuesta. Todo este tiempo le pesaba sobre la conciencia. ¿Te das cuenta? Salí con él para castigarlo, y él salió conmigo para ganar una apuesta, y terminamos enamorándonos. ¡No sabes lo feliz que estoy!
Honey y Paige se miraron la una a la otra.
—¿Cuándo te casas? —preguntó Honey.
—Todavía no hablamos del tema pero estoy segura de que será pronto. Quiero que sean mis madrinas.
—Puedes contar con ello —accedió Paige—. Estaremos contigo. —Sin embargo, había una duda que la carcomía. Bostezó. —Fue una larga noche. Voy a casa a dormir un poco.
—Me quedaré con Mike —dijo Kat—. Cuando se despierte, la policía querrá hablar con él. —Tomó las manos de sus dos amigas. —Gracias por ser tan buenas amigas.

De regreso a casa, Paige pensó en todo lo sucedido esa noche. Sabía cuánto amaba Kat a su hermano; habría necesitado muchísimo valor para entregarlo a la policía. "Debí haberlo hecho hace mucho tiempo."
El teléfono estaba sonando cuando Paige entró en el

departamento. Se apresuró a atenderlo.

Era Jason.

—¡Hola! Sólo llamé para decirte cuánto te extraño. ¿Qué hay de nuevo?

Paige estuvo tentada de contárselo, de compartirlo con alguien, pero era demasiado personal; le correspondía a Kat.

—Nada —respondió Paige—. Todo está bien.

—Bien. ¿Estás libre para cenar esta noche?

Paige se dio cuenta de que era más que una invitación a cenar. "Si sigo viéndolo, voy a terminar involucrándome", pensó. Sabía que era una de las decisiones más importantes de su vida.

Respiró profundo.

—Jason... —En ese momento sonó el timbre. —¿Puedes esperar un minuto, Jason?

Paige dejó el auricular, se dirigió a la puerta y la abrió. Alfred Turner estaba de pie en el umbral.

CAPÍTULO VEINTICINCO

Paige quedó, inmóvil, sin poder decir palabra. Alfred sonrió.

—¿Puedo pasar?

Paige estaba confundida.

—Cl... claro. Disculpa. —Miró a Alfred entrar en la sala; sentía emociones contradictorias: estaba feliz, emocionada y enojada al mismo tiempo. "¿Por qué me siento así?", pensó Paige. "Tal vez pasó por aquí para saludarme."

Alfred se dio vuelta y la miró.

—Abandoné a Karen.

Las palabras le cayeron como una bomba.

Alfred se acercó.

—Cometí un grave error, Paige. Nunca debí haberte dejado ir; nunca.

—Alfred... —De repente recordó. —Discúlpame.

Corrió hacia el teléfono y levantó el auricular.

—¿Jason?

—Sí, Paige. Con respecto a esta noche, podríamos...

—No... no puedo verte.

—¡Oh! Si esta noche no puedes, ¿qué te parece mañana a la noche?

—No... no estoy segura.

Jason percibió la tensión en la voz de Paige.

—¿Pasa algo malo?

—No. Todo está bien. Te llamaré mañana y te explicaré.

—De acuerdo. —Pareció confundido.

Paige colgó.

—Te eché de menos, Paige —dijo Alfred—. ¿Y tú?
"No. Sigo a desconocidos por la calle y los llamo Alfred pero no."
—Sí —admitió Paige.
—Bien. Somos el uno para el otro, ¿sabías? Siempre fue así.
"¿De veras? ¿Por eso te casaste con Karen Turner? ¿Crees que puedes entrar y salir de mi vida cuantas veces quieras?"
Alfred estaba junto a Paige.
—¿No es cierto?
Paige lo miró y dijo:
—No sé. —Todo era demasiado repentino.
Alfred tomó su mano en la de él.
—Por supuesto que lo sabes.
—¿Qué pasó con Karen?
Alfred se encogió de hombros.
—Karen fue un error. Seguía pensando en ti y en todos los momentos maravillosos que pasamos. Siempre fuimos buenos el uno para el otro.
Paige lo estaba observando, cautelosa, precavida.
—Alfred...
—Vine aquí para quedarme, Paige. Y cuando digo "aquí" no es exactamente lo que quiero decir. Nos vamos a Nueva York.
—¿A Nueva York?
—Sí. Te contaré todo. Me vendría bien una taza de café.
—Por supuesto. Haré café nuevo. Sólo me llevará unos minutos.
Alfred la siguió a la cocina, donde Paige comenzó a preparar el café. Paige trataba de poner en orden sus pensamientos. Había deseado tanto que Alfred regresara, y ahora que estaba aquí...
Alfred decía:
—Aprendí muchísimo en estos últimos años, Paige. Maduré.
—¿Sí?
—Sí. Sabes que estuve trabajando para la OMS.
—Lo sé.

—Esos países no cambiaron nada desde que éramos niños. De hecho, algunos están peor. Hay más enfermedades, más pobreza...

—Pero tú estabas allí ayudando —dijo Paige.

—Sí, y de repente, desperté.

—¿Despertaste?

—Me di cuenta de que estaba desperdiciando mi vida. Allí estaba, viviendo en medio de la miseria, trabajando veinticuatro horas por día, ayudando a esos salvajes ignorantes, cuando podría haber estado ganando fortunas aquí.

Paige lo escuchaba sin poder creerlo.

—Conocí a un médico que tiene consultorio en Park Avenue, en Nueva York. ¿Sabes cuánto gana por año? ¡Más de quinientos mil dólares! ¿Oíste bien? ¡Quinientos mil por año!

Paige lo miraba.

—Y me dije: "¿Cuándo gané todo ese dinero en toda mi vida" Me ofreció ser su socio —explicó Alfred con orgullo— y acepté. Por eso es que tú y yo nos vamos a Nueva York.

Paige estaba aturdida por todo lo que estaba escuchando.

—Tendré dinero para pagar un *penthouse* donde vivir, y para comprarte ropa costosa, y todas las cosas que siempre te prometí. —Sonreía. —Bueno, ¿estás sorprendida?

Paige tenía la boca seca.

—No... no sé qué decir, Alfred.

Alfred se echó a reír.

—Por supuesto que no. Quinientos mil dólares por año es suficiente para dejar a cualquiera sin habla.

—No estaba pensando en el dinero —respondió Paige con lentitud.

—¿No?

Paige lo estudió, como si lo viera por primera vez.

—Alfred, cuando trabajabas para la OMS, ¿no sentías que estabas ayudando a la gente?

Alfred se encogió de hombros.

—No hay nada que pueda ser de ayuda a esa gente. Además, ¿a quién le importa? ¿Me creerías si te dijera que

Karen quería que me quedara en Bangladesh? Le dije que de ningún modo, así que ella regresó. —Tomó la mano de Paige. —Así que aquí estoy... Estás un poco callada. Supongo que todo esto fue demasiado, ¿no?

Paige pensó en su padre. "Él habría tenido un éxito tremendo en Park Avenue, pero a él no le interesaba el dinero. Su único interés era ayudar a la gente."

—Ya me divorcié de Karen, así que podemos casarnos de inmediato. —Le dio una palmadita en la mano. —¿Qué te parece la idea de vivir en Nueva York?

Paige respiró profundo.

—Alfred...

Alfred la miró con una sonrisa expectante.

—¿Sí?

—Vete de aquí.

La sonrisa se borró lentamente.

—¿Cómo?

Paige se puso de pie.

—Quiero que te vayas.

Alfred estaba confundido.

—¿Adónde quieres que me vaya?

—No te lo diré —respondió Paige—. No quiero herir tus sentimientos.

Después de que Alfred se fue, Paige se quedó pensativa. Kat había tenido razón: había estado aferrada a un fantasma. "Ayudando a esos salvajes ignorantes, cuando podría haber estado ganando fortunas aquí... ¡Quinientos mil dólares por año!"

"Y es a lo que estuve aferrada", pensó Paige con admiración. Debió haberse deprimido; sin embargo, tuvo una sensación de júbilo. De repente se sintió libre. Ahora sabía lo que quería.

Se acercó al teléfono y discó el número de Jason.

—Hola.

—Jason, habla Paige. ¿Recuerdas lo que me dijiste de tu casa en Noe Valley?

—Sí...

—Me encantaría conocerla. ¿Estás libre esta noche?
Jason preguntó con calma:
—¿Quieres contarme qué está pasando, Paige? Estoy muy confundido.
—Soy *yo* la que estaba confundida. Creí estar enamorada de un hombre a quien conocí hace mucho tiempo, pero ya no es el mismo hombre. Ahora sé lo que quiero.
—¿Qué es?
—Conocer tu casa.

Noe Valley pertenecía a otro siglo. Era un colorido oasis en el corazón de una de las ciudades más cosmopolitas del mundo.
La casa de Jason era un reflejo de su personalidad: cómoda, prolija y encantadora. Guió a Paige por toda la casa.
—Aquí está la sala, la cocina, el baño de huéspedes, el estudio... —La miró y continuó: —El dormitorio está escaleras arriba. ¿Te gustaría verlo?
Paige respondió con calma:
—Me encantaría.
Subieron las escaleras hasta el dormitorio. A Paige el corazón le latía violentamente. Pero lo que estaba ocurriendo parecía inevitable. "Debí haberlo sabido desde el principio", pensó.
Paige nunca supo quién tomó la iniciativa, pero de repente estaban abrazados y los labios de Jason la besaban; parecía lo más natural del mundo. Comenzaron a desvestirse el uno al otro; ambos tenían una ardiente urgencia. A continuación estaban en la cama, y Jason le hacía el amor.
—¡Dios mío! —susurró—. Te amo.
—Ya sé —bromeó Paige—. Desde que te ordené que te pusieras la chaqueta blanca.
Después de hacer el amor, Paige dijo:
—Me gustaría pasar la noche aquí.
Jason sonrió.
—¿No vas a odiarme por la mañana?

—Lo prometo.

Paige pasó la noche con Jason hablando... haciendo el amor... hablando. A la mañana, Paige le preparó el desayuno.

Jason la observó y dijo:

—No sé cómo es que tuve tanta suerte, pero gracias.

—Soy yo quien tuvo suerte —respondió Paige.

—¿Sabes algo? Nunca respondiste a mi propuesta.

—Esta tarde tendrás la respuesta.

Esa misma tarde llegó un mensajero con un sobre a la oficina de Jason. En el interior estaba la tarjeta que Jason le había enviado con la maqueta.

Mía ( )
Nuestra (x)
Por favor señala una.

CAPÍTULO VEINTISÉIS

Lou Dinetto estaba listo para salir del hospital. Kat fue a su habitación para despedirse. Rhino y La Sombra estaban allí.

Cuando Kat entró, Dinetto se volvió a los dos y ordenó:

—Lárguense.

Kat los observó salir de la habitación.

Dinetto miró a Kat y dijo:

—Te debo una.

—No me debe nada.

—¿Eso es lo que piensas que vale mi vida? Me enteré de que vas a casarte.

—Así es.

—Con un médico.

—Sí.

—Bueno, dile que te cuide bien, porque si no tendrá que arreglar cuentas conmigo.

—Se lo diré.

Hubo una breve pausa.

—Lamento lo de Mike.

—Va a estar bien —respondió Kat—. Tuve una larga charla con él. Todo va a salir bien.

—Bien. —Dinetto le extendió un abultado sobre Manila. —Un pequeño regalo de casamiento.

Kat sacudió la cabeza.

—No, gracias.

—Pero...

—Cuídese.

—Tú también. ¿Sabes algo? Eres una verdadera mujer. Voy a decirte algo que quiero que recuerdes. Si alguna vez necesitas un favor, *lo que sea*, ven a verme. ¿Entendiste?

—Entendí.

Kat sabía que Dinetto hablaba en serio. También sabía que nunca iba a recurrir a él.

Durante las semanas que siguieron, Paige y Jason hablaron por teléfono hasta tres y cuatro veces por día y se vieron cada vez que Paige no tenía guardia nocturna.

En el hospital había más trabajo que nunca. Paige había estado de guardia treinta y seis horas, repletas de emergencias. Acababa de dormirse en el cuarto de guardia cuando la despertó el timbre urgente del teléfono.

Se acercó el auricular al oído.

—¿Hola?

—Doctora Taylor, ¿podría venir a la habitación 422, stat?

Paige trató de pensar con claridad. "Habitación 422; uno de los pacientes del doctor Barker, Lance Kelly". Acababan de reemplazarle una válvula mitral. "Algo debe de haber salido mal." Paige consiguió ponerse de pie y salió al pasillo desierto. Decidió no esperar el ascensor. Subió corriendo las escaleras. "Tal vez sólo sea una enfermera nerviosa. Si es grave, llamaré al doctor Barker", pensó.

Entró en la habitación 422 y se quedó en el umbral, observando. El paciente luchaba por respirar y gemía. La enfermera se volvió a Paige con evidente alivio.

—No sabía qué hacer, doctora, y...

Paige fue presurosa junto al paciente.

—Todo va a salir bien —le aseguró. Tomó la muñeca del paciente con dos dedos. El pulso daba brincos terribles. La válvula mitral estaba funcionando mal.

—Démosle un sedante —ordenó Paige.

La enfermera extendió una jeringa a Paige, quien inyectó su contenido en una vena. Paige ordenó a la enfermera:

—Dígale a la jefa de enfermeras que organice un equipo para una operación, stat. ¡Y mande a buscar al doctor Barker!

Quince minutos más tarde, Kelly yacía en la mesa de operaciones. El equipo estaba formado por dos instrumentistas, una enfermera y dos residentes. En un rincón superior del quirófano había una pantalla de televisión que reflejaba el ritmo cardíaco, el electrocardiograma y la presión sanguínea.

En ese momento ingresó el anestesista, y Paige tuvo ganas de maldecir. La mayoría de los anestesistas del hospital eran médicos competentes, pero Herman Koch era una excepción. Paige ya había trabajado con él y trataba de evitarlo cuanto podía; no confiaba en él, y ahora no le quedaba otra opción.

Paige lo observó colocar un tubo en la garganta del paciente, mientras ella desplegaba un paño de papel con un orificio en el medio y lo colocaba en el pecho del paciente.

—Coloque una línea en la vena yugular —dijo Paige.

Koch asintió.

—Correcto.

Uno de los residentes preguntó:

—¿Cuál es el problema?

—El doctor Barker reemplazó la válvula mitral ayer. Creo que está rota. —Paige miró al doctor Koch. —¿Está inconsciente?

Koch asintió.

—Duerme como si estuviera en su propia cama.

"Ojalá tú lo estuvieras", pensó Paige.

—¿Qué está utilizando?

—Propofol.

Paige asintió.

—Está bien.

Observó cómo conectaban a Kelly al cardiopulmotor, para que Paige pudiera realizar un *bypass* cardiopulmonar. Paige estudió los monitores sobre la pared. Pulso: 140... saturación del oxígeno sanguíneo: 92 por ciento... presión sanguínea: 80 sobre 60.

—Comencemos —dijo Paige.

Uno de los residentes puso música.

Paige subió a la mesa de operaciones, bajo más de mil watts de luz blanca y caliente, y se dirigió a la instrumentista:

—Escalpelo, por favor...

Y comenzó la intervención.

Paige quitó todos los alambres esternales de la operación del día anterior. Después hizo un corte desde la base del cuello hasta el extremo inferior del esternón, mientras uno de los residentes quitaba la sangre con paños de gasa. Cuidadosamente atravesó las capas de grasa y músculo, y frente a ella apareció el corazón de latidos erráticos.

—He aquí el problema —anunció Paige—. El atrio está perforado. La sangre se está juntando alrededor del corazón y lo está comprimiendo. —Paige consultó el monitor sobre la pared. La presión de bombeo había descendido peligrosamente.

—Aumenten el flujo —ordenó Paige.

La puerta del quirófano se abrió y entró Lawrence Barker. Se quedó a un costado, observando la operación.

Paige preguntó:

—Doctor Barker, ¿quiere...?

—Es su operación.

Paige echó un vistazo al trabajo de Koch.

—Tenga cuidado. ¡Va a sobreanestesiarlo, maldita sea! ¡Bájelo!

—Pero yo...

—¡Tiene taquicardia! ¡La presión desciende!

—¿Qué quiere que haga? —preguntó Koch, impotente.

"*Él* debería saberlo", pensó Paige, furiosa.

—¡Adminístrele lidocaína y epinefrina! ¡Ahora! —Estaba gritando.

—Bien.

Paige observó cómo Koch tomaba una jeringa y la aplicaba por vía endovenosa al paciente.

Un residente observó el monitor y exclamó:

—¡La presión sanguínea está disminuyendo!

Paige trabajaba desesperada para detener el flujo de sangre. Alzó la mirada a Koch:

—¡Demasiado flujo! Le dije que...

De repente el latido del corazón sobre el monitor pasó a ser caótico.

—¡Dios mío! ¡Algo salió mal!

—¡Déme el defibrilador! —gritó Paige.

La enfermera tomó el defibrilador del carro de emergencias, abrió dos almohadillas esterilizadas y las conectó. Encendió el aparato para cargarlas y diez segundos más tarde las entregó a Paige.

Ésta tomó las almohadillas y las colocó directamente sobre el corazón de Kelly. El cuerpo del paciente saltó y luego volvió a caer.

Paige volvió a intentar, *deseando* que regresara a la vida, deseando que volviera a respirar. Nada. El corazón se detuvo, como un órgano muerto e inútil.

Paige estaba furiosa; su parte de la operación había tenido éxito. Koch había sobreanestesiado al paciente.

Mientras Paige aplicaba el defibrilador a Lance Kelly inútilmente por tercera vez, el doctor Barker se acercó a la mesa de operaciones y dijo, dirigiéndose a Paige:

—Usted lo mató.

CAPÍTULO VIENTISIETE

Jason estaba en medio de una reunión de diseño cuando su secretaria lo llamó:

—La doctora Taylor quiere hablar con usted. ¿Le digo que la llama después?

—No. La tomaré. —Jason tomó el teléfono. —¿Paige?

—Jason... ¡te necesito! —Estaba sollozando.

—¿Qué pasó?

—¿Puedes venir al departamento?

—Por supuesto. Voy de inmediato. —Se puso de pie. —La reunión queda postergada para mañana por la mañana.

Media hora más tarde, Jason estaba en el departamento. Paige abrió la puerta y le arrojó los brazos al cuello. Tenía los ojos colorados de tanto llorar.

—¿Qué pasó? —preguntó Jason.

—¡Es horrible! El doctor Barker me dijo que... maté a un paciente, y de verdad... ¡no fue mi culpa! —Se le quebró la voz. —No lo soporto más...

—Paige —dijo Jason con calma— me contaste muchas veces lo malo que es siempre. Es su personalidad.

Paige sacudió la cabeza.

—Es más que eso. Desde el día que empecé a trabajar con él está tratando de obligarme a renunciar. Jason, si fuera un mal médico y opinara que no sirvo, no me importaría tanto, pero el doctor Barker es brillante. Debo respetar su opinión. Creo que no soy lo suficientemente buena.

—¡Tonterías! —exclamó Jason, enojado—. Por supuesto que eres buena. Todo aquel con quien hablo opina que eres una médica maravillosa.

—Lawrence Barker no.

—Olvídate de Barker.

—Eso voy a hacer —dijo Paige—. Me voy del hospital.

Jason la tomó en sus brazos.

—Paige, sé que amas demasiado tu profesión para abandonarla.

—No voy a abandonarla, pero no quiero volver a pisar ese hospital nunca más.

Jason extrajo un pañuelo y secó las lágrimas de Paige.

—Lamento molestarte con todos mis problemas —dijo.

—Para eso están los futuros maridos, ¿no?

Paige trató de sonreír.

—Me gusta cómo suena. —Paige dio un profundo suspiro. —Ya me siento mejor. Gracias por hablar conmigo. Llamé por teléfono al doctor Wallace y le dije que iba a renunciar. Voy a verlo al hospital ahora.

—Te veré en la cena.

Paige recorrió los pasillos del hospital, sabiendo que era la última vez que los veía. Oyó los sonidos familiares y vio la gente caminando apurada por los corredores. El hospital se había convertido en un hogar más de lo que ella creía. Pensó en Jimmy y en Chang, y en todos los médicos maravillosos con los que había trabajado. Pensó en su querido Jason haciendo el recorrido de salas con la chaqueta blanca. Pasó por la cafetería donde había tomado tantos desayunos con Honey y Kat y por el salón, donde habían tratado de hacer una fiesta. Los pasillos y las habitaciones estaban llenos de tantos recuerdos... "Voy a echar de menos todo esto", pensó, "pero me niego a trabajar bajo el mismo techo que ese monstruo".

Subió a la oficina del doctor Wallace. Éste la estaba esperando.

—¡Bueno, debo decir que tu llamado me sorprendió, Paige! ¿Ya tomaste una decisión definitiva?

—Sí.

Benjamin Wallace suspiró.

—Muy bien. Antes de que te vayas, el doctor Barker quiere verte.

—Yo quiero verlo. —Toda la ira reprimida de Paige subió a la superficie.

—Está en el laboratorio. Bueno... que tengas suerte.

—Gracias. —Paige se dirigió al laboratorio.

El doctor Barker estaba examinando unas muestras bajo el microscopio cuando entró Paige. El doctor Barker alzó la mirada.

—Me dijeron que decidió renunciar al hospital.

—Así es. Por fin se cumplió su deseo.

—¿Y cuál es mi deseo? —quiso saber Barker.

—Desde el primer momento en que me vio quiso que me fuera del hospital. Bueno, ganó. No puedo seguir luchando contra usted. Cuando me dijo que había matado a su paciente, yo... —La voz se le quebró. —Creo que es un hijo de mala madre, sádico y sin corazón, y lo odio.

—Siéntese —dijo el doctor Barker.

—No. No tengo nada más que decir.

—Pues yo sí. ¿Quién diablos cree que es usted...? De repente dejó de hablar y comenzó a jadear.

Ante la mirada horrorizada de Paige, se apretó el corazón y cayó sobre la silla, con el rostro contraído en una mueca horrible.

Paige se acercó de inmediato.

—¡Doctor Barker! —Tomó el teléfono y gritó: —¡Alerta Rojo! ¡Alerta Rojo!

El doctor Peterson dijo:

—Sufrió un ataque cardíaco masivo. Es demasiado

pronto para saber si va a salir adelante.

"Soy culpable", pensó Paige. "Quería que se muriera". Se sintió infeliz.

Regresó a la oficina de Ben Wallace.

—Lamento lo sucedido —dijo Paige—. Era un buen médico.

—Sí, es lamentable, muy lamentable. —Wallace la observó un momento. —Paige, ya que el doctor Barker no va a trabajar más aquí, ¿podrías quedarte?

Paige vaciló.

—Sí, por supuesto.

CAPÍTULO VEINTIOCHO

En el cuadro del paciente se leía: "John Cronin, sexo masculino, blanco, edad: 70. Diagnóstico: tumor cardíaco".

Paige todavía no conocía a John Cronin. Tenía programada una cirugía cardíaca. Cuando entró en su habitación, lo acompañaban una enfermera y un médico clínico. Sonrió y dijo:

—Buenos días, señor Cronin.

Lo acababan de extubar, y todavía tenía marcas de cinta adhesiva alrededor de la boca. Por encima de la cama colgaban botellas de suero que lo alimentaban a través del brazo izquierdo.

Cronin miró a Paige.

—¿Quién diablos es usted?

—Soy la doctora Taylor. Voy a examinarlo y...

—¡Antes muerto! ¡Quíteme sus sucias manos de encima! ¿Por qué no me mandan un médico *de verdad*?

La sonrisa de Paige se desvaneció.

—Soy cirujana cardiovascular; voy a hacer todo lo posible por curarlo.

—¿*Usted* va a operarme del corazón?

—Así es. Yo...

John Cronin miró al residente y dijo:

—¡Por el amor de Dios! ¿Es lo mejor que tienen en este hospital?

—Le aseguro que la doctora Taylor es muy competente —aseguró el médico clínico.

—También mi trasero.

Paige dijo con frialdad:
—¿Quiere que lo opere su propio cirujano?
—No tengo. No tengo dinero para pagar uno de esos matasanos de lujo. Todos los médicos son iguales; lo único que les interesa es el dinero; les importa un comino la gente. Para ustedes somos sólo pedazos de carne, ¿no es así?
Paige luchaba por controlarse.
—Sé que está enfadado en este momento, pero...
—¿Enfadado? ¿Sólo porque va a abrirme el corazón? —Cronin gritaba. —Sé que voy a morir en la mesa de operaciones. ¡Usted va a matarme, y espero que la encierren por asesinato!
—¡Es suficiente! —dijo Paige.
Cronin sonreía con malicia.
—Si muriera no se vería muy bien en su currículum, ¿no es así, doctora? Tal vez *sí* le permita operarme.
Paige sintió que el corazón le latía con fuerza. Se volvió a la enfermera.
—Quiero un electrocardiograma y análisis completos. —Echó un último vistazo a John Cronin; después se dio vuelta y abandonó la habitación.
Cuando Paige regresó una hora después con el resultado de los exámenes, John Cronin levantó la mirada.
—¡Ahí vuelve esa perra!

Paige operó a John Cronin a las seis de la mañana siguiente.
En cuanto lo abrió, supo que no había esperanzas. El problema más grave no era el corazón; los órganos de Cronin manifestaban signos de melanoma.
Uno de los residentes dijo:
—¡Por Dios! ¿Qué vamos a hacer?
—Rezar para que no tenga que vivir así demasiado tiempo.

Cuando Paige salió del quirófano, encontró a una mujer y a dos hombres que la esperaban. La mujer rondaba los cuarenta. Tenía cabello rojizo y brillante y demasiado maquillaje; olía a perfume fuerte y barato. Los hombres tenían unos cuarenta y cinco años, y ambos eran pelirrojos. A Paige le parecieron una compañía de circo.

La mujer preguntó a Paige:

—¿Es la doctora Taylor?

—Sí.

—Soy la señora Cronin. Estos son mis hermanos. ¿Cómo está mi esposo?

Paige vaciló. Explicó con cuidado:

—La operación salió tan bien como podía esperarse.

—¡Gracias a Dios! —exclamó la señora Cronin con tono melodramático, mientras se secaba los ojos con un pañuelo de encaje. —¡Moriría si algo le pasara a John!

A Paige le pareció estar viendo a una mala actriz en una obra de teatro.

—¿Puedo ver a mi querido ahora?

—Todavía no, señora Cronin. Está en terapia intensiva. Le sugiero que vuelva mañana.

—Volveremos. —Se volvió a los hombres. —Vamos, chicos.

Paige los observó alejarse. "Pobre John Cronin", pensó.

Paige recibió el informe de la operación la mañana siguiente. El cáncer había hecho metástasis en todo el cuerpo de Cronin. Era demasiado tarde para intentar el tratamiento con radiación.

El oncólogo informó a Paige:

—No queda otra cosa que tratar de hacerlo sentir cómodo. Va a sufrir muchísimo.

—¿Cuánto tiempo le queda?

—Una semana o dos como mucho.

Paige fue a visitar a John Cronin a terapia intensiva; estaba dormido. John Cronin ya no era un hombre mordaz e hiriente, sino un ser humano que luchaba con desesperación por salvar su vida. Estaba conectado a un respirador artificial y era alimentado por vía endovenosa. Paige se sentó junto a la cama y lo observó. Parecía cansado y derrotado. "Es uno de los desafortunados", pensó Paige. "A pesar de todos los milagros médicos de la actualidad, no hay nada que podamos hacer para salvarlo." Paige le tocó el brazo con suavidad. Momentos después, salió de la habitación.

Esa misma tarde Paige pasó a ver a John Cronin otra vez. Ahora estaba desconectado del respirador. Cuando abrió los ojos y vio a Paige, dijo con voz soñolienta:

—La operación terminó, ¿no?

Paige sonrió para tranquilizarlo.

—Sí. Sólo pasé para asegurarme de que estuviera cómodo.

—¿Cómodo? —bufó—. ¿Y a usted qué diablos le importa?

Paige rogó:

—Por favor, no peleemos.

Cronin calló y la observó en silencio.

—El otro médico me contó que hizo un buen trabajo.

Paige no respondió.

—Tengo cáncer, ¿no es cierto?

—Sí.

—¿Es grave?

La pregunta constituía un dilema al que todo cirujano se enfrenta tarde o temprano. Paige respondió:

—Bastante grave.

Hubo un largo silencio.

—¿Y con radiación o quimioterapia?

—Lo siento; sólo lo haría sentirse peor y no lo ayudaría en nada.

—Ya veo. Bueno... tuve una buena vida.

—No me cabe duda.

—Tal vez no lo crea, al verme ahora, pero tuve muchas mujeres.

—Lo creo.

—Sí. Mujeres... bistecs gruesos... buenos cigarros... ¿Está casada?

—No.

—Debería estarlo. Todo el mundo debería casarse. Yo estuve casado dos veces. La primera vez durante treinta y cinco años; era una mujer maravillosa; murió de un ataque cardíaco.

—Lo siento.

—Está bien. —Suspiró. —Después me encapriché en casarme con una comehombres. Con ella y sus dos hermanos hambrientos. Supongo que es mi culpa por ser tan mujeriego. Su cabello rojizo me volvió loco. Es una interesada.

—Estoy segura de que ella...

—No es por ofender, pero, ¿sabe por qué estoy en este hospital de mala muerte? Mi esposa me puso aquí. No quiso gastar dinero conmigo en un hospital privado. Así les dejaré más a ella y a sus hermanos. —Levantó la mirada a Paige. —¿Cuánto tiempo me queda?

—¿Quiere la verdad?

—No... sí.

—Una o dos semanas.

—¡Dios mío! El dolor va a empeorar, ¿no es así?

—Voy a tratar de que esté lo más cómodo posible, señor Cronin.

—Llámeme John.

—John.

—¡Qué perra es la vida!

—Usted dijo que tuvo una buena vida.

—Así es. Es gracioso saber que se acerca el final. ¿Adónde cree que vamos?

—No lo sé.

Cronin forzó una sonrisa.

—Se lo haré saber cuando llegue.

—Su medicación está en camino. ¿Hay algo que pueda hacer para que esté más cómodo?

—Sí. Vuelva a hablar conmigo esta noche.
Era la noche libre de Paige y estaba exhausta.
—Volveré.

Esa noche, cuando Paige volvió a ver a John Cronin, éste estaba despierto.
—¿Cómo se siente?
Cronin pestañeó.
—Muy mal. Creo que nunca fui muy bueno para soportar el dolor. Debo de tener poca resistencia.
—Comprendo.
—Conoció a Hazel, ¿no?
—¿Hazel?
—Mi esposa. La comehombres. Ella y sus hermanos vinieron a verme. Me dijeron que hablaron con usted.
—Así es.
—Es un personaje, ¿no es así? Seguro que me metí en un gran problema. Esperan ansiosos que estire la pata.
—No diga eso.
—Es verdad. El único motivo por el cual Hazel se casó conmigo fue mi dinero. A decir verdad, no me importó mucho. Lo pasé muy bien con ella en la cama, pero después ella y sus hermanos comenzaron a ponerse codiciosos. Siempre querían más.
Los dos permanecieron en agradable silencio.
—¿Le dije que solía viajar mucho?
—No.
—Sí. Estuve en Suecia... Dinamarca... Alemania. ¿Alguna vez fue a Europa?
Paige pensó en el día que fueron a la agencia de viajes. "¡Vayamos a Venecia! ¡No, mejor, a París! ¿Qué les parece Londres?"
—No, nunca.
—Debería ir.
—Tal vez algún día lo haga.
—Supongo que no se gana mucho dinero trabajando en un hospital como éste, ¿no es verdad?
—Gano lo suficiente.

Cronin asintió.
—Sí. Tiene que ir a Europa. Hágame un favor. Vaya a París... pare en el Crillon, cene en Maxim's, ordene un bistec grande y grueso y una botella de champagne, y cuando coma el bistec y beba el champagne, quiero que piense en mí. ¿Lo hará?
Paige respondió lentamente:
—Lo haré algún día.
John Cronin la observaba.
—Bien. Estoy cansado. ¿Volverá mañana para hablar otra vez?
—Volveré —prometió Paige.
John Cronin se durmió.

CAPÍTULO VEINTINUEVE

Ken Mallory creía fervientemente en la diosa Fortuna. Después de conocer a los Harrison, creyó con mayor firmeza que aquélla estaba de su lado. Las posibilidades de que un hombre acaudalado como Alex Harrison fuera a parar al Embarcadero County Hospital eran mínimas. "Y fui yo quien le salvó la vida; ahora quiere demostrarme su gratitud", pensó Mallory alegremente.

Había preguntado a un amigo suyo sobre los Harrison.

—La palabra "rico" ni siquiera comienza a describirlo —le contó su amigo—. Es millonario multiplicado por doce. Además tiene una hija muy bien parecida; se casó tres o cuatro veces. La última vez fue con un conde.

—¿Alguna vez conociste en persona a los Harrison?

—No, no se mezclan con el *hoi polloi*.

Cierto sábado por la mañana, cuando Alex Harrison iba a ser dado de alta, preguntó:

—Ken, ¿cree que estaré en forma como para ofrecer una cena dentro de una semana?

Mallory asintió.

—Si no se excede, no veo por qué no.

Alex Harrison sonrió.

—Bien. Será el invitado de honor.

Mallory sintió un escalofrío. "El viejo lo decía en serio."

—Bueno... gracias.

—Lauren y yo lo esperamos a las siete y media el sábado próximo. —Le dio una dirección en Nob Hill.

—Allí estaré —respondió Mallory. —"¡Sólo muerto dejaré de ir!"

Mallory había prometido a Kat que irían al teatro esa noche, pero sería fácil romper la cita. Ya había cobrado la apuesta, y disfrutaba el sexo con Kat. Varias veces por semana se juntaban en una de las habitaciones de guardia vacías, o en una sala abandonada, en el departamento de Kat o en el suyo. "¡Su fuego estuvo reprimido mucho tiempo", pensó Mallory, "pero cuando se produjo la explosión... ¡Dios mío! Bueno, uno de estos días será tiempo de decirle *arrivederci*".

El día que debía ir a cenar a casa de los Harrison, Mallory telefoneó a Kat.

—Malas noticias, nena.

—¿Qué pasó, mi amor?

—Uno de los médicos está enfermo y me pidieron que lo cubra. Voy a tener que romper nuestra cita.

Kat no quiso demostrarle lo desilusionada que estaba, cuánto necesitaba estar con él, así que respondió:

—Bueno, son gajes del oficio, ¿no?

—Ajá. Te lo compensaré.

—No tienes nada que compensar —respondió Kat con voz cálida—. Te amo.

—Yo también te amo.

—Ken, ¿cuándo vamos a hablar de nosotros?

—¿A qué te refieres? —Mallory sabía exactamente a qué se refería Kat: a un compromiso. Todas las mujeres eran iguales. "Usan el sexo como carnada, con la esperanza de enganchar a algún incauto para que pase la vida con ellas." Pues bien, él era demasiado listo para caer en la trampa. Cuando llegara el momento, se despediría con una reverencia, como lo había hecho antes decenas de veces.

Kat estaba diciendo:

—¿No crees que deberíamos fijar fecha? ¡Tengo tantos planes!

—¡Por supuesto! Lo haremos.

—Pensé que tal vez junio sería una buena época. ¿Qué opinas?

"No quieras saber mi opinión. Si juego bien mis cartas,

va a haber una boda, pero no será contigo."

—Ya hablaremos de eso, nena. Tengo que irme ahora.

La casa de los Harrison era una mansión extraída de una película, situada en terrenos selectos. La casa misma parecía no terminar nunca. Había veinticuatro invitados, y en el enorme salón tocaba una pequeña orquesta. Cuando Mallory entró, Lauren se apresuró a saludarlo. Llevaba puesto un vestido de seda. Apretó la mano de Mallory:

—Bienvenido, invitado de honor. ¡Me alegro tanto de que hayas venido!

—También yo. ¿Cómo está tu padre?

—Bien vivo, gracias a ti. Eres todo un héroe en esta casa.

Mallory sonrió con modestia.

—Sólo hice mi trabajo.

—Supongo que eso dice Dios todos los días. —Tomó la mano de Mallory y empezó a presentarlo a los demás invitados.

La lista de invitados era de lo más selecta: estaba el gobernador de California, el embajador de Francia, un juez de la Suprema Corte, y varios políticos, artistas y empresarios importantes. Mallory podía sentir el poder en la habitación, y lo estremeció. "Este es mi lugar", pensó. "Justo aquí, entre esta gente."

La cena estuvo deliciosa y fue servida con elegancia. Al finalizar la velada, cuando los invitados comenzaron a irse, Harrison pidió a Mallory:

—No se escape, Ken. Me gustaría hablar contigo.

—Será un placer.

Harrison, Lauren y Mallory se acomodaron en la biblioteca. Harrison se sentó en una silla junto a su hija.

—Cuando en el hospital le dije que pensaba que tenía un gran futuro, lo dije en serio.

—De verdad aprecio su confianza, señor.

—Debería tener un consultorio particular.

Mallory se rió con modestia.

Me temo que no es tan fácil, señor Harrison. Lleva

mucho tiempo armar un consultorio, y yo...

—Por lo común sí, pero usted no es un hombre común.

—No entiendo.

—Después de que termines tu residencia, papá quiere armarte tu propio consultorio —explicó Lauren.

Por un instante Mallory se quedó sin palabras. Era demasiado fácil. Se sentía como si estuviera viviendo un sueño maravilloso.

—No... no sé qué decir.

—Tengo muchísimos amigos ricos. A algunos ya les hablé de usted. Te prometo que tendrás éxito desde el primer momento en que cuelgues la placa...

—Papi, los abogados cuelgan sus placas —dijo Lauren.

—Lo que sea. De todos modos, me gustaría financiarte. ¿Estás interesado?

A Mallory le resultaba difícil respirar.

—Muchísimo. Pero no... no sé cuándo podré devolverle el dinero.

—No entendió. Soy yo quien le está devolviendo. No me deberás nada.

Lauren observaba a Mallory con mirada amorosa.

—Por favor, di que sí.

—Sería estúpido negarme, ¿no es cierto?

—Así es —respondió Lauren con voz cálida—. Y estoy segura de que no lo eres.

Camino a casa, Ken Mallory estaba eufórico. "Es lo mejor que podía esperar", pensó, pero se equivocaba: pasó algo mejor.

Lauren lo llamó por teléfono.

—Espero que no te moleste mezclar los negocios con el placer.

Mallory rió para sí.

—En absoluto. ¿Qué tenías pensado?

—El próximo sábado a la noche hay un baile de caridad. ¿Te gustaría llevarme?

"Claro, nena, que te llevaré."

—Me encantaría. —Estaba de guardia el sábado a la

noche, pero pasaría parte de enfermo y tendrían que buscar a otro médico que lo reemplazara.

Mallory era un hombre que creía en planificar por adelantado, pero lo que estaba sucediendo superaba sus sueños más alocados.

En las siguientes semanas se vio envuelto en el círculo social de Lauren, y la vida adquirió un ritmo vertiginoso. Salía a bailar con Lauren la mitad de la noche y durante el día trabajaba en el hospital. Cada vez había más quejas con respecto a su trabajo, pero no le importaba. "Pronto estaré fuera de aquí", pensaba.

La sola idea de salir del deprimente hospital de condado y tener su consultorio propio era suficiente estímulo, pero Lauren era el premio que la diosa Fortuna le tenía reservado.

Kat se estaba convirtiendo en una carga. Mallory tenía que pasárselo buscando pretextos para evitar verla. Cuando aquélla lo presionaba, decía:

—Querida, estoy loco por ti... por supuesto que quiero casarme, pero justo ahora... —y proseguía con una letanía de excusas.

Fue Lauren quien sugirió que fueran a pasar el fin de semana en la casa de campo que la familia poseía en Big Sur. Mallory estaba entusiasmado. "Todo sale de maravilla", pensó. "¡Voy a ser dueño del maldito mundo!"

La casa de campo se extendía a lo largo de colinas cubiertas de pinos; era una estructura enorme construida de madera, losas y piedra, con vista al Océano Pacífico. Poseía un dormitorio principal, ocho habitaciones de huéspedes, un espacioso salón con hogar, una piscina interior y una gran tina de agua caliente. Todo allí olía a dinero añoso.

Cuando entraron, Lauren se volvió a Mallory y le dijo:

—Dejé el fin de semana libre a los sirvientes.

Mallory sonrió.

—Buena idea. —Puso los brazos alrededor de Lauren y dijo con voz suave. —Estoy loco por ti.

—Demuéstramelo —contestó Lauren.

Pasaron el día en la cama y Lauren se mostró casi tan insaciable como Kat.

—¡Me estás agotando! —se rió Mallory.

—Qué bien, no quiero que puedas hacer el amor con ninguna otra. —Se sentó en la cama. —No *existe* ninguna otra, ¿no es cierto, Ken?

—Por supuesto que no —respondió Mallory con sinceridad—. Para mí no existe en el mundo nadie más que tú. Estoy enamorado de ti, Lauren. —Era el momento de tirarse de cabeza, de envolver todo su futuro en un solo paquete. Una cosa era ser un médico prestigioso con consultorio propio, y otra ser el yerno de Alex Harrison. —Quiero casarme contigo.

Retuvo el aliento, esperando una respuesta.

—¡Sí, querido! ¡Sí! —respondió Lauren.

En el departamento Kat estaba tratando con desesperación de localizar a Mallory. Llamó por teléfono al hospital.

—Lo lamento, doctora Hunter. El doctor Mallory no está de guardia y tampoco responde el radiollamado.

—¿No dejó dicho dónde se lo podía localizar?

—No tenemos nada registrado.

Kat colgó el receptor y se volvió a Paige.

—Algo le pasó; lo sé. Para este momento ya me habría llamado.

—Kat, existen cien razones por las cuales pudiste no haber tenido noticias de él. Tal vez tuvo que salir de la ciudad de repente, o...

—Tienes razón. Seguramente que existe una buena razón.

Kat miró el teléfono y *deseó* que sonara.

Cuando Mallory volvió a San Francisco telefoneó a Kat al hospital.

—La doctora Hunter hoy no trabaja —le informó la recepcionista.

—Gracias. —Mallory llamó al departamento. Kat estaba allí.

—¡Hola, nena!

—¡Ken! ¿Dónde estuviste? Me tuviste muy preocupada, traté de localizarte por todas partes...

—Tuve una emergencia familiar —explicó con voz suave—. Lamento no haber tenido oportunidad de llamarte. Tuve que salir de la ciudad. ¿Puedo ir a visitarte?

—Sabes que sí. Me alegro tanto de que estés bien. Yo...

—Dentro de media hora. —Colgó el receptor y pensó feliz: "Llegó el momento, dijo la morsa, de hablar de muchas cosas. Querida Kat, fue muy divertido, pero fue sólo una aventura".

Cuando Mallory llegó al departamento Kat le arrojó los brazos al cuello.

—¡Te extrañé! —No podía decirle lo desesperada que había estado. Los hombres odiaban esa clase de demostraciones. Dio un paso hacia atrás. —Querido, se te ve exhausto.

Mallory suspiró.

—Hace veinticuatro horas que no duermo. —"Esa parte es verdad", pensó.

Kat lo abrazó.

—¡Pobrecito! ¿Te preparo algo?

—No, estoy bien. Lo único que necesito es dormir toda la noche. Sentémonos, Kat. Tenemos que hablar. —Se sentó en el sofá junto a ella.

—¿Pasa algo malo? —preguntó Kat.

Mallory respiró profundo.

—Kat, últimamente estuve pensando mucho en nosotros.

Kat sonrió.

—También yo. Te tengo una sorpresa, yo...

—No, espera. Déjame terminar, Kat. Creo que nos estamos apresurando demasiado. Creo... creo que me apresuré al proponerte matrimonio.

Kat empalideció.

—¿Qué... qué estás diciendo?

—Estoy diciendo que creo que deberíamos posponer todo.

Kat sintió como si se le cayera el techo encima. Le resultaba difícil respirar.

—Ken, no podemos posponer nada. Voy a tener tu bebé.

CAPÍTULO TREINTA

Paige llegó a su casa a medianoche, agotada. No había tenido tiempo para almorzar, su cena había consistido en un sándwich entre operaciones. Se dejó caer en la cama y se durmió de inmediato. La despertó el sonido del teléfono. Dormida, Paige se estiró para alcanzar el auricular y automáticamente echó un vistazo al reloj despertador: eran las tres de la mañana.

—¿Hola?

—¿Doctora Taylor? Lamento molestarla, pero uno de sus pacientes insiste en verla de inmediato.

Paige tenía la garganta tan seca que apenas podía hablar.

—Ya no estoy de guardia —murmuró—. ¿No puede conseguir otro...?

—No quiere hablar con otro médico. Dice que la necesita *a usted.*

—¿Quién es?

—John Cronin.

Paige se sentó más derecha.

—¿Qué le pasó?

—No sé. Se rehúsa a hablar con otra persona que no sea usted.

—De acuerdo —respondió Paige, cansada—. Voy en camino.

Treinta minutos después Paige llegaba al hospital. Fue directo a la habitación de John Cronin. Éste yacía en la cama, despierto. Tenía tubos que le salían de la nariz y de los brazos.

—Gracias por venir. —Su voz era débil y ronca.

Paige se sentó en una silla junto a la cama. Sonrió.

—Está bien, John. De todos modos no tenía nada que hacer más que dormir. ¿Qué puedo hacer por usted que ningún otro médico de este enorme hospital podría haber hecho?

—Quiero que hable conmigo.

Paige gruñó:

—¿A esta hora? Pensé que se trataba de alguna emergencia.

—Lo es. Quiero partir.

Paige sacudió la cabeza.

—Es imposible. No puede irse a su casa ahora. No podría recibir la clase de tratamiento que...

Cronin la interrumpió.

—No quiero irme a mi casa. Quiero partir.

Paige lo miró y preguntó con lentitud:

—¿Qué quiere decir?

—Sabe bien qué quiero decir. La medicación ya no surte efecto. No puedo soportar el dolor. Quiero terminar con esto.

Paige se inclinó y le tomó la mano.

—John, no puedo hacerlo. Déjeme darle un poco de...

—No. Estoy cansado, Paige. Quiero ir dondequiera que tengo que ir, pero no quiero seguir viviendo así. Ya no.

—John...

—¿Cuánto tiempo me queda? ¿Algunos días? Se lo dije, no sirvo para soportar el dolor. Estoy atrapado en esta cama como un animal, lleno de estos malditos tubos. Mi cuerpo está siendo carcomido por dentro. Esto no es vida... ¡es muerte! ¡Por el amor de Dios, ayúdeme!

De repente le sobrevino una puntada de dolor. Cuando volvió a hablar, su voz se oyó aún más débil.

—Ayúdeme... por favor...

Paige sabía lo que tenía que hacer. Debía informar el pedido de John Cronin al doctor Benjamin Wallace, quien lo comunicaría al Comité de Administración. Se reuniría un grupo de médicos para evaluar la condición de Cronin, y después tomar una decisión. Después, tendría que ser aprobada por...

—Paige... es *mi* vida. Déjeme hacer con ella lo que quiera.

Paige miró la silueta desvalida encerrada en su dolor.

—Se lo ruego...

Paige tomó la mano de Cronin y la sostuvo durante un largo tiempo. Por fin habló.

—De acuerdo, John. Lo haré.

Cronin consiguió sonreír.

—Sabía que podía contar con usted.

Paige se inclinó y le besó la frente.

—Cierre los ojos y duérmase.

—Buenas noches, Paige.

—Buenas noches, John.

John Cronin suspiró y cerró los ojos; en su rostro había una sonrisa benigna.

Paige se quedó sentada observándolo, pensando en lo que estaba por hacer. Recordó lo horrorizada que había estado el primer día de recorrido de salas con el doctor Radnor. "Hace seis semanas que está en coma. Sus signos vitales están desapareciendo. No podemos hacer nada más por ella. Esta tarde vamos a desconectarla del respirador." ¿Estaba mal liberar a un prójimo de su infelicidad?

Con lentitud, como si se estuviera moviendo bajo el agua, Paige se puso de pie y caminó hasta un gabinete en el rincón, donde se guardaba una botella de insulina para emergencias. Extrajo la botella y se quedó mirándola. Después le quitó la tapa. Llenó una jeringa con insulina y volvió junto a la cama de John Cronin. Todavía tenía tiempo de echarse atrás. "Estoy atrapado en esta cama como un animal... Esto no es vida... ¡es muerte! ¡Por el amor de Dios, ayúdeme!"

Paige se inclinó hacia adelante y lentamente inyectó la insulina en el tubo conectado con el brazo de Cronin.

—Que duerma bien —susurró Paige. No se dio cuenta de que estaba sollozando.

Paige condujo hasta su casa y permaneció despierta el

resto de la noche, pensando en lo que había hecho.

A las seis de la mañana recibió un llamado telefónico.

—Lamento darle malas noticias, doctora Taylor. Su paciente John Cronin murió esta madrugada de un paro cardíaco.

Esa mañana el médico a cargo del personal era el doctor Arthur Kane.

CAPÍTULO TREINTA Y UNO

La única vez que Ken Mallory había ido a la ópera se había quedado dormido. Esta noche en particular había ido a ver *Rigoletto* en el Teatro de la Ópera de San Francisco y disfrutaba cada minuto. Estaba sentado en un palco con Lauren Harrison y su padre. Durante el intervalo en el vestíbulo, Alex Harrison lo había presentado a muchísimos de sus amigos.

—Les presento a mi futuro yerno y a un médico brillante, Ken Mallory.

Ser el yerno de Alex Harrison era suficiente para *convertirlo* en un médico brillante.

Después del espectáculo, los Harrison y Mallory fueron a cenar al elegante comedor principal del hotel Fairmont. Mallory disfrutó el saludo deferente que el *maître d'hotel* ofreció a Alex Harrison mientras los guiaba hasta su mesa. "A partir de ahora, podré pagar lugares como éste", pensó Mallory, "y todo el mundo va a conocerme".

Después de haber ordenado, Lauren dijo:

—Querido, creo que deberíamos hacer una fiesta para anunciar nuestro compromiso.

—¡Qué buena idea! —exclamó el padre—. Haremos una gran fiesta. ¿Qué dices, Ken?

Una campana de advertencia sonó en la mente de Mallory. Una fiesta de compromiso implicaba publicidad. "Primero tendré que aclarar todo con Kat. Con un poco de dinero todo va a quedar arreglado." Mallory maldijo la estúpida apuesta que había hecho. Por unos míseros diez mil dólares su brillante futuro podía correr peligro. Imaginaba qué sucedería si tratara de explicar su situación con Kat a los Harrison.

"Dicho sea de paso, olvidé mencionar que ya estoy comprometido con una médica del hospital. Es negra..."

O: "¿Quieren oír algo gracioso? Les aposté a los muchachos del hospital diez mil dólares a que podía acostarme con esta médica negra..."

O: "Ya tengo planeado un casamiento..."

"No", pensó, "tendré que encontrar una manera de comprar a Kat".

Los Harrison miraban expectantes a Mallory.

Mallory sonrió.

—Una fiesta es una idea fantástica.

Lauren dijo con entusiasmo.

—Bien. Comenzaré a preparar todo. Ustedes, los hombres, no tienen idea del tiempo que lleva organizar una fiesta.

Alex Harrison se volvió a Mallory.

—Ya eché a correr el rumor sobre ti, Ken.

—¿Cómo, señor?

—Gary Gitlin, el director del North Shore Hospital, es un antiguo compañero mío de golf. Le hablé de ti y no cree que haya problema en que te afilies a su hospital. Te dará mucho prestigio, ¿sabes? Y al mismo tiempo te ayudaré a poner tu consultorio.

Mallory escuchaba, lleno de euforia.

—Maravilloso...

—Por supuesto, te llevará unos años hacer del consultorio un negocio lucrativo, pero supongo que el primero o segundo año deberías ganar unos doscientos o trescientos mil dólares.

"¡Doscientos o trescientos mil dólares! ¡Dios mío!", pensó Mallory. "Lo dice como si fueran migajas."

—Sería... sería maravilloso, señor.

Alex Harrison sonrió.

—Ken, ya que voy a ser tu suegro, dejemos de lado el "señor". Llámame Alex.

—De acuerdo, Alex.

—Saben, nunca fui una novia de junio —interpuso Lauren—. ¿Junio te parece bien, mi amor?

Imaginaba la voz de Kat diciéndole: "¿No crees que deberíamos fijar fecha? Pensé que tal vez junio sería una buena época".

Mallory tomó la mano de Lauren entre las suyas.

—Me parece maravilloso. —"Tendré mucho tiempo para resolver lo de Kat", decidió Mallory. Se sonrió. "Le ofreceré parte del dinero que gané acostándome con ella."

—Tenemos un yate en el sur de Francia —decía Alex Harrison—. ¿Les gustaría ir de luna de miel a la Riviera Francesa? Pueden ir volando en nuestro Gulfstream.

Un yate. La Riviera Francesa. Era como un sueño convertido en realidad. Mallory miró a Lauren.

—Con Lauren iría de luna de miel a cualquier parte.

Alex Harrison asintió.

—Bueno, parece que todo está arreglado. —Sonrió a su hija. —Voy a extrañarte, querida.

—No vas a perderme, papá. ¡Vas a ganar un médico!

Alex Harrison asintió.

—Y uno muy bueno. Nunca podré terminar de agradecerte por salvarme la vida, Ken.

Lauren acarició la mano de Mallory.

—Le agradeceré por ti.

—Ken, ¿por qué no almorzamos la semana próxima? —propuso Alex Harrison—. Buscaremos algún espacio de oficina adecuado para ti, tal vez en el edificio del Correo, y arreglaré una entrevista con Gary Gitlin. Muchos amigos míos se mueren por conocerte.

—Lo diría de otro modo, papá —sugirió Lauren. Se volvió a Ken. —También les hablé de ti a *mis* amigos y se mueren por conocerte, con la única diferencia de que no voy a permitírselo.

—No me interesa nadie más que tú —respondió Mallory con voz cálida.

Cuando subieron al Rolls Royce conducido por chofer, Lauren preguntó:

—¿Dónde podemos alcanzarte, mi amor?

—Al hospital. Tengo que ver a unos pacientes. —No tenía la más mínima intención de ver a ningún paciente. Kat estaba de guardia en el hospital.

Lauren le acarició la mejilla.

—¡Mi pobre bebé! ¡Trabajas demasiado!

Mallory suspiró.

—No importa, mientras pueda ser de ayuda a la gente.

Encontró a Kat en la sala de geriatría.

—Hola, Kat.

Kat estaba de mal humor.

—Teníamos una cita anoche, Ken.

—Lo sé. Lo siento, no pude llegar, y...

—Es la tercera vez esta última semana. ¿Qué está sucediendo?

Kat se estaba poniendo pesada.

—Kat, tengo que hablarte. ¿Hay alguna habitación vacía?

Kat pensó un momento.

—Un paciente fue dado de alta de la 315. Vayamos allí.

Caminaron por el pasillo. Una enfermera se les acercó.

—¡Doctor Mallory! El doctor Peterson lo estuvo buscando. Necesita...

—Dígale que estoy ocupado. —Tomó a Kat del brazo y la condujo al ascensor.

Cuando llegaron al tercer piso, caminaron en silencio por el corredor hasta la habitación 315. Mallory cerró la puerta. Estaba agitado. Todo su futuro dorado dependía de los siguientes minutos.

Tomó la mano de Kat entre las suyas. Era hora de ser sincero.

—Kat, sabes que estoy loco por ti. Nunca sentí por nadie lo que siento por ti. Pero mi amor, la idea de tener un hijo justo ahora... bueno... ¿no ves el error que cometeríamos? Quiero decir... los dos trabajamos día y noche, no ganamos lo suficiente para...

—Pero podemos arreglárnoslas —lo interrumpió Kat—. Te amo, Ken, y...

—Espera. Lo único que te pido es que posterguemos todo un poquito. Déjame terminar la residencia en el hospital y que ponga mi consultorio en algún lado. Tal vez nos mudemos al sector Este. Dentro de algunos años podremos casarnos y tener un hijo.

—*¿Dentro de algunos años?* ¡Pero te dije que estoy embarazada!

—Lo sé, querida, pero hace cuánto... ¿dos meses? Tenemos tiempo de sobra para abortarlo.

Kat lo miró atónita.

—¡No! No quiero hacer un aborto. Quiero que nos casemos de inmediato. ¡Ahora!

"Tenemos un yate en el sur de Francia. ¿Les gustaría ir de luna de miel a la Riviera Francesa? Pueden ir volando en nuestro Gulfstream."

—Ya les conté a Paige y a Honey que vamos a casarnos. Van a ser mis madrinas. Y también les conté del bebé.

Mallory sintió un escalofrío en la espalda. La situación se le escapaba de las manos. Si los Harrison se enteraran, sería su fin.

—No debiste haberlo hecho.

—¿Por qué no?

Mallory forzó una sonrisa.

—Quiero conservar nuestra intimidad. "Voy a ayudarte a poner el consultorio... El primero o segundo año deberías ganar unos doscientos o trescientos mil dólares."

—Kat, voy a preguntártelo por última vez. ¿Vas a abortar? —*Deseaba* que respondiera que sí, trataba de que la desesperación no se reflejara en su voz.

—No.

—Kat...

—No puedo, Ken. Ya te conté cómo me sentí con el aborto que tuve de niña. Juré que nunca volvería a pasar por lo mismo. No me lo vuelvas a preguntar.

En ese momento Ken Mallory se dio cuenta de que no podía arriesgarse. No tenía otra alternativa. Iba a tener que matar a Kat.

CAPÍTULO TREINTA Y DOS

Honey todos los días esperaba con ansias el momento de ver al paciente de la habitación 306. Su nombre era Sean Reilly, irlandés, buen mozo, de cabello negro y ojos negros y brillantes. Honey calculaba que rondaría los cuarenta años.

Cuando Honey lo conoció durante el recorrido de salas, ésta miró su cuadro y dijo:

—Veo que está aquí para someterse a una colecistectomía.

—Creí que iban a extirparme la vesícula biliar.

Honey sonrió.

—Es lo mismo.

Sean le clavó la mirada de ojos negros.

—Pueden extirparme cualquier cosa excepto mi corazón. Ése te pertenece.

Honey se echó a reír.

—Con la adulación llegarás a cualquier parte.

—Eso espero, querida.

Cuando Honey tenía algunos minutos libres, pasaba a charlar con Sean. Era agradable y divertido.

—Vale la pena operarse solamente por tenerte cerca, pequeña.

—No estás nervioso por la operación, ¿no es cierto? —quiso saber Honey.

—No si tú me vas a operar, mi amor.

—No soy cirujana, soy internista.

—¿Se les permite a las internistas ir a cenar con sus pacientes?

—No. Existe un reglamento que lo prohíbe.
—¿Y las internistas violan las reglas?
—Nunca. —Honey estaba sonriendo.
—Opino que eres hermosa —dijo Sean.
Nunca antes le habían dicho eso a Honey. Se ruborizó.
—Gracias.
—Eres como el rocío de la madrugada sobre los campos de Killarney.
—¿Alguna vez fuiste a Irlanda? —preguntó Honey.
Sean se echó a reír.
—No, pero te prometo que algún día iremos juntos. Ya verás.
Era pura zalamería irlandesa, y sin embargo...
Esa tarde, cuando Honey fue a ver a Sean, preguntó:
—¿Cómo te sientes?
—Mejor al verte. ¿Pensaste en nuestra cita para cenar?
—No —mintió Honey.
—Esperaba que después de mi operación podríamos salir. No estás comprometida, casada, ni ninguna de esas tonterías, ¿no es verdad?
Honey sonrió.
—Ninguna de esas tonterías.
—¡Qué bien! Yo tampoco. ¿Quién iba a quererme?
"Muchas mujeres", pensó Honey.
—Si te gusta la comida casera, da la casualidad de que soy un excelente cocinero.
—Ya lo veremos.
Cuando Honey fue a la habitación de Sean a la mañana siguiente, éste dijo:
—Tengo un regalito para ti. —Le entregó una hoja de papel de dibujo. Sobre él había un retrato suave e idealizado de Honey.
—¡Me encanta! ¡Eres un artista maravilloso! —De repente recordó las palabras de la psíquica: "Vas a enamorarte. Él es artista". Miró a Sean con extrañeza.
—¿Pasa algo malo?
—No —respondió Honey con lentitud—. No.
Cinco minutos más tarde, Honey se dirigió a la habitación de Frances Gordon.

—¡Aquí viene Virgo!

Honey le preguntó:

—¿Recuerdas que me dijiste que iba a enamorarme de alguien... de un artista?

—Sí.

—Bueno, creo... creo que lo conocí.

Frances Gordon sonrió.

—¿Lo ves? Las estrellas nunca mienten.

—¿Podrías... podrías contarme algo más de él? ¿De nosotros?

—Hay unas cartas de tarot en ese cajón. ¿Podrías alcanzármelas?

Cuando Honey se las entregó, pensó: "¡Es ridículo! ¡No creo en todo esto!"

Frances Gordon tiró las cartas. Asintió y sonrió una y otra vez, y de repente se detuvo. Se puso pálida.

—¡Dios mío! —Miró a Honey.

—¿Qué... qué pasa? —inquirió.

—Este artista. ¿Dices que ya lo conociste?

—Creo que sí.

La voz de Frances Gordon se llenó de tristeza.

—¡Pobre hombre! —Volvió a mirar a Honey. —¡Lo lamento... lo lamento tanto!

Sean Reilly tenía programada la operación para la mañana siguiente.

08:15. El doctor Williams se prepara para la intervención en el quirófano número dos.

08:25. Un camión con la provisión de sangre de una semana estaciona en la entrada de emergencia del Embarcadero County Hospital. El conductor lleva las bolsas al banco de sangre situado en el sótano. Eric Foster, el médico de guardia, compartía un café y un pastelillo con una enfermera joven y hermosa, Andrea.

—¿Dónde quiere que las ponga? —preguntó el conductor.

—Déjelas por ahí. —Foster señaló un rincón.
—Bien. —El conductor apoyó las bolsas y extrajo un formulario. —Necesito su autógrafo.
—De acuerdo. —Foster firmó el formulario. —Gracias.
—No fue nada. —El conductor partió.
Foster se volvió a Andrea.
—¿Dónde estábamos?
—Me estabas diciendo lo adorable que soy.
—Correcto. Si no estuvieras casada, me encantaría perseguirte —dijo el internista—. ¿Nunca te echas una cana al aire?
—No. Mi esposo es boxeador.
—¡Ah! ¿Tienes alguna hermana?
—De hecho, sí.
—¿Es tan bonita como tú?
Más bonita.
—¿Cómo se llama?
—Marilyn.
—¿Por qué no salimos los cuatro una de estas noches?
Mientras conversaban, el telefax comenzó a funcionar; Foster lo ignoró.

08:45. El doctor Radnor empieza a operar a Sean Reilly. El comienzo es perfecto. El quirófano funciona como una máquina recién aceitada, manejado por personas capaces que hacen su trabajo.

09:05. El doctor Radnor llega al conducto cístico; hasta ese momento una operación de libro. Cuando empieza a extirpar la vesícula, se le resbala la mano y el escalpelo corta una arteria. Empieza a salir sangre a borbotones.
—¡Dios mío! —Trata de detener la hemorragia.
El anetesista exclama:
—La presión sanguínea acaba de descender a noventa y cinco. ¡Va a entrar en shock!
Radnor habla con la enfermera:

—Consiga sangre, ¡stat!
—De inmediato, doctor.

09:05. Suena el teléfono en el banco de sangre.

—No te vayas —dijo Foster a Andrea. Se dirigió al teléfono y levantó el auricular. —Banco de sangre.

—Necesitamos cuatro unidades de sangre factor 0 en el quirófano dos, stat.

—Correcto. —Foster colgó el auricular y fue al rincón donde había sido depositada la sangre nueva. Extrajo cuatro bolsas y las colocó sobre el estante superior del carro metálico utilizado para tales emergencias. Revisó las bolsas. —Grupo 0 —dijo en voz alta. Llamó a un ordenanza.

El telefax había dejado de funcionar.

—¿Qué pasa? —preguntó Andrea.

Foster miró el cronograma de quirófanos que tenía frente a sí.

—Parece que uno de los pacientes le está haciendo pasar un mal rato al doctor Radnor.

09:15. El ordenanza llega al banco de sangre.

—¿Qué tenemos?

—Lleva éstas al quirófano dos. Las están esperando.

Observó cómo el ordenanza salía con el carro, y después regresó a Andrea.

—Cuéntame de tu hermana.

—También está casada.

—¡Ah...!

Andrea sonrió.

—Pero ella sí se echa alguna cana al aire.

—¿De veras?

—Sólo bromeaba. Tengo que volver a trabajar, Eric. Gracias por el café y el pastelito.

—Cuando quieras. —La observó alejarse y pensó: "¡Qué lindo trasero!"

09:20. El ordenanza espera el ascensor para ir al segundo piso.

09:23. El doctor Radnor hacía lo que podía por minimizar la catástrofe.

—¡Dónde está esa maldita sangre!

09:25. El ordenanza golpea la puerta del quirófano dos y la enfermera le abre.

—Gracias —dice la enfermera. Lleva y entra las bolsas. —Ya llegó, doctor.

—Empiece a bombeársela. ¡Rápido!

En el banco de sangre, Eric Foster termina su café mientras piensa en Andrea. "Todas las bonitas están casadas."

Cuando se dirige a su escritorio, pasa por el telefax. Saca el fax y lo lee:

Repetimos Alerta número 687, 25 de junio: Células Sanguíneas Rojas, Plasma Fresco Congelado. Unidades CB83711, CB800007. Bancos Comunitarios de Sangre de California, Arizona, Washington, Oregon. Se distribuyeron bolsas con sangre testeada repetidas veces reactiva al anticuerpo HIV tipo 1.

Foster miró el papel un momento, después caminó hasta su escritorio y tomó la factura que había firmado por las bolsas de sangre que acababan de entregar. Miró el número de la factura. El número que figuraba en la advertencia era idéntico.

—¡Dios mío! —exclamó. Tomó el teléfono. —¡Comuníqueme con el quirófano dos de inmediato!

Respondió una enfermera.

—Hablo del banco de sangre. Acabo de enviar cuatro unidades del grupo 0. ¡No las utilicen! Voy a enviar de inmediato sangre fresca.

La enfermera respondió:

—Lo siento, ya es tarde.

Se efectuó una encuesta oficial, pero no se probó nada.

—No fue mi culpa —se justificó Eric Foster—. Cuando entró el fax, ya habían subido la sangre.

El doctor Radnor informó lo sucedido a Sean Reilly.

—Fue un error —dijo Radnor—. Un terrible error. Daría lo que tengo si no hubiera sucedido.

Sean lo miró, atónito.

—¡Dios mío, voy a morir!

—Hasta dentro de seis u ocho semanas no sabremos si es HIV positivo. Y aunque lo sea, no significa necesariamente que vaya a contraer sida. Vamos a hacer todo lo posible por usted.

—¡Qué diablos pueden hacer conmigo que ya no hayan hecho! —exclamó Sean con amargura—. Soy hombre muerto.

Cuando Honey se enteró, quedó devastada. Recordó las palabras de Frances Gordon. "¡Pobre hombre!"

Sean Reilly estaba dormido cuando Honey entró en su habitación. Se sentó junto al lecho durante largo tiempo, y se quedó observándolo.

Sean abrió los ojos y vio a Honey.

—Soñé que estaba soñando que no iba a morir.

—Sean...

—¿Viniste a visitar al cadáver?

—Por favor, no hables así.

—¿Cómo pudo pasar? —preguntó.

—Alguien cometió un error, Sean.
—¡Dios mío, no quiero morir de sida!
—Algunas personas infectadas con el HIV tal vez nunca contraigan sida. Los irlandeses son afortunados.
—Ojalá pudiera creerte.
Honey tomó su mano en las de ella.
—Tienes que creerme.
—No soy de los que rezan, pero voy a empezar ahora.
—Rezaré contigo —dijo Honey.
Sean sonrió con tristeza.
—Supongo que tengo que olvidarme de la cena, ¿no?
—¡Ah, no! No te escaparás tan fácil. Estoy esperando ese momento.
Sean la observó un momento.
—Lo dices de verdad, ¿no?
—¡Por supuesto! No importa lo que pase; recuerda que me prometiste llevarme a Irlanda

Capítulo treinta y tres

—¿Te encuentras bien, Ken? —preguntó Lauren—. Pareces tensionado, querido.

Estaban solos en la enorme biblioteca de los Harrison. Una mucama y un mayordomo habían servido una cena de seis platos, y durante la cena Ken y Alex Harrison —"Llámame Alex"— habían conversado sobre el brillante futuro de Mallory.

—¿Por qué estás nervioso?

"Porque esa perra negra está embarazada, y espera que me case con ella. Porque en cualquier momento se va a saber lo de nuestro compromiso, ella se va a enterar y lo va a anunciar por todas partes. Porque todo mi futuro podría ser destruido."

Tomó la mano de Lauren en las suyas.

—Supongo que estoy trabajando demasiado. Mis pacientes no son sólo eso para mí, Lauren. Son personas con problemas, y no puedo evitar preocuparme por ellos.

Lauren le acarició la cara.

—Es una de las cosas que amo de ti, Ken. ¡Eres tan sensible!

—Supongo que así me educaron.

—¡Ah! Lo olvidaba. El editor de *Chronicle* y un fotógrafo van a venir el lunes para hacer una entrevista.

Fue como un golpe en la boca del estómago.

—¿Hay alguna posibilidad de que puedas venir, mi amor? Quieren una foto tuya.

—O... ojalá pudiera, pero voy a tener un día muy ocupado en el hospital. —Trataba de pensar rápido. —Lauren,

¿crees que sea una buena idea dar una entrevista ahora? Quiero decir, ¿no deberíamos esperar hasta que...?

Lauren se echó a reír.

—No conoces a la prensa, querido. Son como sabuesos. No, va a ser mejor que terminemos con esto ahora.

"¡El lunes!"

Al día siguiente Mallory buscó a Kat hasta encontrarla en uno de los cuartos de materiales. Se la veía cansada y ojerosa. No llevaba maquillaje y tenía el pelo sin ensortijar. "Lauren nunca se habría dejado estar así", pensó Mallory.

—¡Hola, mi amor!

Kat no respondió.

Mallory la tomó en sus brazos.

—Estuve pensando mucho en nosotros, Kat. No dormí en toda la noche. No existe nadie más que tú. Tenías razón; estaba equivocado. Supongo que la noticia me tomó por sorpresa. Quiero que tengamos a nuestro bebé. —Se dio cuenta de que el rostro de Kat se iluminaba de repente.

—¿Lo dices en serio, Ken?

—Por supuesto que sí.

Kat le echó los brazos al cuello.

—¡Gracias a Dios! ¡Mi amor, estaba tan preocupada! ¡No sé lo que haría sin ti!

—No tienes que preocuparte por eso. A partir de ahora, todo va a ser maravilloso. —"Nunca sabrás qué maravilloso." —Mira, tengo la noche del domingo libre. ¿Y tú?

Kat aferró su mano.

—Voy a estarlo.

—¡Grandioso! Tendremos una cena íntima y después volveremos a tu departamento para un último trago. ¿Crees que podrás deshacerte de Paige y de Honey? Quiero que estemos solos.

Kat sonrió.

—No hay problema. No sabes lo feliz que me hiciste. ¿Alguna vez te dije cuánto te amo?

—Yo también te amo. Te mostraré cuánto el domingo por la noche.

Al repasar el plan, Mallory decidió que era perfecto. Había pensado hasta en el más mínimo detalle. No había manera de que la muerte de Kat pudiera serle atribuida.

Era demasiado riesgoso tomar lo que necesitaba de la farmacia del hospital, pues la seguridad había sido reforzada después del asunto Bowman. En cambio, el domingo temprano por la mañana Mallory fue a buscar una farmacia lejos de su domicilio. La mayor parte estaban cerradas los domingos, y recorrió media docena hasta encontrar una que estuviera abierta.

El farmacéutico lo saludó desde detrás del mostrador:

—Buenos días. ¿Puedo ayudarlo en algo?

—Sí. Voy a ver a un paciente en esta zona y quiero llevarle una receta. —Extrajo su recetario y escribió.

El farmacéutico sonrió.

—Hoy día no quedan muchos los médicos que hagan visitas domiciliarias.

—Lo sé. Es una pena, ¿no es verdad? A la gente ya no le importa. —Entregó la receta al farmacéutico.

Éste le echó un vistazo y asintió.

—Sólo me llevará unos minutos.

—Gracias.

Primer paso.

Esa tarde Mallory hizo una parada en el hospital. No estuvo más de diez minutos; cuando partió, llevaba un pequeño paquete.

Segundo paso.

Mallory había quedado en encontrarse con Kat en Trader Vic's para cenar; cuando Kat llegó él la estaba esperando. Mallory la observó caminar hacia la mesa y pensó: "Es la Última Cena, perra".

Se puso de pie y sonrió con calidez.

—Hola, muñeca. Estás hermosa. —Y tuvo que admitir que era cierto. Se la veía sensacional. "Podría haber sido modelo. Además es grandiosa en la cama. Lo único que le falta", pensó Ken, "son unos veinte millones de dólares; poco más o menos".

Otra vez Kat se daba cuenta de cómo las otras mujeres del restaurante miraban a Ken y la envidiaban. Pero él sólo tenía ojos para ella. Había vuelto a ser el Ken de antes, cálido y atento.

—¿Cómo te fue hoy? —preguntó Ken.

Kat suspiró.

—Ocupada: tres operaciones por la mañana y dos esta tarde. —Se inclinó hacia adelante. —Sé que es demasiado pronto, pero juraría que el bebé me pateó cuando me estaba vistiendo.

Mallory sonrió.

—Tal vez quiera salir.

—Tendríamos que hacer un test de ultrasonido y averiguar si es varón o niña. Así podré empezar a comprarle ropa.

—Es una idea magnífica.

—Ken, ¿podemos fijar fecha de casamiento? Me gustaría que fuera lo más pronto posible.

—No hay problema —respondió Mallory con calma . Podemos ir a pedir fecha la semana que viene.

—¡Fantástico! —De repente tuvo una idea. —Tal vez podamos pedir algunos días de vacaciones e ir a alguna parte de luna de miel; a algún lugar no muy lejano... hasta Oregon o Washington.

"Estás equivocada, nena. En junio estaré pasando mi luna de miel en mi yate en la Riviera Francesa."

—Suena fantástico. Hablaré con Wallace.

Kat le apretó la mano.

—Gracias —dijo Kat con voz ronca—. Voy a ser la mejor esposa del mundo.

—Estoy seguro. —Mallory sonrió. —Ahora come la verdura. Queremos que el bebé sea sano, ¿no es cierto?

Partieron del restaurante a las 21:00. Cuando se acercaban al departamento de Kat, Mallory preguntó:

—¿Estás segura de que Paige y Honey no estarán en el departamento?

—Me aseguré. Paige está de guardia en el hospital y a Honey le dije que queríamos estar solos.

"¡Diablos!"

Kat vio la expresión de su rostro.

—¿Pasa algo malo?

—No, mi amor. Te dije que quería intimidad. —"Tendré que tener cuidado", pensó. "Mucho cuidado." —Apurémonos.

Su impaciencia conmovió a Kat.

Una vez dentro, Mallory sugirió:

—Entremos al dormitorio.

Kat sonrió.

—Parece una gran idea.

Mallory observó cómo se desvestía Kat, y pensó: "Todavía tiene una hermosa silueta. Un bebé la arruinaría".

—¿No vas a desvestirte, Ken?

—Por supuesto. —Recordó la ocasión en que ella lo había hecho desvestirse y después se había ido. Ahora iba a pagar por eso.

Se quitó la ropa con lentitud. "¿Podré cumplir?", se preguntó. Casi temblaba de los nervios. "Lo que voy a hacer es culpa suya, no mía. Le di la oportunidad de echarse atrás y cometió la estupidez de rechazarla."

Se deslizó en la cama junto a ella y sintió su cuerpo cálido contra el suyo. Comenzaron a acariciarse, y sintió que se excitaba. La penetró y ella empezó a gemir.

—¡Querido... es maravilloso! —Comenzó a moverse cada vez más rápido. —¡Sí... sí... oh, Dios mío!... no te detengas... —Y su cuerpo comenzó a temblar espasmódicamente, tembló y quedó quieta entre los brazos de Mallory.

Kat preguntó, ansiosa:

—¿Pudiste...?

—Por supuesto —mintió Mallory. Estaba demasiado tenso. —¿Qué te parece si tomamos un trago?

—No debería. El bebé...

—Pero tenemos que celebrarlo, mi amor. Un traguito no va a hacerte daño.

Kat vaciló.

—De acuerdo. Uno pequeño. —Kat empezó a levantarse.

Mallory la detuvo.

—No, no. Tú te quedas en la cama, mamita. Tendrás que acostumbrarte a que te malcríen.

Kat observó a Mallory dirigirse a la sala y pensó: "¡Soy la más afortunada del mundo!"

Mallory fue hasta el barcito y vertió whisky en dos vasos. Echó un vistazo al dormitorio para asegurarse de no ser visto, después fue hasta el sofá, donde había dejado la chaqueta. Extrajo una botellita del bolsillo y echó el contenido en la bebida de Kat. Regresó al bar, agitó la bebida de Kat y la olió: no había olor. Llevó los dos vasos al dormitorio y entregó uno a Kat.

—Brindemos por nuestro bebé —dijo Kat.

—Eso. Por nuestro bebé.

Ken observó cómo Kat tomaba un trago.

—Buscaremos un lindo departamento en alguna parte —dijo Kat con ensoñación—. Voy a arreglar un cuarto para el bebé. Vamos a malcriarlo, ¿no es cierto? —Tomó otro sorbo.

Mallory asintió.

—Por supuesto. —Observaba cada uno de sus movimientos. —¿Cómo te sientes?

—Fantástica. Estuve tan preocupada por nosotros, querido, pero ya no.

—¡Qué bien! —respondió Mallory—. No tienes de qué preocuparte.

A Kat le empezaban a pesar los ojos.

—No. No tengo de qué preocuparme. —Le resultaba difícil pronunciar las palabras. —Ken, me siento rara. —Comenzó a tambalearse.

—Nunca debiste haber quedado embarazada.

Kat lo miraba estúpidamente.

—¿Qué?

—Echaste a perder todo, Kat.

—¿Eché a perder...? —Le resultaba difícil concentrarse.

—Te pusiste en mi camino.

—Ken, estoy mareada.

Mallory se quedó observándola.

—Ken... ayúdame, Ken... —Su cabeza cayó sobre la almohada.

Mallory volvió a mirar el reloj. Tenía tiempo de sobra.

CAPÍTULO TREINTA Y CUATRO

Fue Honey quien llegó primero al departamento y se tropezó con el cuerpo mutilado de Kat, en medio de un charco de sangre sobre el piso del baño, tendida obscenamente sobre los fríos azulejos blancos del baño. Junto a ella había una cureta manchada con sangre. Había sufrido una hemorragia vaginal.

Honey se quedó mirando atónita.

—¡Dios mío! —Su voz fue un murmullo estrangulado. Se inclinó junto al cuerpo y apoyó un dedo tembloroso sobre la arteria carótida. No había pulso. Honey corrió a la sala, tomó el teléfono y discó 911.

Una voz masculina respondió:

—Nueve uno uno. Emergencias.

Honey se quedó paralizada, incapaz de hablar.

—Nueve uno uno. Emergencias. ¿Hola?

—¡A...ayuda! Yo... Hay... —Sollozaba entre palabra y palabra. —Está... está muerta.

—¿Quién está muerta, señorita?

—Kat.

—¿Su gata está muerta?

—*¡No!* —gritó Honey—. *Kat* está muerta. Mande a alguien aquí de inmediato.

—Señorita...

Honey colgó con violencia. Con dedos temblorosos discó el número del hospital.

—Con la doctora T...Taylor. —Su voz era un murmullo agonizante.

—Un momento, por favor.

Honey se aferró al teléfono y esperó dos minutos antes de oír la voz de Paige.

—Habla la doctora Taylor.

—¡Paige! Tienes... ¡tienes que volver a casa de inmediato!

—¿Honey? ¿Qué pasó?

—Kat... está muerta.

—*¡Qué!* —La voz de Paige reflejaba incredulidad. —¿Cómo?

—Parece... parece que quiso hacerse un aborto.

—¡Oh, Dios mío! De acuerdo. Llegaré tan pronto como pueda.

Cuando Paige llegó al departamento había dos policías, un detective y un médico forense. Honey estaba en su habitación; le habían administrado sedantes. El forense estaba inclinado sobre el cuerpo desnudo de Kat. El detective alzó la mirada cuando Paige entró en el baño repleto de sangre.

—¿Quién es usted?

Paige estaba observando el cuerpo sin vida. Estaba pálida.

—Soy la doctora Taylor; vivo aquí.

—Tal vez pueda ayudarme. Soy el inspector Burns. Estuve tratando de hablar con la otra señorita que vive aquí, pero está histérica. El médico ya le dio un sedante.

Paige alejó la mirada de la horrible visión sobre el piso.

—¿Qué... qué quiere saber?

—¿Ella vivía aquí?

—Sí.

"Voy a tener el bebé de Ken. ¿Qué cosa mejor puede pasarme?"

—Parece que intentó deshacerse del bebé y se metió en líos —dijo el detective.

Paige se quedó de pie; la mente le daba vueltas. Después dijo:

—No lo creo.

El inspector Burns la observó un momento.

—¿Por qué no lo cree, doctora?

—Ella deseaba ese bebé. —Comenzaba a pensar con claridad otra vez. —El padre no lo quería.

—¿El padre?

—El doctor Ken Mallory. Trabaja en el Embarcadero County Hospital. No quería casarse con ella. Mire, Kat es... *era*... —era tan doloroso decir *era*— médica. Si hubiera querido hacerse un aborto, de ninguna manera lo habría intentado en un baño. —Paige sacudió la cabeza. —Hay algo que no encaja.

El médico forense se puso de pie junto al cuerpo.

—Tal vez lo intentó por su cuenta porque no quería que ninguna otra persona se enterara.

—No es verdad; nos lo contó.

El inspector Burns observaba a Paige.

—¿Estaba sola esta noche?

—No. Tenía una cita con el doctor Mallory.

Ken Mallory estaba en la cama; repasaba con cuidado lo sucedido esa noche. Revisó cada paso, asegurándose de que no existieran cabos sueltos. "Perfecto", decidió. Se quedó acostado; ¿por qué la policía tardaba tanto? En ese preciso instante sonó el timbre. Mallory dejó que sonara tres veces; después se levantó, se puso una bata encima del pijama y se dirigió a la sala.

Se paró frente a la puerta.

—¿Quién es? —Su voz sonaba soñolienta.

Una voz preguntó:

—¿Doctor Mallory?

—Sí.

—Soy el inspector Burns, del Departamento de Policía de San Francisco.

—¿Del Departamento de Policía? —Hubo la nota exacta de sorpresa en su voz. Mallory abrió la puerta.

El hombre parado en el umbral mostró la placa.

—¿Puedo entrar?

—Sí. ¿De qué se trata?

—¿Conoce a la doctora Hunter?

—Por supuesto. —Se mostró alarmado. —¿Le pasó algo a Kat?

—¿Estuvo con ella esta noche?

—Sí. ¡Por Dios! ¡Dígame qué pasó! ¿Ella está bien?

—Me temo que le tengo malas noticias. La doctora Hunter está muerta.

—¿*Muerta?* ¡No puedo creerlo! ¿Cómo?

—Al parecer intentó hacerse un aborto y le salió mal.

—¡Oh, mi Dios! —exclamó Mallory. Se dejó caer en una silla. —Es mi culpa.

El inspector lo observaba con cuidado.

—¿Su culpa?

—Sí... La doctora Hunter y yo íbamos a casarnos. Le dije que no era una buena idea que tuviera un bebé ahora. Yo quería esperar, y ella accedió. Le sugerí que fuera al hospital y que allí se hicieran cargo, pero debió de haber decidido... no... no puedo creerlo.

—¿A qué hora se despidió de la doctora Hunter?

—Deben de haber sido alrededor de las diez. La dejé en el departamento y me fui.

—¿No entró en el departamento?

—No.

—¿Le contó la doctora Hunter lo que planeaba hacer?

—¿Se refiere al...? No, ni una palabra.

El inspector Burns extrajo una tarjeta.

—Si se acuerda de algo que pudiera ser de ayuda, le agradecería que me llamara.

—Por supuesto. No... no tiene idea de lo mal que me siento.

Paige y Honey se quedaron despiertas toda la noche, hablando de lo sucedido a Kat, repasándolo una y otra vez. No podían creerlo.

A las nueve de la mañana volvió el inspector Burns.

—Buenos días, quería decirles que anoche hablé con el doctor Mallory.

—¿Y?

—Dijo que salieron a cenar, que después la dejó en el

departamento y se fue a su casa.

—Está mintiendo —dijo Paige. Estaba pensando. —¡Espere! ¿Encontraron rastros de semen en el cuerpo de Kat?

—Así es.

—Entonces —continuó Paige, nerviosa— eso *prueba* que está mintiendo. La llevó a la cama y...

—Hablé con él de eso esta mañana. Dice que hicieron el amor *antes* de salir a cenar.

—¡Ah! —No se iba a dar por vencida. —Sus huellas digitales deben de estar en la cureta que utilizó para matarla. —Había ansiedad en su voz. —¿Encontraron huellas digitales?

—Sí, doctora —respondió con paciencia—. Eran todas de ella.

—Es impo... ¡Espere! Entonces usó guantes, y cuando terminó, imprimió las huellas digitales de Kat sobre la cureta. ¿Qué le parece?

—Me parece que ha estado viendo demasiada televisión.

—Usted no cree que Kat haya sido asesinada, ¿no es verdad?

—Me temo que no.

—¿Hicieron una autopsia?

—Sí.

—¿Y?

—El forense va a dar como causa muerte accidental. El doctor Mallory me dijo que ella había decidido no tener el bebé, y al parecer...

—¿Entró al baño e hizo una carnicería consigo misma? —lo interrumpió Paige—. ¡Por el amor de Dios, inspector, ella era médica, era cirujana! De ningún modo pudo habérselo hecho ella misma.

El inspector Burns dijo, pensativo:

—¿Usted cree que Mallory la persuadió de hacerse un aborto, y trató de ayudarla, y que después se fue cuando todo salió mal?

Paige sacudió la cabeza.

—No, no pudo haber sucedido así. Kat nunca habría

accedido. Deliberadamente la asesinó. —Pensaba en voz alta. —Kat era fuerte. Debió de haber estado inconsciente para que él pudiera... hacer lo que hizo.

—La autopsia no mostró ningún signo de violencia ni nada que podría haberla puesto inconsciente. Ni moretones en la garganta...

—¿Había algún rastro de sedantes o...?

—Nada. —Vio la expresión en el rostro de Paige. —No me parece que haya sido un asesinato. Creo que la doctora Hunter cometió un error, y... Lo lamento.

Paige vio al inspector dirigirse a la puerta.

—¡Espere! Tiene un móvil.

Burns se dio vuelta.

—En realidad no. Mallory dice que ella estuvo de acuerdo en hacer el aborto. No nos queda mucho, ¿no?

—Le queda un asesinato —respondió Paige, con obstinación.

—Doctora, lo que *no* tenemos es ninguna evidencia. Es la palabra de Mallory contra la de la víctima, y ella está muerta. Lo lamento de verdad.

Paige lo miró partir.

"No voy a dejar que Ken Mallory se salga con la suya", pensó con desesperación.

Jason pasó a ver a Paige.

—Me enteré de lo sucedido —dijo—. ¡No puedo creerlo! ¿Cómo pudo haberse hecho eso?

—No lo hizo —respondió Paige—. Kat fue asesinada. —Le contó a Jason su conversación con el inspector Burns. —La policía no va a hacer nada al respecto. Creen que fue un accidente. Jason, es mi culpa que Kat esté muerta.

—¡Tu culpa!

—Fui quien la persuadió de que saliera con Mallory al principio. Ella no quería; todo empezó como una broma estúpida, y después ella... se enamoró de él. ¡Ay, Jason!

—No puedes culparte de eso —dijo Jason con firmeza.

Paige miró a su alrededor, angustiada.

—No puedo vivir más en este departamento. Tengo que irme de aquí.

Jason la tomó en sus brazos.

—Casémonos de inmediato.

—Es demasiado pronto. Quiero decir, Kat ni siquiera está...

—Lo sé. Esperaremos una o dos semanas.

—De acuerdo.

—Te amo, Paige.

—Yo también te amo, querido. ¿No es estúpido? Me siento culpable porque Kat y yo nos enamoramos, porque ella está muerta y yo estoy viva.

La fotografía apareció en la primera plana del *San Francisco Chronicle* el martes. Mostraba a Ken Mallory, sonriente, abrazando a Lauren Harrison. El título decía: "Heredera se casa con médico".

Paige no podía creerlo. ¡Hacía sólo dos días que Kat había muerto y Ken Mallory anunciaba su compromiso con otra mujer! Todo el tiempo que había prometido casarse con Kat, había estado planeando casarse con otra. "Esa es la razón por la que mató a Kat. ¡Para quitarla de en medio!"

Paige tomó el teléfono y discó el número de la Jefatura de Policía.

—Con el inspector Burns, por favor.

Un momento después hablaba con el inspector.

—Habla la doctora Taylor.

—Sí, doctora.

—¿Vio la fotografía en la primera plana del *Chronicle* de esta mañana?

—Sí.

—Bueno, ¡ahí tiene su motivo! —exclamó Paige—. Ken Mallory tuvo que callar a Kat antes de que Lauren Harrison descubriera su relación con ella. Tiene que arrestar a Mallory. —Estaba casi gritando en el teléfono.

—Espere un minuto. Cálmese, doctora. Podemos tener un motivo, pero ya le dije que no tenemos ni la sombra de una evidencia. Usted misma me dijo que la doctora Hunter tuvo que haber estado inconsciente para que Mallory pudiera hacerle un aborto. Después de haber hablado con usted, volví a hablar con nuestro patólogo forense. No hay señales de golpes que puedan haberla dejado inconsciente.

—Entonces debió de haberle administrado un sedante —dijo Paige con terquedad—. Tal vez hidrato de cloral. Es de acción rápida y...

El inspector Burns dijo con paciencia:

—Doctora, no había rastros de hidrato de cloral en su cuerpo. Lo siento... lo siento de verdad, pero no podemos arrestar a un hombre porque vaya a casarse. ¿Tiene algo más?

"Todo."

—No —respondió Paige. Colgó el auricular con violencia y se quedó sentada, pensando. "Mallory tuvo que haberle dado a Kat algún tipo de droga. El lugar más fácil para obtenerla es la farmacia del hospital."

Quince minutos más tarde Paige se dirigía al Embarcadero County Hospital.

Peter Samuels, el jefe de farmacia, estaba detrás del mostrador.

—Buenos días, doctora Taylor. ¿En qué puedo ayudarla?

—Creo que hace unos días el doctor Mallory vino a buscar una medicación. Me dijo el nombre, pero no lo recuerdo.

Samuels frunció el entrecejo.

—No recuerdo que el doctor Mallory haya pasado por aquí por lo menos desde hace un mes.

—¿Está seguro?

Samuels asintió.

—Sí. Lo recordaría; siempre hablamos de fútbol.

El corazón de Paige dio un vuelco.

—Gracias.

"Debió de haber escrito una receta para comprarla en alguna otra farmacia." Paige sabía que la ley exigía que todas las recetas de narcóticos fueran hechas por triplicado: una copia para el paciente, otra para ser enviada a la

Oficina de Control de Drogas, y la tercera para el archivo de la farmacia.

"En algún lugar", pensó Paige, "Ken Mallory hizo una receta. Probablemente haya doscientas o trescientas farmacias en San Francisco". No había manera de rastrear la receta. Era probable que Mallory la hubiera emitido justo antes de asesinar a Kat, o sea el sábado o el domingo. "Si fue un domingo, podría tener una posibilidad", pensó Paige. "Hay muy pocas farmacias abiertas los domingos. Así se reduce la cantidad."

Subió a la oficina donde se guardaban los registros de actividades, y consultó la nómina del sábado. El doctor Ken Mallory había estado de guardia todo el día, de modo que existía la posibilidad de que hubiera emitido la receta el domingo. ¿Cuántas farmacias habían estado de turno el domingo en San Francisco?

Paige tomó el teléfono y llamó al Cuerpo Farmaceútico del Estado.

—Habla la doctora Taylor. El domingo pasado, una amiga mía dejó una receta en una farmacia. Me pidió que la pasara a buscar, pero no recuerdo el nombre de la farmacia. ¿Podría ayudarme?

—Bueno, no veo cómo, doctora. Si usted no lo sabe...

—La mayor parte de las farmacias cierran los domingos, ¿no es así?

—Sí, pero...

—Le agradecería si pudiera darme un listado de las farmacias que estuvieron de turno el domingo pasado.

Hubo una pausa.

—Bueno, si es tan importante...

—Es muy importante —le aseguró Paige.

—No cuelgue, por favor.

Había treinta y seis farmacias en la lista, distribuidas por toda la ciudad. Habría sido sencillo si hubiese podido recurrir a la policía, pero el inspector Burns no le creía. "Honey y yo tendremos que hacerlo por nuestra cuenta", pensó Paige. Explicó a Honey lo que tenía pensado.

—Es una pista remota, ¿no es cierto? —preguntó Honey—. Ni siquiera sabes si hizo la receta el domingo.

—Es la única pista que tenemos. —"Que tiene Kat."— Revisaré las farmacias en Richmond, la Marina, North Beach, Upper Market, Mission y Potrero, y tú las de las zonas de Excelsior, Ingleside, Lake Merced, Western Addition y Sunset.

—De acuerdo.

En la primera farmacia a la que entró, Paige mostró su identificación y dijo:

—Un colega mío, el doctor Ken Mallory, vino el domingo a buscar un medicamento. Él está fuera de la ciudad y me pidió que hiciera otra receta, pero no puedo recordar el nombre del medicamento. ¿Podría buscarlo, por favor?

—¿El doctor Ken Mallory? Aguarde un momento. —Regresó minutos después. —Lo siento, el domingo no recibimos ninguna receta de ningún doctor Mallory.

—Gracias.

Paige recibió la misma respuesta en las cuatro farmacias siguientes.

A Honey no le iba mejor.

—Aquí se archivan miles de recetas, ¿sabe?

—Lo sé, pero ésta es del domingo pasado.

—Bueno, no tenemos ninguna receta de ningún doctor Mallory.

Ambas pasaron el día visitando farmacia tras farmacia. Las dos se estaban desalentando. No fue sino hasta última hora de la tarde, justo antes de cerrar, que Paige encontró lo que buscaba en una pequeña farmacia en el distrito de Potrero. El farmacéutico dijo:

—¡Ah, sí, aquí está! El doctor Ken Mallory. Lo recuerdo; se dirigía a hacer una visita domiciliaria. Me impresionó, porque no son muchos los médicos que hacen visitas hoy día.

"Ningún residente hace visitas domiciliarias."

—¿Para qué medicamento es la receta? —preguntó Paige, expectante.

—Hidrato de cloral.

Paige casi temblaba de la ansiedad.

—¿Está seguro?

—Aquí está escrito.

—¿Cuál es el nombre del paciente?

El farmacéutico miró la copia de la receta.

—Spyros Levathes.

—¿Le molestaría darme una copia de esa receta? —pidió Paige.

—En absoluto, doctora.

Una hora más tarde, Paige se encontraba en la oficina del inspector Burns. Apoyó la receta sobre su escritorio.

—Aquí tiene su prueba —dijo Paige—. El domingo, el doctor Mallory fue a una farmacia a kilómetros de distancia de su domicilio, y emitió esta receta de hidrato de cloral. Vertió el hidrato de cloral en la bebida de Kat, y cuando estuvo inconsciente, la asesinó de modo tal que pareciera un accidente.

—Está diciendo que puso el hidrato de cloral en su bebida y después la mató.

—Así es.

—Tenemos un problemita, doctora Taylor. No *había* rastros de hidrato de cloral en su cuerpo.

—Tiene que haberlo. Su patólogo cometió un error. Pídale que vuelva a verificar.

Burns estaba perdiendo la paciencia.

—Doctora...

—¡Por favor! ¡Sé que tengo razón!

—Está haciéndole perder el tiempo a todo el mundo.

Paige se sentó enfrente de él y le clavó la mirada. El inspector suspiró.

—Está bien. Lo volveré a llamar. Tal vez *haya* cometido un error.

Jason pasó a buscar a Paige para cenar.

—Vamos a cenar a mi casa —dijo—. Hay algo que quiero que veas.

Durante el viaje Paige lo puso al tanto de lo que estaba sucediendo.

—Encontrarán el hidrato de cloral en su cuerpo —dijo Paige—. Ken Mallory recibirá su merecido.

—Lamento tanto todo esto, Paige.

—Lo sé. —Apretó su mano contra su mejilla. —Gracias a Dios que te tengo.

El auto estacionó frente a la casa de Jason.

Paige miró por la ventana y retuvo el aliento. Alrededor de la casa había una nueva cerca blanca con estacas puntiagudas.

Paige estaba sola en el departamento. Ken Mallory utilizó la llave que Kat le había dado y se dirigió despacio hacia su dormitorio. Paige escuchó los pasos viniendo en su dirección, pero antes de que pudiera moverse, Mallory se le había tirado encima y tenía las manos apretadas en su garganta.

—¡Maldita perra! ¡Estás tratando de destruirme! Bueno, ya no husmearás más. —Comenzó a apretar más fuerte. —Fui más inteligente que todos ustedes, ¿no es cierto? —Sus dedos apretaban cada vez más. —Nadie podrá probar que maté a Kat.

Paige trató de gritar, pero le era imposible respirar. Luchó hasta soltarse y de repente se despertó. Estaba sola en la habitación. Paige se quedó sentada en la cama, temblando.

Se quedó despierta el resto de la noche, esperando el llamado del inspector Burns. Éste la llamó a las 10:00 a.m.

—¿Doctora Taylor?

—Sí. —Retuvo el aliento.

—Acago de recibir el *tercer* informe del patólogo forense.

—¿Y? —El corazón le latía con fuerza.

—No había vestigios de hidrato de cloral ni de ningún

otro sedante en el cuerpo de la doctora Hunter. Ninguno.

¡Era imposible! Tenía que haberlo. No había señales de golpes ni de ningún producto que pudiera haberla dormido. Tampoco había hematomas en el cuello. No tenía sentido; Kat tenía que haber estado inconsciente cuando Mallory la mató. El patólogo forense estaba equivocado.

Paige decidió ir a hablar con él por su cuenta.

El doctor Dolan estaba de mal humor.

—No me gusta que me interroguen de este modo. Ya lo revisé tres veces. Le dije al inspector Burns que no había rastros de hidrato de cloral en ninguno de sus órganos, y así fue.

—Pero...

—¿Necesita algo más, doctora?

Paige lo miró, impotente. Su última esperanza se desvanecía. Ken Mallory iba a salirse con la suya.

—Supongo... supongo que no. Si no encontró ninguna sustancia química en su cuerpo, entonces no...

—No dije que no haya encontrado ninguna *sustancia química*.

Paige lo miró un momento.

—¿Encontró algo?

—Sólo un poco de tricloroetileno.

Paige frunció el entrecejo.

—¿Y qué efecto produce?

Dolan se encogió de hombros.

—Ninguno. Es una droga analgésica; no duerme a nadie.

—Ya veo.

—Lamento no poder ayudarla.

Paige asintió.

—Gracias.

Se alejó por el pasillo largo y antiséptico de la morgue, deprimida, con el presentimiento de que había algo que no encajaba. ¡Estaba tan segura de que Kat había sido anestesiada con hidrato de cloral!

"Lo único que encontró fue un poco de tricloroetileno.

No duerme a nadie. ¿Pero por qué había tricloroetileno en el cuerpo de Kat?" Kat no había estado tomando ningún medicamento. Paige se detuvo en mitad del pasillo; no dejaba de pensar.

Cuando Paige llegó al hospital se dirigió directamente a la biblioteca médica del quinto piso. Le llevó menos de un minuto encontrar el tricloroetileno. La descripción decía: "Líquido incoloro, claro y volátil con una gravedad específica de 1,47 a 59 grados F. Se trata de un hidrocarburo halogenado. Su fórmula química es CCl CCl: CHCl."

Y allí, en la última línea, descubrió lo que estaba buscando. "Cuando el hidrato de cloral se metaboliza, produce tricloroetileno como subproducto."

CAPÍTULO TREINTA Y CINCO

—Inspector, vino a verlo la doctora Taylor.

—¿Otra vez? —Estuvo tentado de hacerse negar. Estaba obsesionada con esa teoría que tenía a medio cocinar. Tenía que ponerle un límite. —Hágala entrar.

Cuando Paige entró en su oficina, el inspector Burns dijo:

—Vea, doctora, creo que ya fue demasiado lejos. El doctor Dolan me llamó para quejarse de...

—¡Sé cómo lo hizo Ken Mallory! —Su voz estaba cargada de ansiedad. —Había tricloroetileno en el cuerpo de Kat.

Burns asintió.

—El doctor me lo comentó. Pero también me explicó que no pudo haberla dejado inconsciente. El...

—¡El hidrato de cloral se convierte en tricloroetileno! —dijo Paige triunfante—. Mallory mintió al afirmar que no había vuelto al apartamento con Kat. Puso hidrato de cloral en su bebida. Es insípido cuando se lo mezcla con alcohol, y hace efecto en sólo minutos. Una vez que estuvo inconsciente la mató e hizo que pareciera un aborto mal hecho.

—Doctora, si me disculpa, creo que eso es una gran especulación.

—No, no lo es. Mallory emitió una receta para un paciente llamado Spyros Levathes, pero nunca se la dio.

—¿Cómo lo sabe?

—Porque no *pudo* haberlo hecho. Fui a ver a Spyros Levathes, y padece de porfiria eritropoyésica.

—¿Qué es?

—Un trastorno metabólico genético. Produce fotosensibilidad y lesiones, hipertensión, taquicardia y algunos otros síntomas desagradables. Es producido por un gen defectuoso.

—Sigo sin entender.

—¡El doctor Mallory no le administró a su paciente hidrato de cloral porque lo habría matado! El hidrato de cloral está contraindicado para la porfiria. Le habría producido convulsiones de inmediato.

Por primera vez el inspector Burns estaba impresionado.

—De veras que hizo sus deberes, ¿no es verdad?

Paige continuó.

—¿Por qué había de ir Ken Mallory a una farmacia remota y pedir un medicamento para un paciente a quien sabía que no *podría* administrárselo? *Tiene* que arrestarlo.

Burns tamborileaba sobre el escritorio.

—No es tan simple.

—Tiene que...

El inspector Burns levantó una mano.

—De acuerdo. Le diré qué haré. Voy a hablar con la oficina del fiscal de distrito y veré si ellos creen que tenemos un caso.

Paige supo que había hecho todo lo que estaba en su poder.

—Gracias, inspector.

—La llamaré.

Después de que Paige Taylor partió, el inspector Burns se quedó pensando en la conversación. No tenía ninguna evidencia concreta contra el doctor Mallory, sino sólo las sospechas de una mujer persistente. Revisó los pocos hechos con que contaba. El doctor Mallory había estado comprometido con Kat Hunter. Dos días después de su muerte, anuncia su compromiso con la hija de Alex Harrison. Interesante, pero no en contra de la ley.

Mallory había dicho que había dejado a la doctora

Hunter y que no había entrado en su departamento. Se había hallado semen en el cuerpo de la víctima, pero el doctor Mallory tenía una explicación plausible.

Después estaba el asunto del hidrato de cloral. Mallory había emitido una receta para una droga que podría haber matado a su paciente. ¿Era culpable de asesinato? ¿O inocente?

Burns llamó a su secretaria por el intercomunicador.

—Barbara, conciértame una cita con el fiscal de distrito esta tarde.

Había cuatro hombres en la oficina cuando Paige ingresó: el fiscal de distrito, su asistente, un hombre llamado Warren y el inspector Burns.

—Gracias por venir, doctora Taylor —dijo el fiscal de distrito—. El inspector Burns me ha estado contando su interés en la muerte de la doctora Hunter. Entiendo que la doctora Hunter era su amiga y vívia con ella, y que desea que se haga justicia.

"¡Después de todo, van a arrestar a Ken Mallory!"

—Sí —respondió Paige—. No existen dudas: el doctor Mallory la asesinó. Cuando lo arresten, él...

—Me temo que no podemos hacer eso.

Paige lo miró, atónita.

—¿Qué?

—No podemos arrestar al doctor Mallory.

—¿Pero por qué?

—No tenemos ningún caso.

—¡Por supuesto que sí! —exclamó Paige—. El tricloroetileno prueba que...

—Doctora, en un tribunal, la ignorancia de la ley no constituye ninguna excusa, no así la ignorancia de la medicina.

—No comprendo.

—Es sencillo. Significa que el doctor Mallory podría afirmar que cometió un error, que no sabía qué efecto tendría el hidrato de cloral en un paciente con porfiria. Nadie puede probar que está mintiendo. Se puede probar que es un pésimo médico, pero no que es culpable de asesinato.

Paige lo miró, frustrada.

—¿Van a dejar que se salga con la suya?

El fiscal de distrito la observó un momento.

—Le diré lo que puedo hacer. Ya lo hablé con el inspector Burns. Con su permiso, vamos a enviar a alguien a su departamento a que retire los vasos de su bar. Si encontramos rastros de hidrato de cloral, daremos el paso siguiente.

—¿Y si los lavó?

El inspector Burns respondió con voz seca:

—No creo que haya tenido tiempo de usar detergente. Si sólo los enjuagó, encontraremos lo que buscamos.

Dos horas más tarde, el inspector Burns llamó por teléfono a Paige.

—Hicimos un análisis químico de todos los vasos del bar, doctora —explicó Burns.

Paige se preparó para otra desilusión.

—Encontramos uno con vestigios de hidrato de cloral.

Paige cerró los ojos en una silenciosa oración de agradecimiento.

—Además, había huellas digitales en ese vaso. Vamos a compararlas con las del doctor Mallory.

A Paige la invadió la emoción.

El inspector continuó.

—Cuando la mató, si es que la mató, estaba usando guantes, así que sus huellas digitales no estarán en la cureta. Pero no pudo haberle servido una bebida con los guantes puestos, y tal vez tampoco los utilizó cuando guardó los vasos en el estante.

—No —coincidió Paige—. No pudo haberlo hecho, ¿no es cierto?

—Debo admitir que al principio no creía que su teoría nos llevara a ninguna parte. Ahora creo que tal vez el doctor Mallory puede ser nuestro hombre. Sin embargo, probarlo va a ser otro problema. —Continuó. —El fiscal de distrito tiene razón; sería una pérdida de tiempo llevar a juicio a Mallory. Lo único que tiene que hacer es declarar que no conocía los efectos de la medicación, y se vuelve a su casa tranquilo. No existe ninguna ley que impida cometer un error médico. No veo cómo...

—¡Espere un minuto! —exclamó Paige, ansiosa—. ¡Creo que sé cómo!

Ken Mallory escuchaba a Lauren en el teléfono.

—¡Papá y yo encontramos un espacio de oficina que te va a encantar, mi amor! Es un hermoso departamento en el edificio del correo. Te voy a contratar una recepcionista, alguien que no sea demasiado bonita.

Mallory se echó a reír.

—No tienes que preocuparte por eso, nena. No existe nadie más que tú en el mundo.

—Me muero por que vengas a verlo. ¿No puedes venir ahora?

—Salgo en un par de horas.

—¡Maravilloso! ¿Por qué no me pasas a buscar por la mansión?

—De acuerdo. Allí estaré. —Mallory colgó el auricular. "Es lo mejor que podía ocurrirme", pensó. "Dios existe, y ella me ama."

Oyó que lo llamaban por los altoparlantes: "Doctor Mallory... habitación 430... doctor Mallory... habitación 430". Se quedó sentado soñando despierto, pensando en el futuro dorado que lo esperaba. "Un hermoso departamento en el edificio del correo, lleno de ancianas ricas, ansiosas por darle su dinero." Volvió a oír su nombre. "Doctor Mallory... habitación 430." Suspiró y se puso de pie. "Pronto estaré fuera de este maldito manicomio", pensó. Se dirigió hacia la habitación 430.

Un residente lo esperaba en el corredor, afuera de la habitación.

—Tenemos un problema —explicó—. Este es uno de los pacientes del doctor Peterson, pero el doctor Peterson no está en el hospital. Tengo una discusión con uno de los otros médicos.

Entraron en la habitación. Había tres personas en el cuarto: un hombre en cama, un enfermero y un médico a quien Mallory no conocía.

El residente los presentó:

—Este es el doctor Edwards. Necesitamos su consejo, doctor Mallory.

—¿Cuál es el problema?

El residente explicó:

—Este paciente sufre de porfiria eritropoyésica, y el doctor Edwards insiste en administrarle un sedante.

—No veo ningún problema.

—Gracias —dijo el doctor Edwards—. Hace cuarenta y ocho horas que este pobre hombre no duerme. Le prescribí hidrato de cloral para que pueda descansar y...

Mallory lo miró atónito.

—¿Está loco? ¡Eso podría matarlo! Le produciría convulsiones, taquicardia y probablemente se moriría. ¿Dónde diablos estudió medicina?

El hombre miró a Mallory y respondió con calma:

—No estudié medicina. —Le mostró una placa. —Pertenezco al Departamento de Policía de San Francisco, Homicidios. —Se volvió al enfermo. —¿Lo grabaste?

El hombre extrajo un grabador de debajo de la almohada.

—Sí.

Mallory miraba a uno y a otro, con el entrecejo fruncido.

—No entiendo. ¿Qué es esto? ¿Qué está pasando?

El inspector se volvió a Mallory.

—Doctor Mallory, está arrestado por el asesinato de la doctora Kate Hunter.

CAPÍTULO TREINTA Y SEIS

El titular del *San Francisco Chronicle* anunciaba: MÉDICO ACUSADO DE ASESINATO DE SU NOVIA. La historia contaba en detalle los hechos más sensacionales del caso.

Mallory leyó el diario en su celda. Después lo tiró con violencia.

Su compañero de celda dijo:

—Parece que te tienen agarrado, compañero.

—No lo creas —respondió con confianza Mallory—. Tengo buenos contactos, y van a conseguirme el mejor abogado del mundo. Dentro de veinticuatro horas estaré fuera de aquí. Lo único que tengo que hacer es un llamado telefónico.

Los Harrison estaban leyendo el diario durante el desayuno.

—¡Dios mío! —exclamó Lauren—. ¡Ken! ¡No puedo creerlo!

El mayordomo se aproximó a la mesa del desayuno.

—Discúlpeme, señorita Harrison. El doctor Mallory la llama por teléfono. Creo que llama desde la cárcel.

—Lo tomaré. —Lauren comenzó a levantarse de la mesa.

—Quédate allí y termina tu desayuno —ordenó con firmeza Alex Harrison. Se volvió al mayordomo. —No conocemos a ningún doctor Mallory.

Paige leyó el diario mientras se vestía. Mallory iba a ser castigado por el terrible acto que había cometido; sin embargo, no le producía ninguna satisfacción. Nada que le hicieran podría devolverle la vida a Kat.

De repente sonó el timbre, y Paige fue a atender. Del otro lado de la puerta había un extraño. Vestía traje oscuro y llevaba un maletín.

—¿Doctora Taylor?

—Sí...

—Mi nombre es Roderick Pelham. Soy abogado de Rothman & Rothman. ¿Puedo entrar?

Paige lo observó, sorprendida.

—Sí.

El hombre entró en el departamento.

—¿Por qué asunto necesitaba verme?

Paige lo vio abrir el maletín y extraer unos papeles.

—¿Por supuesto está enterada de que es la principal beneficiaria del testamento de John Cronin?

Paige lo miró desconcertada.

—¿De qué está hablando? Debe de haber algún error.

—No, no, ningún error. El señor Cronin le dejó la suma de un millón de dólares.

Paige se arrojó sobre una silla, abrumada, mientras recordaba:

"Tiene que ir a Europa. Hágame un favor. Vaya a París... pare en el Crillon, cene en Maxim's, ordene un bistec grande y grueso y una botella de champagne, y cuando coma el bistec y beba el champagne, quiero que piense en mí."

—Si firma por aquí, nos ocuparemos de todos los papeles.

Paige alzó la mirada.

—No... no sé qué decir. Él... tenía familia.

—Según los términos de su testamento, su familia sólo recibe el resto de sus bienes, pero no una gran cantidad.

—No puedo aceptarlo —dijo Paige.

Pelham la miró sorprendido.

—¿Por qué no?

No sabía qué responder. John Cronin había querido que ella recibiera este dinero

—No lo sé. No parece ético. Él era mi paciente.

—Bueno, le dejaré el cheque. Después decida lo que quiera hacer con él. Sólo firme aquí.

Paige firmó el documento, aturdida.

—Adiós, doctora.

Paige lo observó partir y se quedó sentada, pensando en John Cronin.

La noticia de la herencia de Paige fue tema de conversación en el hospital. Por algún motivo Paige había tenido esperanzas de que se mantuviera en silencio. Aún no había decidido qué hacer con el dinero. "No me pertenece", pensó Paige. "Él tenía una familia."

Paige no se encontraba preparada emocionalmente para regresar a su trabajo, pero sus pacientes la necesitaban. Para esa mañana se había programado una intervención. Arthur Kane la estaba esperando en el corredor. No se hablaban desde el incidente con los rayos equis. A pesar de que Paige no tenía pruebas de que fuera Kane, el episodio de las cubiertas reventadas la había atemorizado.

—Hola, Paige. Olvidemos el pasado, ¿qué te parece?

Paige se encogió de hombros.

—De acuerdo.

—¿No te parece terrible lo de Ken Mallory? —preguntó.

—Sí —respondió.

Kane la miraba furtivamente.

—¿Te imaginas a un médico matando deliberadamente a un ser humano? Es horrible, ¿no es cierto?

—Sí.

—A propósito, te felicito. Me enteré de que eres millonaria.

—No veo qué...

—Tengo entradas para ir al teatro esta noche, Paige. Pensé que podríamos ir tú y yo.

—Gracias, pero tengo un compromiso.
—Entonces te sugiero que rompas ese compromiso.
Paige lo miró, sorprendida.
—¿Cómo dijo?
Kane se acercó a Paige.
—Ordené una autopsia de John Cronin.
Paige se dio cuenta de que el corazón comenzaba a latirle más rápido.
—¿Sí?
—No murió de un ataque cardíaco. Alguien le dio una sobredosis de insulina. Supongo que esa persona nunca se detuvo a pensar en una autopsia.
Paige sintió que la boca se le secaba.
—Estabas con él cuando murió, ¿no es verdad?
Paige vaciló.
—Sí.
—Soy el único que lo sabe, y soy el único que tiene el informe. —Le dio una palmadita en el brazo. —Mis labios están sellados. Ahora, volviendo a esas entradas...
Paige dio un paso hacia atrás.
—¡No!
—¿Estás segura de que sabes lo que haces?
Paige respiró profundo.
—Sí. Ahora, si me disculpa...
Y se alejó. Kane la observó, y la expresión de su rostro se endureció. Se dio vuelta y se dirigió a la oficina del doctor Benjamin Wallace.

El teléfono la despertó a la una de la mañana en su departamento.
—Volviste a portarte mal.
Era la misma voz ronca disfrazada detrás de un susurro jadeante, pero esta vez Paige lo reconoció. "Dios mío", pensó, "tenía razón al estar asustada."

A la mañana siguiente, cuando Paige llegó al hospital, dos hombres la aguardaban.

—¿Doctora Paige Taylor?

—Sí.

—Tendrá que acompañarnos. Está arrestada por el asesinato de John Cronin.

Capítulo Treinta y Siete

Era el día final del juicio. Alan Penn, el abogado defensor, pronunciaba su alegato final.

—Damas y caballeros, han escuchado un sinnúmero de testimonios acerca de la competencia o incompetencia de la doctora Taylor. La jueza Young podrá asegurarles que no es el tema de este juicio. Estoy seguro de que por cada médico que no aprobaba el trabajo de la doctora Taylor, podríamos nombrar a una decena de médicos que sí lo aprobaban. Pero ése no es el punto.

"Paige Taylor es juzgada por la muerte de John Cronin. Ella admitió haberlo ayudado a morir. Lo hizo porque aquél sufría un terrible dolor, y le pidió que lo hiciera. Eso es eutanasia, que cada vez es más aceptada en todo el mundo. El año pasado la Suprema Corte de California reivindicó el derecho de un adulto mentalmente capaz, de rehusar o de exigir el cese de tratamientos médicos de cualquier forma. Es el individuo quien debe vivir o morir con el tratamiento elegido o rechazado.

Observó los rostros de los miembros del jurado.

—La eutanasia es un crimen de compasión, de piedad, y me atrevería a decir que se lleva a cabo de alguna forma u otra en todos los hospitales del mundo. El fiscal pide la sentencia de muerte. No permitan que se equivoque. Nunca se ha pedido la pena de muerte por eutanasia. El sesenta y tres por ciento de los norteamericanos creemos que la eutanasia debería ser legal, y en dieciocho Estados *lo es*. La pregunta es: ¿tenemos derecho de obligar a pacientes desvalidos a vivir en el dolor, a obligarlos a vivir y a sufrir? La respuesta se complica debido a los grandes avances de la tecnología médica. Hemos delegado el cuidado de los pacientes en las máquinas. Pero las máquinas no tienen piedad. Si un caballo se rompe una pata, lo matamos para que no sufra. A un ser humano lo condenamos a una vida, que no es tal, en el dolor.

"La doctora Taylor no decidió cuándo John Cronin debía morir. John Cronin tomó esa decisión. No se equivoquen, lo que hizo la doctora Taylor fue un acto de piedad. Ha asumido toda la responsabilidad. Pero pueden estar seguros de que no sabía nada del dinero que le fue legado. Su conducta fue inspirada en la compasión. John Cronin era un hombre que tenía problemas cardíacos y un cáncer intratable y fatal que se le había extendido por todo el cuerpo y por el cual vivía en una terrible agonía. Sólo háganse esta pregunta: en esas circunstancias, ¿ustedes querrían seguir viviendo? Gracias.

Se dio vuelta, volvió a su escritorio y tomó asiento junto a Paige.

Gus Venable se puso de pie y se paró frente al jurado.

—*¿Compasión? ¿Piedad?* —Miró a Paige, sacudió la cabeza y se volvió al jurado. —Damas y caballeros, hace más de veinte años que ejerzo la abogacía, y debo decirles que en todos esos años nunca, nunca, había visto un caso más evidente de asesinato premeditado y a sangre fría por interés.

Paige estaba pendiente de cada palabra, tensa y pálida.

—La defensa habló de eutanasia. ¿La conducta de la doctora Taylor fue guiada por la compasión? No lo creo. La doctora Taylor y otras personas testificaron que al señor Cronin sólo le quedaban algunos días de vida. ¿Por qué no le permitió vivir esos pocos días? Tal vez porque la doctora Taylor temía que la señora Cronin se enterara de que su marido había modificado el testamento y pusiera fin a tamaña injusticia.

"¡Qué extraordinaria coincidencia que inmediatamente después de que el señor Cronin modificó su testamento y dejó a la doctora Taylor la suma de un millón de dólares, ésta le administró una sobredosis de insulina y lo asesinó!

”Una y otra vez, la acusada se condenó con sus propias palabras. Declaró que tenía una relación amistosa con John Cronin, que éste la apreciaba y la respetaba. Sin embargo, también escucharon a numerosos testigos que aseguraron que el señor Cronin odiaba a la doctora Paige Taylor, que se refería a ella como “esa perra” y que le decía que “le quitara las sucias manos de encima”.

Gus Venable volvió a mirar a la acusada. El rostro de Paige reflejaba desesperación. Se volvió al jurado.

—Un abogado testificó que la doctora Taylor dijo, con respecto al millón de dólares que heredó: “No parece ético. Él era mi paciente”. No obstante, aceptó el dinero; lo necesitaba. Tenía un cajón lleno de folletos de viaje en su casa: París, Londres, la Riviera. Tengan en cuenta que la doctora Taylor no fue a la agencia de viajes *después* de recibir el dinero. No, no. Planeó esos viajes con meses de anticipación. Lo único que necesitaba era el dinero y la oportunidad, y John Cronin ofreció ambos. Un hombre moribundo y desvalido a quien ella pudiera controlar. Tenía a su merced a un hombre que sufría un terrible dolor... de hecho, una enorme agonía, según las propias palabras de la acusada. Cuando se sufre semejante dolor, pueden imaginarse lo difícil que resulta pensar con claridad. No sabemos *de qué manera* la doctora Taylor persuadió a John Cronin de que modificara su testamento, de que excluyera a su familia, a quien amaba, y de que la convirtiera en única beneficiaria. Lo qué *sí* sabemos es que el señor Cronin la llamó esa noche fatal. ¿De qué hablaron? ¿Le habrá ofrecido un millón de dólares para que pusiera fin a su sufrimiento? Es una posibilidad que debemos tener en cuenta. De cualquier modo, fue un asesinato a sangre fría.

”Damas y caballeros, en el curso de este juicio, ¿saben quién fue el testigo más perjudicial? —Señaló dramáticamente a Paige. —¡La acusada misma! Hemos escuchado testimonios según los cuales la acusada administró una transfusión de sangre ilegal y después falsificó los registros. Ella no lo negó. La acusada aseguró que nunca había matado a un paciente con excepción de John Cronin, pero hemos escuchado testimonios según los cuales el doctor Barker, médico respetado por todo el mundo, la acusó de haber matado a su paciente.

"Desafortunadamente, damas y caballeros, Lawrence Barker sufrió una apoplejía y no puede estar aquí con nosotros para testificar contra la acusada. Pero permítanme recordarles la opinión que le merecía la acusada al doctor Barker. Les leeré el testimonio del doctor Peterson acerca de un paciente al que la doctora Taylor estaba operando.

Venable leyó:

—"¿Y el doctor Barker ingresó al quirófano durante el transcurso de la operación?

—Sí.

—¿Y el doctor Barker dijo algo a la doctora Taylor?

—Respuesta: Se volvió a la doctora Taylor y dijo: "Usted lo mató."

—Y el testimonio de la enfermera Berry. "Cuénteme algunos comentarios específicos que haya hecho el doctor Barker de la doctora Taylor. Respuesta: "Dijo que era incompetente... En otra oportunidad dijo que no permitiría que operara ni a su perro."

Gus Venable alzó la mirada.

—O existe alguna conspiración y todos estos respetables médicos y enfermeras mienten con respecto a la acusada, o la doctora Taylor es una mentirosa. *No sólo* mentirosa, sino patológica...

La puerta trasera de la sala se abrió y entró un ayudante. Vaciló junto a la puerta durante un momento, tratando de decidirse. Después se dirigió a Gus Venable.

—Señor...

Gus Venable se volvió, furioso.

—¿No ve que estoy...?

El ayudante murmuró algo en su oído.

Gus Venable lo miró, atónito.

—*¿Qué?* ¡Maravilloso!

La jueza Young se inclinó hacia adelante, y habló con

voz tranquila y ominosa:
—Disculpe que interrumpa su conversación, pero, ¿podría explicarme qué están haciendo?
Gus Venable se volvió a la jueza, emocionado.
—Su Señoría, acaban de informarme que el doctor Lawrence Barker se encuentra fuera de la sala. Está en una silla de ruedas, pero puede testificar. Quisiera llamarlo al estrado.
Hubo un murmullo en la sala.
Alan Penn se había puesto de pie.
—¡Objeción! —aulló—. El fiscal está en medio de su alegato final. No existen precedentes de que se hayan llamado nuevos testigos a esta hora tan tardía. Yo...
La jueza Young dio un golpe con el martillo.
—¿Podrían los abogados acercarse a mi estrado?
Penn y Venable se acercaron.
—Es una irregularidad, Su Señoría. Me opongo...
La jueza Young lo interrumpió:
—Tiene razón en cuanto a que se trata de una irregularidad, señor Penn, pero se equivoca al decir que no existen precedentes. Puedo citarle decenas de casos en todo el país donde se permitió el testimonio de testigos materiales en circunstancias especiales. De hecho, si tanto le interesa el precedente, debería leer un caso que tuvo lugar en esta misma sala hace cinco años. Da la casualidad que yo era la jueza actuante.
Alan Penn tragó saliva.
—¿Significa que le va permitir testificar?
La jueza Young estaba pensativa.
—Dado que el doctor Barker es testigo material en este caso, y que no estuvo en condiciones físicas de hacerlo antes, por el interés de la justicia voy a determinar que se le permita subir al estrado.
—¡Excepción! No hay pruebas de que el testigo sea competente para testificar. Exijo que se lo someta a un examen psiquiátrico...
—Señor Penn, en esta sala no se exige, se solicita. —Se volvió a Gus Venable. —Puede llamar a su testigo.
Alan Penn se quedó parado, desalentado. "Se terminó",

pensó. "Nuestro caso está terminado."

Gus Venable se volvió al ayudante.

—Haga entrar al doctor Barker.

La puerta se abrió lentamente y el doctor Lawrence Barker ingresó en la sala. Estaba en una silla de ruedas. Tenía la cabeza inclinada hacia un costado, y un costado de su cara estaba contraído en un leve rictus.

Todo el mundo observó cómo la pálida y frágil figura era llevada al frente de la sala. Cuando pasó junto a Paige, la miró.

No había cordialidad en su mirada, y Paige recordó sus últimas palabras: "¿Quién diablos cree que es usted...?"

Cuando Lawrence Barker estuvo frente al estrado, la jueza Young se inclinó y dijo con voz suave:

—Doctor Barker, ¿está en condiciones de testificar hoy?

Cuando Barker habló, las palabras sonaron confusas.

—Sí, Su Señoría.

—¿Está enterado de los pormenores de este juicio?

—Sí, Su Señoría. —Miró hacia donde Paige estaba sentada. —Esa mujer está siendo juzgada por el asesinato de un paciente.

Paige pestañeó. "¡Esa mujer!"

La jueza Young tomó una decisión. Se volvió al alguacil.

—¿Podría tomar juramento al testigo, por favor?

Después del juramento del doctor Barker, la jueza Young dijo:

—Puede permanecer en la silla, doctor Barker. El fiscal procederá a interrogarlo, y también permitiré a la defensa que lo haga.

Gus Venable sonrió.

—Gracias, Su Señoría. —Se acercó a la silla de ruedas. —No le haremos perder mucho tiempo, doctor. Esta sala aprecia que se haya acercado a testificar en circunstancias tan difíciles. ¿Está familiarizado con los testimonios que se vinieron sucediendo en este último mes?

El doctor Barker asintió.

—Seguí el juicio por televisión y por los diarios, y me

produjo un profundo malestar.
Paige hundió la cabeza en las manos.
Gus Venable apenas podía ocultar su emoción.
—Estoy seguro de que todos sentimos lo mismo, doctor —agregó el fiscal, conmovido.
—Vine porque quiero que se haga justicia.
Venable sonrió.
—Exactamente. Todos lo deseamos.
Lawrence Barker respiró profundo y cuando habló, lo hizo con voz llena de ira.
—¿Entonces cómo diablos pudieron entablar juicio a la doctora Taylor?
Venable pensó que no lo había escuchado bien.
—¿Cómo dijo?
—¡Este juicio es una farsa!
Paige y Alan Penn se miraron sorprendidos.
Gus Venable se puso pálido.
—Doctor Barker...
—No me interrumpa —espetó Barker—. Usted utilizó el testimonio de un montón de gente prejuiciosa y envidiosa para atacar a una brillante cirujana. Ella...
—¡Espere un minuto! —Venable comenzaba a sentir pánico. —¿No es verdad que usted criticó la capacidad de la doctora Taylor con tanta dureza que finalmente ésta estuvo dispuesta a renunciar al hospital?
—Sí.
Gus Venable comenzaba a sentirse mejor.
—Entonces —continuó, con aire condescendiente— ¿cómo puede afirmar que Paige Taylor es una médica brillante?
—Porque es la verdad. —Barker se volvió a Paige, y cuando volvió a hablar, se dirigió a ella como si fueran los únicos presentes en la sala: —Algunas personas nacen para ser médicos. Tú eras una de esas personas únicas. Desde el principio supe cuánta capacidad tenías. Fui duro contigo, tal vez demasiado, porque eras buena. Fui inflexible contigo porque quería que fueras más dura contigo misma. Quería que fueras perfecta, porque en nuestra profesión, no hay lugar para el error. Ninguno.

Paige lo miraba, como hipnotizada; la cabeza le daba vueltas. Todo sucedía demasiado rápido.

La sala estaba en silencio.

—No iba a permitirte que renunciaras.

Gus Venable sentía que la victoria se le iba de las manos. Su testigo más preciado se había convertido en su peor pesadilla.

—Doctor Barker, una persona testificó que usted acusó a la doctora Taylor de haber matado a su paciente, Lance Kelly. ¿Cómo...?

—Le dije eso porque ella era la cirujana a cargo. Era su responsabilidad, pero en realidad, el anestesista provocó la muerte del señor Kelly.

La sala se había alborotado.

Paige estaba aturdida.

El doctor Barker continuó hablando con dificultad.

—Con respecto al dinero que le dejó John Cronin, la doctora Taylor no sabía nada al respecto. Yo mismo hablé con el señor Cronin. Me dijo que iba a dejar ese dinero a la doctora Taylor porque odiaba a su familia, y también me dijo que iba a pedirle a la doctora Taylor que lo liberara de su sufrimiento. Yo estuve de acuerdo.

Nuevo alboroto por parte de los espectadores. Gus Venable permaneció de pie, con una expresión de absoluta confusión en su rostro.

Alan Penn se puso de pie de un salto.

—Su Señoría, ¡sugiero que se levanten los cargos!

La jueza Young llamó al orden con su martillo.

—¡Orden! —gritó. Miró a los dos abogados. —Quiero verlos en mi despacho.

La jueza Young, Alan Penn y Gus Venable estaban sentados en el despacho de la jueza Young.

Gus Venable estaba conmocionado.

—No... no sé qué decir. Es evidente que está enfermo, Su Señoría. Está confundido, quiero que se lo someta a un examen psiquiátrico y...

—No puedes tenerlo todo, Gus. Parece que tu caso

quedó destruido. ¿Por qué no te ahorras más vergüenza? Voy a pedir que se levanten los cargos de asesinato. ¿Alguna objeción?

Hubo un largo silencio. Por fin, Venable asintió.

—Supongo que no.

La jueza Young dijo:

—Buena decisión. Voy a darte un consejo: nunca, pero *nunca* llames a un testigo a menos que sepas qué va a decir.

La sala volvió a entrar en sesión. La jueza Young dijo:

—Damas y caballeros del jurado, les agradezco su tiempo y su paciencia. Esta sala va a levantar los cargos. La acusada queda libre.

Paige se volvió para arrojar un beso a Jason con la mano, y después se apresuró a donde estaba sentado el doctor Barker. Se puso de rodillas y lo abrazó.

—No sé cómo agradecerle —murmuró.

—En primer lugar nunca debiste haberte metido en semejante lío —gruñó—. Una gran tontería. Salgamos de aquí y vayamos a algún sitio donde podamos hablar.

La jueza Young lo oyó. Se puso de pie y dijo:

—Pueden usar mi despacho si gustan. Es lo menos que podemos hacer por ustedes.

Paige, Jason y el doctor Barker estaban a solas en el despacho de la jueza. El doctor Barker dijo:

—Lamento que no me hayan permitido venir antes a ayudarte. Sabes cómo son los médicos.

Paige estaba al borde de las lágrimas.

—Nunca voy a poder agradecerle...

—¡Entonces no lo hagas! —interpuso con aspereza.

Paige lo observó, y de repente recordó algo.

—¿Cuándo habló con John Cronin?

—¿Qué?

—Me entendió bien. ¿Cuándo habló con John Cronin?

—*¿Cuando?*

Paige dijo lentamente:
—Nunca *habló* con John Cronin. Ni siquiera lo conoció.
Hubo una dejo de sonrisa en los labios de Barker.
—No, pero te conozco a ti.
Paige se inclinó y le arrojó los brazos al cuello.
—No te pongas sentimental —gruñó. Miró a Jason. —A veces se pone sentimental. Será mejor que cuides de ella, porque si no tendrás que responderme.
Jason prometió:
—No se preocupe, señor. La cuidaré.

Paige y Jason se casaron al día siguiente. El doctor Barker ofició de padrino.

Epílogo

Paige Curtis instaló un consultorio privado y está afiliada al prestigioso North Shore Hospital. Paige utilizó el millón de dólares que John Cronin le legó para crear una fundación médica en Sudáfrica, con el nombre de su padre.

Lawrence Barker comparte una oficina con Paige como cirujano asesor.

El Consejo Médico de California revocó la licencia de Arthur Kane.

Jimmy Ford se recobró por completo y se casó con Betsy. A su primera hija la llamaron Paige.

Honey Taft se mudó a Irlanda con Sean Reilly y trabaja como enfermera en Dublin.

Sean Reilly es un artista de éxito, y hasta el momento no manifiesta síntomas de sida.

Mike Hunter fue sentenciado a prisión estatal por robo armado y todavía cumple su condena.

Alfred Turner comparte un consultorio en Park Avenue y tiene muchísimo éxito.

Benjamin Wallace fue despedido de su cargo como administrador del Embarcadero County Hospital.

Lauren Harrison se casó con su profesor de tenis.

Lou Dinetto fue sentenciado a quince años de prisión en la penitenciaría por evasión impositiva.

Ken Mallory fue sentenciado a prisión perpetua. Una semana después de la llegada de Dinetto a la penitenciaría, Mallory fue hallado muerto a puñaladas en su celda.

El Embarcadero County Hospital sigue en pie, a la espera del próximo terremoto.